新潮文庫

アメリカ彦蔵

吉村　昭著

新潮社版

6702

アメリカ彦蔵

一

　彦太郎は浜辺に腰をおろし、膝《ひざ》をかかえて海に眼をむけていた。砂礫《されき》のひろがる浜の波打ちぎわには、遠くまで白い色が帯状にのびている。それは、海が荒れるたびに打ちあげられる貝殻であった。

　空は、初秋の空らしく澄み切っていて、一片の雲すらうかんでいない。潮の香のする微風が海を渡ってきていた。左方に淡路島が、右方に小豆島がくっきりと見え、白い帆をあげた大型の回船が二艘《そう》つらなって西から東へ動き、その後方に小型の船がゆっくりと進んでいる。

　母の死後、かれは寺子屋に通うこともせず、浜に来て海に眼をむけていることが多い。雨が降ってきても、身じろぎもしない。常に目の前には、色白の母の顔が幻影のようにうかんでいる。十三歳のかれには、母がすでにこの世にないことが信じられなかった。

　かれは、天保《てんぽう》八年（一八三七）八月二日、瀬戸内の播磨灘《はりまなだ》に面した播磨国加古郡阿閇《あえ》村古《こ》宮《みや》（兵庫県加古郡播磨町）に生れた。

幼い頃父は病死し、父の記憶はほとんどない。母と二人きりの生活になったが、目鼻立ちのととのった母は、数年後、請《こ》われて彦太郎を連れ隣接の本庄村浜田の吉左衛門と再婚した。吉左衛門は、妻と死別し、息子の宇之松と暮していた。兵庫と江戸の間を往復する大型回船の沖船頭で、家を留守にすることが多かった。

彦太郎は、母の再婚に不安をいだいていたが、その恐れは全くなかった。義父である吉左衛門は、彦太郎を実子のように可愛《かわい》がり、江戸からもどる時には彦太郎の喜びそうな土産物を必ず持ち帰る。義兄の宇之松も、新らたに弟ができたのが嬉《うれ》しいらしく、よく面倒をみてくれた。

宇之松は陽気な性格で、遊び友だちの男たちと外を出歩き、夜おそく帰ることもある。そうした宇之松を案じた義父は、宇之松が十六歳になった時、大坂と江戸の間を往復する大型回船の船頭をしている叔父に弟子入りさせた。宇之松は船乗りが性に合っていたらしく、いち早く仕事をおぼえ、三年後には二等航海士ともいうべき表仕《おもてし》になった。航海をして帰ってくる義父と義兄の体からは濃い潮の香がし、顔の皮膚は艶々《つやつや》としていて、日焼けしている。それは、まばゆい陽光と海の輝やきの反映を受けているからにちがいなかった。

宇之松は、航海から帰ってくると、母や彦太郎に旅先で見聞したことを口にし、近所の家々にも行って話をする。村からほとんど出ることのない村人たちは、宇之松の話に興味をもって耳をかたむけていた。そのような義兄をうらやましく感じていた彦太郎は、ひそかに自分も船乗りになりたいと思うようになった。義父も義兄も男らしく、それは絶えず海と向き合い、さまざまな地に行って多くの人々と接しているからなのだ、と思った。収入が多いのも魅力であった。

十歳の春、彦太郎は、母に将来、船乗りになりたいという希望をもらした。

母は、いつになくきびしい表情をして、

「つまらぬことを考えるのではない」

と、強い口調でたしなめた。

水主《かこ》から船頭になるまでには長く辛《つら》い修練に堪えなければならず、船板一枚下は地獄だと言われるように荒れた海は容赦なく人命をのみ込む。母は、義父と義兄が航海に出るたびに無事を祈っているが、心配するのは二人だけでたくさんだ、と顔をしかめた。

「私は、お前を兵庫の回船問屋にでも勤めさせようと思っている。そのためには、寺子屋で読み書きそろばんをしっかりと身につけなければならない」

じゅんじゅんと説く母の言葉をもっともだと思った彦太郎は、以前にもまして熱心に寺子屋通いをつづけた。

それから三年、今年の三月初旬、母方の従兄《いとこ》が百石ほどの船を浜に寄せ、彦太郎の家に立ち寄った。従兄は四国の丸亀《まるがめ》に近い金比羅《こんぴら》神社に参詣《さんけい》したいという江戸の客九人を大坂で乗せ、丸亀へむかう途中であった。

従兄は彦太郎に、

「金比羅参りに連れていってやる」

と、言った。

「船ぎらいの母は、決して許しません」

彦太郎が答えると、従兄は、金比羅神社以外には連れて行かぬから、と母を説得した。母はようやく承諾し、彦太郎は従兄の船に乗った。

村から初めてはなれるかれは、胸をおどらせ、帆走する船の動きに興奮した。浜から遠くながめていた小豆島の傍らを過ぎ、多くの島の間をぬけて丸亀の港に入った。かれは従兄と金比羅神社に参詣し、さらに宮島に行き、厳島《いつくしま》神社にも詣《もう》でた。

船は帰途につき、客たちを室《むろ》の津《つ》でおろし、彦太郎は従兄と浜田へもどった。待ちかねていた母はかれを抱きしめ、二度と他の地へ行くようなことをしてはならぬ、と言った。

その日、母の体に異常が起った。家を出た彦太郎が、近所の家に行って金比羅神社と厳島神社に参拝したと船旅の話をしていると、隣家の男が駈《か》け込んできて、母が倒れた、と告げた。今まで母と話をしていただけに信じられず、かれは家に走った。

母はすでに昏睡《こんすい》状態におちいっていて、やってきた医師は、脳卒中（脳出血）と診断して薬を調合してくれたが、意識はもうろうとしていた。彦太郎がもどってきた喜びで、脳の血管が切れたにちがいなかった。彦太郎は氏神である住吉神社に願をかけてしきりに祈ったが、母は、倒れてから四日目に息を引き取った。五月十八日であった。

義父と義兄は航海に出ていて、十三歳の彦太郎は、母方の叔母にはげまされて母の死にともなう手続きをした。水に湯を注ぐ逆《さか》さ水をみたした大きな盥《たらい》に母の遺体を入れ、その体を洗う湯灌《ゆかん》の折には、かれは肩をふるわせて号泣した。

母の両膝に縄を巻いて坐《すわ》った形にし、遺体が座棺におさめられ、縁側から外に出された。彦太郎は香炉を抱き、組まれた列に加わった。

葬列は、花が開きはじめた棉畠《わたばたけ》の中の道を三昧《さんまい》と称される共同墓地にむかい、掘られた穴の中に棺がおろされ、土がかぶされて大きな石が置かれた。彦太郎は、土に膝を突き、声をあげて泣いた。

その夜、松明《たいまつ》を手にした親戚《しんせき》の者たちと墓地にむかった。死者が生き返って内部から棺をたたいたりしていないかをたしかめるためであったが、墓地には深い静粛がひろがっていた。

叔母たちは涙声で、

「お淋《さび》しおまっしゃろ」

という言葉を繰返しながら、手を合わせていたが、彦太郎はその言葉も口にできず嗚《お》咽《えつ》していた。

半月後、義父が帰ってきた。船で江戸から兵庫にもどって、妻の死を報《しら》せる手紙を受け取ったのだ。義父は悲しみ嘆き、百日間の喪に服して家に閉じこもり、供養《くよう》の日々を送った。

十日前に喪が明けて、親族の者たちが集って飲食をともにした。義兄も家にもどっていた。母のいない家にいるのが堪えきれず、彦太郎は浜に出て海をながめることを繰返していた。白い花におおわれた棉畠の間の道を通って墓地に行き、長い間墓の前でしゃがんでいることもあった。

東の方向の海上に、新らたに大型の回船の帆が湧《わ》いていた。公儀（幕府）の御用船らしく、船尾にかすかに朱の丸の旗印が見えた。

背後に足音が近づき、彦太郎の横に腰をおろした。かれは顔を向けなかったが、義父の吉左衛門であることはわかった。

義父は、しばらくの間黙っていたが、

「彦太郎、これからどうする。叔母さんが面倒をみてくれると言っているから、家にとどまって寺子屋へ通うか。それとも私と一緒に船に乗って働くか。十三歳になっているのだから、炊事の雑用をする炊《かしき》に雇ってやってもよい」

と、海に眼をむけたまま言った。慎重な言葉づかいに、義父が、彦太郎の身を案じて長い間思いめぐらしていたことが感じられた。

思いもかけぬ義父の言葉であった。船乗りになるのを強く反対していた母に一応従う態度をとっていたが、未知の世界を眼にできる航海への願望は胸に根強く巣食っている。それに、従兄の船に乗って金比羅神社、厳島神社に参詣した船旅は、予想以上に素晴しく、海への憧《あこが》れはおさえがたいものになっていた。

義父が、言葉をつづけた。

「私の乗る船は、摂州灘《せっしゅうなだ》の酒づくりのお方の持船で、住吉丸という千六百石積みの大船だ。喪が明けたらすぐに兵庫に来て船に乗るように、という船主様からの手紙が来ている。私は、明朝、兵庫へ行く」

義父の横顔に眼をむけた彦太郎は、

「連れて行ってください。船に乗りたいのです」

と、うわずった声で言った。

「そうか、そうするか」

義父はつぶやくと、しばらく海に眼をむけていたが、

「それでは家にもどって身仕度をととのえるように」

と言って腰をあげ、背をむけて家の方に歩いてゆく。彦太郎は立ち上り、小走りに後を追った。

翌九月十三日朝、かれは義父とともに家を出て母の墓に詣でた。船乗りになるのを強く反対していた母の意向にそむくことを申訳なく思ったが、母のいない家に一人で暮す気にはなれなかった。母は、船板一枚下は地獄の船に乗るのを気づかい、それは親として当然のこととは言え、たとえ海が荒れても、それをおかして進む船に乗るのが男らしい生き方だ、と思った。船に乗れば未知の世界を見聞でき、自分の前途が大きく開ける。

墓地をはなれた義父は、東への道をたどり土山村で山陽道に入った。それは、驚くほど広く整った街道で、旅人や荷をつけた馬が往《ゆ》き交い、駕籠《かご》も通る。かれは、周囲に視線を走らせながら父の後からついていった。

塩谷村で持参の弁当で昼食をとり、兵庫についたのは日が傾きはじめた頃であった。途中、明石《あかし》の町のにぎわいに驚いたが、兵庫はさらに大きな町で、人や駄馬が往き交い、荷を積んだ大八車も通る。義父と港に行ったが、岸には回船問屋の蔵がすき間なく並び、港には多くの大小の船が碇泊《ていはく》していた。

義父は、がっしりした家構えの回船問屋に入ってゆき、しばらくの間出てこなかった。沖船頭としての打合わせをしているにちがいなかった。

やがて出てきた義父は、回船問屋に附属した二階建の家に行った。そこには義父が乗る「住吉丸」の水主たちがいて、集ってくると妻を失った義父に口々に悔みの言葉をかけてきた。

かれらは義父が、彦太郎を亡妻の残した一人息子だと紹介すると、同情の眼をむけ、さらに義父が、

「家に一人置いておくわけにもゆかず、炊見習いとして働かせることにした。船頭の息子だなどと思わず、仕事に手を抜いたりしたら、容赦なく殴りつけてくれ」

と、言った。

「船に乗るのか。それはいい」

水主たちの間から、明るい声が起った。かれらはいずれも壮年以上の者たちで、十三歳の彦太郎が加わったことを喜んでいるようだった。

やがて、にぎやかな夕食がはじまった。水主たちが車座になり、若い炊が大きな飯櫃《めしびつ》のかたわらにつき、丼《どんぶり》に飯を盛って水主たちに渡す。彦太郎も、炊の手伝いをして、丼を水主たちのもとに持って行ったりした。酒を飲んでいる者もいた。

飯を盛るのが一段落すると、酒を飲んでいた義父が、彦太郎に、

「食え」

と、言った。

彦太郎は、丼に飯を盛って箸《はし》をとった。白く艶のある米飯は、今まで食べたこともな

い驚くほどのうまさであった。このような飯を常に口にしている船乗りの生活が、ひどく豊かなものに感じられた。

半刻《とき》ほどすると、水主たちは食事を一斉に終え、彦太郎は、水主たちの生活が規則正しいのを感じた。酒を口にしていた者も飲むのをやめ、広い部屋にふとんを敷きはじめた。彦太郎は、炊の指示にしたがって食器その他を台所にさげ、甕《かめ》の水で洗った。部屋にもどると、ふとんに入った水主たちの間からすでに寝息が起っていた。かれは、義父の脇《わき》にふとんを敷き、身を横たえ、眠りに落ちた。

翌朝、彦太郎は、水主たちと艀《はしけ》に乗って「住吉丸」に行った。港に碇泊している船の中では最も大きく、かれは誇らしい気分になった。

すでに船には、多くの積み荷の酒樽《さかだる》が整然と並べられていた。荒物類の積み込みがおこなわれていて、岸からそれらを満載した艀が「住吉丸」の船べりにつき、引返すことを繰返している。酒とともに江戸に運ぶ荷であった。また、水主たちの食料である米俵や飲料水の入った樽の搬入も進められていた。水主たちは、帆の点検をしたり清掃したりしていた。

夕方には荷の積み込みがすべて終り、その日は船頭である義父以下すべての者が船内に泊った。

夜、義父は重だった水主と舳先《へさき》に立って空を見上げ、なにか言葉を交していた。風向と天候の具合を見はからっていることはあきらかで、彦太郎は船の出帆が迫っているのを感じた。

翌日、朝食を終えて間もなく、

「出船だ」

という義父の大きな声がきこえた。

水主たちが、それぞれの持場に散った。

義父が舳先に立っていて、

「碇《いかり》を抜け」

と、叫ぶように言った。

碇の爪《つめ》が海底からはなれたらしく、船がゆらいだ。

「帆をあげろ」

義父の声に、水主たちが掛け声をあげて轆轤《ろくろ》をまわし、大きな帆がゆらぎながらあがってゆく。帆柱の上端にまであがった帆は、かすかにふくらんだ。

船がゆっくりと進みはじめた。彦太郎は、胸の動悸《どうき》がたかまるのを感じた。荷を積んだ大きな船が、義父の指令のままに動いてゆく秩序正しさに感動した。

船は港をはなれ、南にむかって進んでゆく。風向は好ましいようであったが、微風で船脚はおそい。帆はふくらんだり、しおれたりしていた。

左手に多くの家々が並ぶ町が見えてきたが、水主が岸和田《きしわだ》だと教えてくれた。海上には、前方や後方に同じ南へむかう回船が見え、海が江戸と大坂、兵庫をむすぶ主要航路であるのを感じた。加太の瀬戸を過ぎ、船はさらに南下した。

彦太郎は、先輩の炊にならって水主に出す食事の仕度をした。炊は、食事の世話以外に船内の清掃その他の仕事をすることも知った。

日が傾き、船は由良《ゆら》の港に入って碇を投げた。港には、多くの回船が憩《いこ》うように碇泊していた。夜になると、満ちた月がのぼった。

翌朝も前日同様の日和《ひより》と風向で、「住吉丸」は出船した。前方には日比《ひび》岬があり、その沖は潮流が複雑に交錯する難所であったが、「住吉丸」は難なく岬をかわし、舳先を南東にむけた。

陸岸にそうように進んだが、依然として船脚はおそく、夕刻近く周参見《すさみ》浦に入津《にゅうしん》した。その港を出ると紀伊半島突端の潮ノ岬をまわるが、外洋にさらされた岬の沖は潮流の動きが激しく危険も大きい。船頭の義父は、夜空を見上げていた。

翌朝、空は厚い雲におおわれていたが、順風なので出帆した。義父は舳先に立って前方の海を見つめ、潮の流れや雲の動きを見つめている。

海に鋭く突き出た潮ノ岬が近づいてきた。波のうねりがたかまって船の揺れが増し、波しぶきが船上に降りかかった。船は直進して岬の沖を大きくまわり、東に舳先をむけた。その頃から雨が落ちはじめ、しばらくすると風向が逆風になった。

熊野《くまの》近くまで来ていたので、義父は、航進を諦《あきら》め、風待ちのため船を熊野の港に入れた。水が深く美しい港で、夜になると水主たちは、女と酒をもとめて艀で上陸した。

翌朝になっても雨はやまず、風向も変らない。「住吉丸」は、そのまま港内にとどまっていた。

二日後の午後、港に「住吉丸」とほとんど同じ大きさの回船が入津してきた。「住吉丸」とちがうのは、建造されて間もないらしく、帆柱をはじめ船板が真新らしい。

「永力丸《えいりき》だ」

という声が水主たちの間から起り、手をふったり声をかけている。

その船は、「住吉丸」の船主松屋又左衛門の親戚である摂州菟原《うはら》郡大石村の醸造家松屋八三郎の持船で、そうしたことから水主同士、親しかったのである。「永力丸」は、「住吉丸」と同じく酒その他を積んで兵庫から江戸にむかう途中であった。

「永力丸」は、「住吉丸」に近づき、傍らに碇をおろした。

風待ちで退屈していた水主たちは、義父とともに艀をおろして「永力丸」に行き、彦太郎もついていった。驚いたことに六十歳を過ぎた船頭の万蔵と水主の六人が、彦太郎と同じ村の者で、かれらは彦太郎が「住吉丸」に乗っていることに驚きの眼をみはった。

義父が、手短かに事情を話すと、万蔵たちは、彦太郎の母が死んだことをいたんで義父に言葉をかけ、彦太郎に同情の眼をむけた。かれらは、母の死の悲しみを乗り越えて船乗りになっている彦太郎の健気《けなげ》さを賞《ほ》めた。

「永力丸」乗組みの者たちも、「住吉丸」に訪れてきたりしたが、彦太郎と同郷の水主たちは母と死別した彦太郎を哀れに思うらしく、食物を持ってきてくれたり、慰めの言葉をかけたりする。そのうちに、自分たちの船に乗り移らないか、とも言うようになった。船頭の万蔵は、船頭同士として義父と親しく家にも何度か来たことがあり、同郷の六人の水主も良く知っていたので、彦太郎はかれらのすすめに応じたい、と思った。

それを義父に話すと、

「お前は幼い。足手まといになるだけだから許さぬ」

と言って、首を振った。

そのことを彦太郎が「永力丸」の水主たちに伝えると、水主が船頭の万蔵に告げたらしく、万蔵が義父のもとにやってきて、

「彦太郎のことは、おれが面倒をみる。おれたちの船に乗せてくれ」

と、執拗《しつよう》に頼んだ。

義父は、まだ幼いからという言葉を繰返していたが、万蔵の熱心な求めに折れて承諾した。義父としてみれば、自分の手もとにおくよりは他人のもとで働かす方が、彦太郎

のためになると考えたようであった。それに、「住吉丸」には二十歳の炊がいて、彦太郎はその手伝いをしているだけで、彦太郎が去っても「住吉丸」の仕事にはなんの支障もなかった。

彦太郎は、手廻りの物を手に「永力丸」に乗り移った。

九月二十一日朝、「住吉丸」は依然として港で風待ちをしていたが、万蔵は、風が恢《かい》復《ふく》したと判断し、「永力丸」の碇をあげさせた。出船した「永力丸」は、熊野灘を陸岸にそって北上した。新造船の「永力丸」の船内には木の香がし、帆も真新らしく白かった。

翌日になるとまたも風向が悪くなり、万蔵は、船を九鬼《くき》浦に寄せた。その日以後、日和も風向も恢復せず、「永力丸」は十月六日まで滞船し、翌七日になって港をはなれた。しかし、またも天候が悪化して大難所の大王崎を辛うじてかわし、翌日、志州（三重県）安乗《あのり》浦に入津した。

万蔵は、連日、気象状況をうかがい、十二日朝、船の帆をあげさせた。天候はきわめて良く、「永力丸」は遠州灘を帆をふくらませてはやい速度で東進した。彦太郎は、左方に初めて見る美しい富士山を眼にして思わず合掌した。

船は伊豆の石廊崎《いろうざき》をかわして相模《さがみ》湾を突っきり、三浦岬をまわって江戸湾に入り、船改めを受けるため相州《そうしゅう》（神奈川県）浦賀に入津した。十月十五日であった。

熊野で「永力丸」に乗り移ってから、彦太郎は、同船についての知識を得るようになった。

船頭以下乗組人数は十七名。そのうち彦太郎と同郷の者は、船頭万蔵、水主《かこ》安太郎、甚八、清太郎、治作、喜代蔵、浅右衛門の七名であった。炊は仙太郎という二十二歳の男で、彦太郎はその手伝人として働いていた。積荷は、酒千九百三十一樽をはじめ醤油《しょうゆ》、砂糖、紙、茶、荒物等で、江戸霊岸島の回船問屋中西新八郎に送りとどけることになっていた。

浦賀での役人による船改めもすみ、浦賀を出帆して、十月十九日に品川沖についた。回船問屋の中西新八郎に連絡をとり、やがて中西家から手代《てだい》らがやってきた。つづいて荷受人の船が続々と「永力丸」に集ってきて、酒樽をはじめ積荷を荷船に移す作業にとりかかった。

水主たちは荷を運び、彦太郎もそれを手伝い、休むひまもなかった。荷の積みおろしが終ると、中西家の手代の指示で兵庫へ送る荷の積み込みがはじめられた。染料や薬料となる紅花《べにばな》等であった。

それらの仕事が一段落し、彦太郎は、水主二人と艀で隅田川の河口に入った。そこには大小さまざまな船がひしめき合い、川岸には土蔵がすき間なく建ち並んでいた。遠く江戸城が見えた。

彦太郎は、水主たちと上陸し、歩いて浅草寺《せんそうじ》に行った。多くの店が軒をつらね、おびただしい人が往き交っている。彦太郎は、そのにぎわいに驚き、水主の腕にしがみついて宙を浮くように歩いた。寺に参詣《さんけい》後、奥山に行った。その地一帯には軽業師、手品師等が大道芸を見せ、弓場、のぞきからくりの小屋もある。それらを見てまわって夕方、川岸の船宿にもどったが、興奮したため顔は火照《ほて》り、足がむくんでいた。

翌日は亀戸《かめいど》天神に参拝し、次の日には芝居見物をした。どこに行っても、人、人で、かれは、それらの人の中を浮遊するように歩いた。このように人がひしめく地があることが不思議に思えた。

翌日、艀で「永力丸」にもどると、すでに船には帰りの航海の準備がととのっていた。彦太郎は、江戸見物ができたことに満足し、村にもどったら江戸のことを話そうと思った。村人たちの驚きが予想され、かれは、やはり船乗りになってよかった、と思った。

十月二十二日、「永力丸」は品川沖をはなれ、江戸湾を南下して、翌日、浦賀の港に入った。そこで兵庫へ運ぶ大豆百八十二俵、小豆二百俵をはじめ胡桃《くるみ》、鰯粕《いわしかす》、大麦、小麦の積み込みをおこなった。

浦賀に碇泊中、同郷の水主清太郎から、八カ月前にかれが水主の安太郎、岩吉とともに恐しい経験をしたことをきいた。

清太郎たち三人は、前年の十二月二十六日に木屋市十郎の持船である「住清丸」に乗って、兵庫を出船した。沖船頭は庄治郎で、十五人乗りであった。江戸について積荷をおろし、干鰯《ほしか》、空樽を積んで帰途につき、伊豆の妻良《めら》に寄港した。二月十日夜出船したが、翌日になると強い北風が吹きはじめ、やがて西風に変って大時化《しけ》になった。

「高波が次々に押し寄せてきて、滝のように船に打ち込んでくる。船は波の頂きにのしあげられ、次には波の底に落ちる。生きた心地はしなかった」

清太郎の眼には、思い起すのも恐しいような光が浮んでいた。

舵《かじ》がこわれ、船は海洋のかなたに矢のような速さで流された。

翌日も波は衰えをみせなかったが、はるか彼方《かなた》に島影を発見した。船頭の庄治郎は、船を島に近づけたが、波が高く接岸できない。そのため東南の方向に船をまわし、辛うじて艀で岸にあがることができた。八丈島の巻縄という地であった。

「住清丸」は流れ去って、清太郎たちは八丈島にとどまり、五月二日、島の地役人の船で下田にもどることができた。「住清丸」を積荷とともに失ったので、船頭をはじめ清太郎たちはきびしい取調べを受け、それもようやく終って兵庫で「永力丸」に乗ったのだという。

「海は日和、風向がよければ、船乗りにとってこれほど気分のよいものはない。しかし、いったん荒れ狂うと人の命も船も容赦なくのみこむ」

清太郎は、息を吐くように言った。

身じろぎもせずきいていた彦太郎は、そのような死と背中合わせの恐しい経験をしたというのに、再び船に乗り込んできた清太郎の強靭《きょうじん》な神経に畏敬《いけい》の念をいだいた。「住清丸」に乗っていた安太郎と岩吉も、平然と「永力丸」に乗り組んでいることにも感嘆し、彦太郎は、清太郎たちのような逞《たくま》しい船乗りになりたい、と思った。

荷の積み込みもすべて終り、「永力丸」は浦賀の港を出帆した。

「永力丸」は、おだやかな江戸湾を南下した。江戸から兵庫または大坂へむかう大小さまざまな回船が、湾口に舳先を向け、すぐ近くを進む船もある。それらの船の群れに、彦太郎は、その航路に多数の回船が荷を積んで往復しているのをあらためて感じた。

房総の山々には紅葉の色がさめ、煙るような薄茶色の色がひろがっている。岸に近いあたりには、多くの漁船が散っていた。

湾口から外洋に出ると、船の揺れが少したかまった。あいにく風は南西から吹いていて逆風だったので、船頭の万蔵は、

「間切《まぎ》りだ」

と、水主たちに声をかけた。

それは、逆風でも船を進ませる航法で、帆の角度を変え、船はじぐざぐに進んでゆく。船脚はきわめておそく、遠く近くみえる回船も間切り航法をとっていた。

船は相模灘を西南方にゆっくりと進み、彦太郎は、近づいてくる伊豆の山々に眼をむけた。水主たちはせわしなく操帆につとめ、舵取りは、舵の操作をつづけていた。

右手に、富士山が全容をあらわした。兵庫から江戸にむかう折とはちがって頂きに近いあたりが雪におおわれ、霊峰と言うにふさわしく山容は神々《こうごう》しく美しい。このような富士山を見られるのも、船乗りになったからだ、と思った。

浦賀を出船してから二日後の十月二十八日朝、風が北東に変り、さらに東風になった。願ってもない追い風――順風で、大きな白い帆は生き物のようにふくれあがり、船の速度が急に増した。水主たちの眼は明るく、新造船の「永力丸」の快走を楽しんでいるようであった。前後左右に見える回船も、それぞれ帆に風をはらんで進んでいる。

それまで空をおおっていた雲も切れ、青く澄んだ空がひろがった。雪を冠した富士山が、青空を背景にその輪郭をくっきりと見せ、海はまばゆく輝やいていた。

日が傾いた頃、船は御前崎《おまえざき》沖をすぎ遠州灘に入った。その夜は、満天の星であった。

陸地とはちがって船上から見上げる星空は、自分の体が吸い上げられるような神秘さにみちている。天の川が太く長く流れ、彦太郎は長い間星空を見上げていた。

二

翌朝も、雲一片もない晴天であった。

その季節に江戸から大坂、兵庫方面にむかう回船は、遠州灘を横切って伊勢の鳥羽、安乗などに寄港するのを半ば習いとしている。海難事故を恐れるためで、それらの港で日和、風待ちをして気象状況をうかがい、それから出船して大難所である紀伊半島突端の潮ノ岬をかわし、大坂、兵庫にむかう。

しかし、船頭の万蔵は、

「まちがいなく好天がつづく。伊勢に船を寄せて無駄な時をすごすより、一気に潮ノ岬まで行く。早くもどれば船主様も喜ぶ」

と、明るい眼をして言った。

そのようなことをするのは珍しくなく、水主たちも一様にうなずいていた。遠く近く見える回船の船頭たちも、万蔵と同じ判断をしているらしく、伊勢方向にむかう気配はみせず、船の舳《へ》先《さき》を正しく潮ノ岬方向にむけていた。

翌日も天候はよく、「永力丸」は遠州灘を突っ切り、夕刻に難所である大王崎をかわし熊野灘に入った。

気象状況がくずれていて、日没頃には空は黒ずんだ雲におおわれ、五ツ（午後八時）すぎには雨が落ちてきた。「永力丸」は、夜の海を南西方向に進んだが、次第に風が強まり、波のうねりもたかまって船の揺れが増した。

四ツ（午後十時）頃、紀州の熊野沖あたりと思われる海域にさしかかった時、にわかに風雨が激烈になり、風がうなりをあげて走り、雨が音を立てて降りそそいできた。熟睡していた彦太郎は、船の激しい揺れと風雨の音に眼をさまし、帆柱の後方の居住区から這《は》い出して船上を見た。

かれは、顔色を変えた。眼の前には、恐しい情景がひろがっていた。闇《やみ》の海から黒くふくれあがった波が峯《みね》のようにそそり立って押し寄せ、突き進んでくる。船は、黒々とした波にのし上げられ、次には波の底に激しく突き落される。いつの間にか帆はおろされていて、ほのかに白く見える太い帆柱は左右に傾くことを繰返していた。

かれは、恐怖におそわれた。体にふるえが起り、歯が音を立てて鳴った。船板一枚下は地獄、と母の言った言葉が、頭の中をかすめた。上下左右に揺れる船が、今にも砕け散るのではないか、と思った。母はこのことを恐れ、自分が船乗りになりたいと言った時、頑《かたく》なに許そうとせず、そのような愚しい考えをしてはならぬ、と強くたしなめたのだ。

眼の前に色白の母の顔がうかび上り、かれはその体にしがみつきたかった。

義父の吉左衛門の顔も、眼の前にうかび上った。紀州熊野の港で、義父とともに乗っていた「住吉丸」からこの「永力丸」に乗り移ったが、「住吉丸」に乗ったままでいたら、このような恐しい目に遭わずにすんだのに、と後悔した。

不意に、甲高い何人かの人の声がきこえ、かれは一瞬背筋が凍りつくのを感じた。

「伊勢大神宮様、金比羅《こんぴら》大権現《だいごんげん》様、なにとぞ御加護下さいますように……」

悲痛な祈りの言葉が、絶え間なく繰返されている。

逞しい水主たちが神仏に助命をねがっていることに、彦太郎は体が激しくふるえるのを感じ、船が今にもくつがえるのか、と思った。かれは床に伏し、とぎれとぎれにきこえてくる水主たちの声に和して、神仏の御加護を祈った。

船は上方にのし上げられ、つづいて波の底に落ちこんでゆく。そのたびに船が海中にひきこまれ、再び波の上にあがれないのではないか、と思った。

長く恐しい時間がすぎ、ようやく明け方の七ツ（四時）頃に雨がやみ、風もいくらか弱まったが、波は少しも衰えをみせなかった。祈願する声は、いつの間にかきこえなくなっていた。

突っ伏した彦太郎の周囲がかすかに明るみ、かれは顔をあげた。夜が明けてきていて、かれは船の構造物をつかんで立ち上った。波のうねる海上に眼をむけた。数艘《そう》の回船が遠く近く見え、それらは「永力丸」と同じように西の方向にむかってはやい速度で動いている。あえぐような走り方で、すでに帆柱を失った船もあった。

風は南東風で、徐々に弱まり、六ツ半（午前七時）すぎには微風になった。

海に眼をむけていた万蔵が、

「帆をあげろ」

と、叫んだ。

彦太郎は、その声に深い安堵《あんど》を感じた。波のうねりは高いが、船は陸岸にむかって帆走し、どこかの港に入り込むことができる。神仏の御加護をねがった祈りが通じたのだ、と思った。

水主たちが、帆をあげる轆轤《ろくろ》にとりついた。かれらは掛声をあげて轆轤をまわし、巨大な帆がゆっくりとあがってゆく。

彦太郎は帆を見上げていたが、突然、北西方向から強い風が、あたかも魔物が走ってきたように吹きつけてきた。

「帆をさげろ」

万蔵のうろたえた叫び声がした。

強風でばたつく帆をおろすのは、容易ではない。が、そのまま帆をあげていれば、船は激しい勢いで横倒しになる。帆が裂けることも予想される。

水主たちは力をこめて轆轤をまわし、帆は徐々にさがってきて船上におりた。かれらは、帆と帆の上方に張られた帆桁《ほげた》が強風に吹き飛ばされぬよう、綱で船の構造物にしばりつけた。

船は風に押されて走ってゆく。高々とそそり立つ波がしぶきを散らして次々に後方から追ってきて、白い波頭が歯をむき出した怪物のように見える。彦太郎は、しばりつけられた帆のかたわらにうずくまった。体が深く沈み、次には空にほうり出されるように浮き上る。上方から波が滝のように落ちてきていた。

かれは、傍らの高く突き立った太い帆柱が、右に左に大きくしなうのを見た。その上方に、雲が船の速度ときそうように走っている。

「淦《あか》だ。胴の間《ま》だ」

万蔵の甲高い叫び声がした。胴の間とは甲板のない船の中央部で、彦太郎は淦という言葉が入りこんできた海水だということを知っていた。

かれは、胴の間に水主たちが集り、スッポンと称する水鉄砲のような道具で水を排出し、桶《おけ》で海水を汲《く》み出すのを見つめていた。新造船ではあるが、すさまじい風波で結合部がゆるみ、浸水しているのを知った。それらの水主たちの上に、絶え間なく波が叩《たた》きつけるように降り注いでいる。

不意に船尾で、物が裂けるようなすさまじい音が起った。水主たちの口から、同時に悲痛な叫び声があがった。

彦太郎は、船尾を見た。舵の広い羽板《はいた》が風波で絶えずばたついていたが、それが裂けて海に落ちたのだ。羽板は、波にもまれて船尾からはなれてゆく。

突然、船の舳先がまわり、船が大きく傾いた。舵を失った船は安定をうしない、横波にさらされたのだ。

彦太郎は、海に投げ出されそうな恐れを感じ、帆桁にしがみついた。船上を波が激流のように走っている。

「後ずさりだ」

万蔵の叫び声がした。

彦太郎は、その言葉の意味を知らなかったが、排水につとめていた数人の水主《かこ》が胴の間をはなれ、舳先の方によろめきながら急ぐのを見た。かれらは、舳先にたどりつくと、二つの碇《いかり》を力をこめて海中におろした。万蔵が命じた「後ずさり」とは、強い風波をしのぐ操船術であった。

舳先から碇をおろすと、船は百八十度回転して、船尾が先になり、舳先が後方になる。つまり、後退するように船は進む。舳先は尖《とが》っていて、追風、追波の衝撃が少くてすみ、さらに碇をおろしたことで船の安定度も増す絶妙な方法であった。

その措置で、彦太郎は、急に船の動揺がしずまり、波が船に打ちこむのも少くなったのを感じた。それでも後方から追ってくる波の勢いは激烈で、水主たちはスッポンや桶で排水につとめていた。

風波はさらに激しくなり、浸水が所々で起り、九ツ（正午）近くには舵をつつみ込む外艫《そとども》が破壊されて流れ去った。船は沈下しはじめ、万蔵は、重だった水主たちと短い言葉を交し、

「刎《は》ね荷だ」

と、悲痛な表情で叫んだ。船を軽くするため、積荷の一部を海に投げ捨てるのだ。

水主たちは、大麦と小豆の俵をしばりつけている綱を切り、それぞれ百俵ずつを海に投棄した。船頭としてみれば、荷主から託された荷を捨てるのは堪えがたいことであったが、危険がせまった折には許される定めになっている。

海上は荒れに荒れ、船の中央部から後方のやぐらが次々に破壊されて流れ去った。波をかぶりながら立っていた万蔵は、腰におびた小刀をぬき、丁髷《ちょんまげ》のもとどりに刃を当てて切り落した。白い髪が顔をおおい、海水ではりついた。それを眼にした水主たちが、万蔵から小刀を受け取り、次々に髷を切った。恐しい情景に彦太郎は身をふるわせ、ざんばら髪になったかれらの姿に最後の時が来たのを感じた。水主の一人が彦太郎に小刀を渡し、かれも髷に刃先を食いこませた。

万蔵が膝《ひざ》をつき、手を合わせて伊勢大神宮、金比羅大権現の名を繰返しとなえはじめ、

水主たちも唱和した。彦太郎もそれに和しながら、船頭以下水主たちがすでに死人同様になっているのを感じた。

夕刻が近くなっていた。

波に叩かれながら頭《こうべ》を垂れて坐《すわ》っていた万蔵が、急に船の構造物をつかんで立ち上ると、

「帆柱を切る」

と、眼をいからせ絶叫するように言った。

その声に水主たちは、無言で万蔵を見つめた。舵《かじ》を失った上に帆柱を倒してしまえば、船は航行能力を完全に失い、風波がおさまってもただ海上を漂い流れる浮遊物にすぎなくなる。かれらの顔には、悲痛な表情が浮んでいた。

帆柱は、太さが直径三尺（九〇センチ）もあって重量は大きい。高く突き立っている柱は船を不安定なものにしていて、それを切り倒せば船が横倒しになる危険はなくなる。それに帆柱の受けている風圧も強烈で、船体はすさまじい速さで吹き流されている。帆柱を切るのは、船を覆没からのがれる最後の手段であった。

夜の闇がひろがれば帆柱を切る作業などできず、万蔵は、まだ明るさの残っているうちに帆柱を切ろうと決意したにちがいなかった。

二人の水主が、大きな斧《おの》を手に帆柱に近づいていった。彦太郎は、かれらがそれぞれ

帆柱の風上側と風下側にまわるのを見た。

二人の水主が斧をふり上げて帆柱に突き立てたが、風と波に打たれてよろめき、膝をついた。体が衰弱していて、作業ははかどらない。他の者が替って斧の柄をとり、刃を帆柱に食い込ませた。帆柱は唸《うな》りをあげて走る風を受けて、大きくしなっている。

そのうちに突然、鋭い音が起り、根元に近い部分の帆柱が裂け、追風に押されて傾いた。帆柱の頂きから船首に綱が張られていたが、刀を抜いてかまえていた万蔵の刀が一《いっ》閃《せん》し、綱を断ち切った。それによって巨大な帆柱が音を立てて倒れ、はずむように海面に落ちた。

万蔵も水主たちも、膝をついて波に大きく上下しながらはなれてゆく太い帆柱を見つめている。彦太郎は、嗚咽《おえつ》が胸に強く突き上げてくるのを感じ、体をふるわせ、歯をくいしばった。かれは、顔をあげて帆柱が波間に消えてゆくのを見送っていた。

船の横ゆれが少くなり、船は波のうねりにしたがって上方に持ち上げられ、下方に落ちこむことを繰返していた。

夜の闇がひろがった。相変らず風波は激しかったが、彦太郎の胸から恐怖の感情は薄らいでいた。船の揺れになれた体は感覚が失われ、頭は空白だった。一昼夜、なにも食物を口にしていないのに空腹感はなく、かれの眼には、所々で腰を落し、頭を垂れている水主たちの姿がかすかに映っているだけであった。

風が幾分衰え、四ツ半（午後十一時）すぎと思われる頃、風の唸る音も消えた。万蔵は、舵取りと見張りの者以外は寝るように、としわがれ声で言った。彦太郎は、這うようにして居住区に入り込んだ。身を横たえると、たちまち深い眠りの中に落ちていった。

彦太郎は、眼をさました。横になったまま、少しの間眼を開け閉じしていた。体が揺れず静止したままであるのが不思議で、夢の中にいるのか、と思った。

居住区の入口の外が明るく、かれは、身を起して居住区から這い出た。青く澄んだ空が眼の前にひろがり、まばゆい陽光に眼をしばたたいた。波は静かで風はやんでいる。

かれは立ち上り、海上を見渡した。遠くに帆柱のない船が二艘浮んでいるのが見えた。さらに、海面に多くの浮遊物が漂い流れているのを眼にして、体をかたくした。それは、大小のこわれた艀《はしけ》やくだけた船材、桶、船板などで、多くの回船が風波に破壊され海中に呑《の》みこまれたことをしめしていた。

彦太郎は茫然《ぼうぜん》とそれらを眼にしながら、たとえ帆柱、舵を失っても「永力丸」が沈没をまぬがれたことを幸運に思った。しかし、「永力丸」の姿は悲惨で、かれは慄然《りつぜん》とした。高く突き立っていた太い帆柱は、根元からすぐ上がぎざぎざになって失われ、ただの切り株同様になっている。しばりつけられていた帆布は破れ、船尾はちぎれ、上部の構造物は破壊されていた。

近寄ってきた炊《かしき》の仙太郎が、食事の仕度をしようと声をかけてきた。彦太郎は、仙太郎について船の後部の艫廻《ともまわり》にある烹炊《ほうすい》所に行った。

火を起して飯を炊《た》き、焼きおにぎりを作った。炊事をはじめてから空腹感が急激に突き上げ、にぎり飯を口に入れたい強い衝動に駈《か》られた。が、炊は、船の者全員に食物を運んだ後に食事をとる定めがあり、かれは必死になって堪えた。

かれは仙太郎と、味噌《みそ》を添えたにぎり飯を笊《ざる》にのせて船頭の万蔵をはじめ水主たちに配った。水主たちは、競い合ってにぎり飯をつかみ、あわただしく口に運んだ。

彦太郎と仙太郎は、烹炊所にもどると自分たちのにぎり飯を頬張った。

食事を終えた水主たちは、万蔵の指示でこわれたものを片づけはじめた。また、帆桁に帆布をとりつけ、仮帆《かりほ》を立てる者もいた。その帆は、倒された帆柱の帆の二割ほどの広さしかなかったが、それでも船はかすかに動きはじめた。

「集れ」

万蔵の声がし、彦太郎は仙太郎と烹炊所を出て船の中央部に行った。そこには万蔵が立ち、周囲に水主たちが坐っていて、彦太郎もその背後に腰をおろした。

白髪がざんばら髪になった万蔵の眼には、船頭らしい鋭い光が浮んでいた。

「多くの船が海の藻屑《もくず》となり果てたが、『永力丸』は神仏の御加護によって覆没をまぬがれた。まことに幸運であり、それはお前たちが力を合わせて波風と戦ったからでもある」

船を、後ずさりさせ、帆柱を切った処置によって船は沈没することもなかったが、それはひとえに船頭としての万蔵の長年の経験と決断によるもので、彦太郎は深い畏敬《いけい》の念をいだいた。

万蔵が、言葉をついだ。

「船は坊主船《ぼうずぶね》になり、仮帆を立てはしたが、これからあてもなく漂い流れる運命《さだめ》にある。今はすっかり海は凪《な》いだが、再び荒れ狂うこともある。しかし、船は新造船で、十分持ちこたえることができるはずだ。船さえ保たれれば、たとえ一、二年漂流しても、米は百六十俵も積んでいるので餓死することはない。いずれの地にか漂着すれば、また故郷に帰る手段もあるだろう。互いに人の和を心掛け、気を張って生きるのだ」

万蔵は、重々しい口調で言った。

水主たちは一様にうなずき、彦太郎は、その言葉で活力が体に湧《わ》くのを感じた。

船は、かすかに北にむかって動いている。海上遠く見えていた帆柱のない船の姿も眼にできなくなり、浮遊物も消えていた。

夕刻になると、空が雲におおわれ、間もなく西風がかなりの強さで吹きつけてきた。そのため万蔵は、仮帆をおろし、船を風のままに漂い流させた。

水主たちはそれぞれの居住区に入って就寝した。彦太郎は、その日が十一月一日であるのを感じながら眼を閉じた。

翌朝は雲が切れ、青空がのぞいていたが、西風が強く、波のうねりも高かった。

夕刻近く、水平線にかすかに島影が見えた。何島かはわからなかったが、仮の舵をつくって、その方向に舳先《へさき》をむけた。

翌三日の朝は快晴で、海は静かだった。島が近づいてきていて、船はその風下の位置にあった。帆柱のない大型の回船が、北の方向に見えたが、やがて遠ざかり、船影を没した。

「永力丸」は、徐々に島に近づいた。島に寄せる波の白さもはっきりと眼にできる。船頭をはじめ水主たちは、島を見つめていた。煙が立ち昇っていれば人が住んでいる証拠だが、その気配はなく無人島のように思えた。島は樹木が少く、岩石がつらなっている。

「船を寄せて、島にあがろう」

清太郎が、うわずった声で叫ぶように言った。

「そうだ。上陸しよう」

安太郎が同調し、岩吉も同じ言葉を口にした。

三人は、昨年の十二月下旬に「住清丸」に乗って兵庫から江戸に荷を運び、帰途、大時化《しけ》に遭って漂流した。その後、島影を発見、艀に乗って上陸した。八丈島であった。そのような体験をしているだけに、清太郎たちは、大海をどこに流されるかわからぬ船に身を置くよりも、死をまぬがれるために島に上陸すべきだと考えたのである。

清太郎が、水主たちを見まわし、

「舵も帆柱もない坊主船になってしまったのだ。船は漂い流れ、故郷に帰れる望みはほとんどない。島に近づくことができたのは、神仏の御加護によるものだ。すぐに上陸しよう」

と、強い口調で言った。

水主たちは、無言で島を見つめている。かれらの顔には、決しかねている表情がうかんでいた。

水主の一人が、口を開いた。

「島に煙があがっていないことからみると、無人島だろう。人が住んでいるとしても、どのような人間がいるか。人食い人種であったら、皆殺しにされる」

おびえた声に、かすかにうなずく者もいた。

他の水主が、それに同調して言った。

「たとえ坊主船ではあっても、このまま船にとどまっておれば、他の船に出会うこともあるだろう。帆柱を切って以来かなり東に流されているから、知った島に漂着するかも知れない。食料は十分にあり、水もあるのだから、船にとどまっている方が安全だ」

その言葉を支持する声もあった。

清太郎たち三人と、上陸に反対する者たちの間で熱をおびた言葉のやりとりがつづいた。互いに主張を曲げず、いつまでたっても結論が出ない。

「船のことは船頭の御指図による。船頭のお考えはどうなのか」

水主の中で最年長の五十歳を過ぎた舵取りの長助が、低い声で言った。

水主たちは、万蔵に視線をむけた。船頭は終始口をつぐんで坐っている。

万蔵が、水主たちを見まわすと、

「上陸したい者は、そうしたらよかろう。思うとおりにするがよい」

と、寂のある声で言った。

万蔵は、言葉をつづけた。

「上陸するとすれば、この船を捨てて艀で島にあがることになる。船頭の身としては、大金を費してつくった船と積荷を大海に放棄することはできない。船主様、荷主様に申訳が立たない。おれには、船を船主様に、荷を荷主様にお返しいたさねばならぬ義務がある。おれは船にとどまる。船の上で死ぬなら本望だ」

深い沈黙がひろがった。

再び万蔵が口を開いた。

「今述べたのは船頭のおれの考えだ。お前たちには、親兄弟もいれば妻子もいる。生きて故郷に帰ることをまず考えるべきだ。上陸したい者は上陸せよというのは、そういう意味からだ。上陸する者を決してとがめはしない」

彦太郎は、万蔵が船頭として筋道の通った考え方をしているのを感じた。

再び水主《かこ》たちの間で、上陸すべきかどうかをめぐって言葉が交された。

「ミクジをひこう」

長助が、言った。

船乗りたちは、船が漂流の憂目《うきめ》にあった時、神仏に祈ってクジをひき、それによって船の進む方向等を定める習わしがある。長助は、上陸するかどうかを神のお告げであるクジできめようというのだ。

一同、即座に賛成し、長助がクジをひくことになり、神仏を祭る場所に一人で入っていった。かれはそこで神仏に一心に祈り、その上でクジをひくのだ。

かれは、長い間出てこなかったが、やがてこわばった表情で姿を現わすと近づいてきた。水主たちは、無言でかれを見つめた。

長助は、水主たちを見まわすと、

「ミクジは、上陸せよ、と出た」

と、言った。

清太郎の眼が、明るく光った。

水主たちは黙っていたが、一人の水主が、

「念のためもう一度ミクジをひいてみよう」

と、言った。

異論をとなえる者はいなかった。本船を捨てるかどうかの大事な事柄であるので、念のためという言葉にさからう気はなかったのである。

上陸について中立の立場をとっている水主が、神仏を祭る区劃《くかく》に一人で入っていった。

船頭は、坐ったまま、海に眼を向けている。かれの顔には、ミクジの結果に関係なく船に残る決意の色がうかんでいた。

しばらくして出てきた水主は、

「上陸はならぬ、というクジが出た」

と、言った。

水主たちは、顔を見合わせた。初めのクジは上陸せよとあり、二度目のクジは上陸はならぬ、という。相反したクジに、かれらの顔には戸惑いの表情が濃く浮んでいた。

どちらのクジの結果に従うかということで、水主たちは激論を交した。初めのクジが神のお告げである、という声と、二度目のクジこそ正しいという意見が対立した。かれらは主張をゆずらず、顔を紅潮させたり青ざめさせたりして、長い間激しい言葉を口にし合った。

船頭、舵取りにつぐ年長者の幾松は、終始無言でいたが、対立する水主たちを制し、

「このようにしていては、いつまでたってもらちがあかぬ。おれが最後のクジをひく。

おれは船にとどまるもよし、上陸するもよしと思っている。つまり中立の立場だ。おれがひくクジを神のお告げとして、それに従うことに異存はないか」

と、言った。

水主たちは、静まりかえった。

長助が、

「いい考えだ。最後のクジだ。これではっきりときめる。いいな」

と、言った。

水主たちは、一様にうなずいた。

幾松は、白いものがまじった髪を手でなぜ、着物の衿《えり》を正して神仏を祭る区劃の方に歩き、内部に消えた。水主たちは口をつぐみ、幾松の入っていった区劃の方を見つめた。果してクジは上陸と出るか、船にとどまると出るか、彦太郎も視線をその方向にむけていた。

しばらくすると、幾松が姿を現わした。水主たちは、近づいてくる幾松の顔を注視した。

幾松の口が動いた。

「上陸せよ、と出た」

水主たちの間から、深い吐息がもれた。神が上陸を指示したからには、その通りにしなければならない。上陸に反対していた者たちの顔にも、神のお告げに従うという表情がうかんでいた。

島には艀で上陸することになるので、水主たちは船の中央部にのせられている艀に近寄った。島が無人島であるかも知れず、そのためには、食料を持ってゆく必要があり、米俵をかついできてのせる者もいた。

万蔵が、立ち上り、

「お前たちは上陸しろ。重ねて言うが、おれは船に残る。おれのことはなにも考えなくてよい」

と、言った。

水主たちが、万蔵の顔を見つめた。クジが上陸せよ、と出たのに万蔵は船に残るという。神のお告げにさからうことになるが、万蔵は船頭としての責任上、船と積荷を捨てることはできないのだ。

万蔵が言葉を切ると、それにかぶせるように、

「船頭が残るなら、おれも上陸せずにいっしょに残る」

という声がした。万蔵の甥《おい》の治作で、船頭につぐ地位にある上席の水主であった。

その言葉に水主たちの間に動揺が起り、船頭、治作とともに船にとどまる、と言う者もいた。

再び激しい言葉のやりとりがはじまった。最後のクジが出たのに、それに従わぬのは神のお告げにそむく行為だ、と声を荒らげてなじり、これに対して、クジ通りに上陸したい者は上陸すればよく、各自が自由にすべきである、と反撥《はんぱつ》する者もいた。

議論は、果てしなくつづいた。

「おい、見ろ」

舵取《かじと》りの長助が、突然、甲高い声をあげ、海上を指さした。その方向に眼をむけた水主たちの間から、悲鳴に近い叫び声が起った。

島がいつの間にか遠くはなれている。風が強くなっていて、島の風下に位置していた船は、長い議論をしている間に風に押されて島からはなれていたのだ。

島との距離からみて彦太郎にも、艀《はしけ》で島に漕ぎ寄せることは到底不可能であるのがわかった。

水主たちは無言で島を見つめ、失望して腰を落す者もいた。船は、西風に押されて東の方向に流されてゆく。

「最初のクジに従って上陸すればよかったのだ」

清太郎が、憤《いきどお》りをふくんだ声で言った。

しかし、水主たちは口をつぐんだままであった。たしかに清太郎の言う通りにちがいなかったが、今となってはどうにもならない。かれらは、島の方向に眼を向けたまま動かなかった。深い静寂がひろがった。

風は時がたつにつれて強まり、船の動きが増した。波のうねりも高まって、船べりにくだける飛沫《ひまつ》が船上にふりかかる。水主たちのざんばら髪が、風に吹かれて顔をおおったが、それをかきあげる者もいない。

日が傾きはじめた。島はさらに遠のき、日が没する頃には全く見えなくなった。

彦太郎は、炊《かしき》の仙太郎にうながされ、夕食の仕度のため烹炊《ほうすい》所に入っていった。

翌日は風波が激しかったが、夜には凪ぎになった。船は、東へ東へと漂い流されてゆく。遠く帆柱のない一艘《そう》の漂流船が見えたが、それも消えた。

十一月九日朝は晴天で、かすかに南から風が吹いていた。船頭の万蔵は、船を日本の方向へ進ませようとして、仮帆を立てさせた。

船はそれから十二日まで北西の方向にゆっくりと進みつづけたが、翌日は強い西風に変ったので、仮帆をおろした。船は、再び東へ流されていった。波が激しく、船に打ち込むようになったので、二度目の刎《は》ね荷をし、大麦百俵、小豆三百俵を投棄した。

十五日は朝から一片の雲もない快晴で、船のまわりに多くの魚が集ってきていた。水主たちは、積荷の鰯粕《いわしかす》を釣針の先につけて糸を垂らした。すぐに魚がかかって、次々にサバやサワラが揚げられた。鮮魚を口にすることなどなかったので、彦太郎は仙太郎とともに、それを刺身にして水主たちに配った。残った魚は、保存用として塩漬けにした。

飲料水は樽《たる》におさめられていたが、水主たちが船に備えつけられているランビキで飲料水の採取をはじめた。その器具は、海水を蒸発させて液化した蒸気から真水をとる装置であった。

彦太郎は、ランビキを興味深げに見守った。液化した水が桶《おけ》に点滴し、六合ほどの真水がとれた。しかし、海水を蒸発させるのに貴重な薪《まき》を多く費したので、二度とランビキを使うことはなかった。

二十四日朝には、数匹の大きなサメが船のまわりを泳いでいるのが見えた。水主の中には恐れる者がいたが、神の使いだという者もいた。彦太郎は、おびえながらもサメの姿を見守っていたが、一匹が頭をめぐらすと他のサメもそれにならい、船からははなれていった。

好天の日がつづき、水主たちはなにをすることもなく過した。

十二月一日も空は晴れ、数人の者が船の前部に行って千両箱をあけ、小判を持ちだしてきた。かれらは、小判を賭《か》けて花札をはじめた。熱をおびた勝負がつづけられ、小判がやり取りされる。午後おそくまでかかり、ようやく終った。

しかし、勝った者は小判を集めず、そのまま床に置いたまま立ち上り、振向こうともしなかった。手にすらできぬ大金であったが、漂い流れる船の上ではなんの価値もないことをかれらは知っていた。

無気力な空気が水主たちの間にひろがり、坐《すわ》って海にうつろな眼を向けたり、体を丸めて寝こんだりしている。彦太郎も、体から力がぬけているのを感じていた。

十二月五日、海はまたも大時化になった。前日来の雨はやんでいたが、強烈な西風がうなりをあげて吹きつのり、高くそそり立って押し寄せる波に船は翻弄《ほんろう》された。後ずさりの形をとっている後方の舳先《へさき》に激浪が次々にのしかかり、船室は打ち込んだ波で水びたしになった。そのため水主たちは、船尾の方に身を避けた。

このままでは浸水で船が水船となって沈没することは確実で、水主たちはスッポンや桶で水を排出することにつとめた。

その作業を見守っていた彦太郎は、恐しいものを眼にして体をかたくした。二人の水主が、他の者が必死になって働いているのに腰をおろしたまま動こうとしない。顔には拗《す》ねた表情が浮び、排水している水主たちを蔑《さげす》むようにながめている。彦太郎は、その二人が船は助からぬとすっかり諦《あきら》め、水主たちの努力を無駄と思っているのを知った。

水主たちは海に生きる逞《たくま》しい男たちだと思っていたが、その二人の水主がすでに気力を失った死人同然になっているのを感じた。物悲しさをおぼえた彦太郎は、排水をする水主たちのもとに行き、桶を手に水の排出につとめた。

食事もとらず働き、八ツ（午後二時）頃にようやく波も衰えをみせはじめ、夕刻には風がおさまった。水主たちは、浸水個所の修理をし、それは夜おそくまでつづいた。

好天の日が過ぎたが、十九日には今までにない大時化《しけ》となり、船はすさまじい速さで東へ進んだ。そのため舳先から垂らした二個の碇《いかり》が、海面に躍るようにはね上る仕末だった。船底が破壊されて、浸入した海水が六尺（一・八メートル）以上の高さにまでなり、水主たちは、排水につとめるとともに海水の入ってくる個所に衣類を詰め込み、辛うじて浸水をとめた。

水主たちは、波をかぶりながら神仏に祈り、彦太郎もそれに唱和した。波にのしあげられ、波の底に落ちることを繰返している船は鋭いきしみ音を立て、今にも砕け散るかと思えた。

日没頃、風はようやくやみ、波も衰えをみせた。水主たちの顔には、絶望の色が濃かった。船がきしみ音をあげているのは、船体が破壊寸前にあることをしめしている。

「この船は、一年前に出来た新造船だが、もう長いことは持つまい」

水主の一人の言葉に、他の者たちは暗い眼をして黙っていた。

彦太郎は、かれらをうつろな眼でながめた。その水主の言うように、もう一度嵐《あらし》がやってくれば、船とともに海中に呑《の》み込まれるにちがいない、と思った。

三

十二月二十日の夜は寒気がきびしく、冴《さ》えた星が空一面にひろがっていた。波はおだやかであったが、海が荒れると突然、凶暴な牙《きば》をむき出し一変する。船体は風波にいためつけられて、結合部のほとんどがゆるんでいる。彦太郎は、不安そうな眼をして星明りにほのかに浮びあがる船を見まわしていた。

かれは居住区に入ると、ふとんにくるまった。やがては死が訪れ、自分の体は海中深く沈んでゆき、その折には、周囲に魚が群れをなして泳ぎ、繁《しげ》った海草がゆらぐ。かれは、深い眠りの中に落ちていった。

不意に甲高い声がし、自分をつつむ空気が激しく揺れ動いているのを感じた。かれは夢の中にいた。足音もきこえ、かれは眼をあけた。夜が明けはじめていて、戸のすき間がかすかに明るんでいる。

ひきつるような叫び声がきこえていた。なにを言っているのかわからぬわめき声であった。尋常ではない声に、かれははっきりと眼をさまし、半身を起した。船に異常が生じ、裂けて沈みかけているのではないか、と思った。

傍らに寝ていた仙太郎がはね起きて戸を勢いよくあけ、彦太郎も居住区の外にとび出した。

叫んでいるのは、同じ村の出身である安太郎であった。うわずった声でわめきながら、激しく走りまわっている。かれが起きているのは不思議ではなかった。かれは信仰心が篤《あつ》く、夜明けに一人起きて海水で身を清め、故郷のある西の方角にむかって神仏に祈るのを習いとしている。

かれが、なにを言っているのかわからなかった。眼が血走り、彦太郎はかれが気がふれたのだ、と思った。ふだんは物静かな安太郎が、別人のように血相を変えて狂ったようにわめきつづけている。

起き出してきた水主《かこ》たちが、安太郎をとりかこみ、

「どうした、どうしたのだ」

と、口々に声をかけた。

安太郎は、雪をかぶった岩とか、城の天守閣とかいう言葉を吐き出すように口にしている。

「見えた、見えたのだ」

安太郎は、西の方角を指さし、同じ言葉をかすれた声で繰返している。

「なにが見えたのだ」

水主の一人が、安太郎の肩をつかんだ。

安太郎は、再び雪をかぶった岩、天守閣という言葉を口にし、西の海上を再び指さした。水主たちが、ぎくりとしたように一斉に海に眼を向け、彦太郎もそれにならった。

水主たちの間から、不意に鋭い叫び声があがった。彦太郎の眼に、夜明けの空を背景に水平線上に下部が黒く上方が白いものがとらえられた。それはたしかに雪を冠した岩石か白い天守閣のそびえる城郭のように見える。海面に突き出た岩か、それとも小さな島か。

彦太郎は、為体《えたい》の知れぬものに視線を据えた。それは徐々に近づき、輪郭がはっきりしてきた。波は高い。

「船だ」

水主の一人が叫んだ。

岩でも島でもなく、白い帆をあげた船体の黒い船であった。歓《よろこ》びの声が、一斉に水主たちの口から噴き出た。船は、西の方向から近づいてくる。太陽が水平線からのぞいて光を投げ、そのまばゆい陽光に黒い船体と白帆がくっきりと浮び上った。

水主たちは、船に視線をむけながらうわずった声で言葉を交した。黒い船は日本の回船とはちがって、帆桁《ほげた》に多くの帆が張られている。長崎に行ったことのある水主が、オランダ船ではないか、と言った。

船の速度ははやく、南方の海上を西の方向から接近してきて、東の方にむかって進んでゆく。

体をはねさせて喜んでいた水主たちが、船がそのまま進めば通りすぎてゆくのに気づき、

「助けてくれえ、助けてくれえ」

と、叫びはじめた。

黒い船に救出してもらえなければ、死を待つだけで、彦太郎も叫び、手を激しく振った。

船上に人の姿が見えたが、こちらに気づかぬらしく顔を向ける者はいない。船は東の方向に進みつづけ、「永力丸」に近づく気配はみせない。

水主たちは声をからして叫び、水主の一人が棒に布切れをしばりつけて船にむかって振った。船は、依然として速度を変えず、「永力丸」からはなれてゆく。

そのうちに、彦太郎の眼に船上にいる者たちが寄りかたまり、こちらに顔を向けているのが映った。水主たちは、一層声をはりあげ、布切れを振った。船上の者たちに動きがみられた。小走りに歩いている者もいる。かれらは「永力丸」に気づいたようであった。

「永力丸」から五町（五四五メートル）ほど東の海で、黒い船がゆっくりと北に船首をま

わすのが見えた。それを眼にした水主たちは一層声をはりあげ、手をふり布をふった。

やがて黒い船が徐々に速度をゆるめて停止した。水主たちの間から、歓声が噴き上った。

船を見つめていると、船べりに並んで立っている者たちが、こちらに来いというようにしきりに手まねきしている。

「艀をおろそう」

という声が、水主たちの間から起った。

彦太郎は、船頭の万蔵に眼を向けた。万蔵は、島影を前にしながらあくまでも「永力丸」にとどまると言っただけに「永力丸」からはなれるのを拒むのか、と思った。しかし、万蔵は、反対する気配をみせず艀の方に近づいてゆく。長年の経験でかれは、「永力丸」がすっかりいたみ、沈没は時間の問題であるのを察知しているにちがいなかった。

水主たちが船の中央部にのせられている艀に走り寄った。まず万蔵と彦太郎が乗り、水主たちが衣類や米を入れた桶その他を手にして、乗った。

艀が船から海面に押し出され、波に上下した。二人の水主が櫓《ろ》をそれぞれつかみ、黒い船にむかって漕《こ》ぎはじめた。しかし、体の衰弱したかれらは、すぐに息を喘《あえ》がせ、艀は少しずつしか進まない。黒い船は、艀の風下の方向に停止していて、逆風のため艀に近づいてくることはできない。艀を船に寄せる以外になかった。

櫓をつかむ水主は必死の形相で漕ぎ、漕ぎ手が何度も交替したが、船との距離はちぢまらない。彦太郎の胸に、絶望感がひろがった。いったんは救出しようとして停止した黒い船の者たちは、艀《はしけ》が近寄れないのを知って、船路を急ぐため立ち去るのではないか。水主たちも同じような推測をしているらしく、かれらの顔には焦《あせ》りの色が濃く浮んでいた。

突然、水主たちの間から悲痛な声が起り、櫓をつかんでいた者も漕ぐのをやめて黒い船を見つめた。

船が徐々に動きはじめていた。恐れていたことが、現実のものになったのを彦太郎は知った。船は立ち去ろうとしている。黒船の者たちは、漂流する「永力丸」の水主たちを救助しようとして船をとめたが、「永力丸」の乗組みの者は縁もゆかりもない者たちで、かれらに救出しなければならぬ義務はない。船には船の目的があり、無駄な時間を費やすことなく航行をつづけるのだろう。

彦太郎は、茫然《ぼうぜん》と動きだした船を見つめた。

しかし、船の動きが異様であった。東にむかって航進すると思ったのに、舳先が西の方向に、つまり艀の方にまわされた。

逆風であるのに、船がこちらに進んでくる。

「間切りだ」

万蔵が、叫んだ。

それは逆風帆走法で、黒い船は確実にこちらに向って進んでくる。舳先に白い波が散っている。水主たちは互いに肩をたたき合って喜んだが、かれらの眼にはその見事な走法に感嘆の光も濃く浮んでいた。

船が、かなりの速度で近づいてきた。三本の帆柱は高く、張られた多くの帆は白い。船上には紺色の衣服を身につけた者たちが立ち、一様にこちらに眼をむけている。

黒船が、艀にのしかかるように近寄ってきた。

舳先に大柄な男が立っていて、腰をひねると綱を艀に投げてきた。それが艀の上に落ち、水主がつかんで艀の杭《くい》にしばりつけた。綱が強く張られ、艀が徐々に船べりに引き寄せられてゆく。

船はいつの間にか、碇泊《ていはく》でもしているように完全に停止していた。帆がひらいているのに信じられぬことであった。

船べりから数人の男が体を乗り出した。髭《ひげ》が顔をおおっていて、その一人がなにか言い、綱がおろされてきた。それを伝って船にあがるようにと、手をしきりに動かしている。

艀が接舷《せつげん》し、万蔵が綱をつかみ、船べりに足をかけて昇ってゆく。水主たちがそれにつづき、彦太郎も綱をつかんだ。

甲板にようやく上った彦太郎は、万蔵をはじめ水主たちが、膝《ひざ》をつき両手をついているのを見た。かれらは、肩を波打たせて泣いている。彦太郎の眼からも涙があふれ出た。恐しい大時化、襲いかかる波濤《はとう》、風のうなり。それらによって船尾は砕かれ、上部構造も破壊されて流れ去った。刎《は》ね荷をし、髷《まげ》を切って神仏の御加護を念じ、帆柱も切り倒した。船は浮遊物として漂い流れ、船は傷つき沈没寸前の状態にまでなっていた。

死は迫っていたが、黒い船に遭遇して救い上げられた水主たちは、甲板に両手をついている。母の顔が眼の前に浮び上った。母が自分の手をつかみ、死の淵《ふち》からひき上げてくれたのだ、と思った。新らたに涙があふれ、かれは肩をふるわせて泣いた。

水主たちは、甲板に立つ男たちに手を合わせて拝み、彦太郎もそれにならった。船の乗組員に感謝して、彦太郎は水主たちとともに何度も頭を深くさげた。

彦太郎は、恐るおそるかれらに眼を向けた。髪が赤い者もいれば黒い者もいる。多くの者が顎髭《あごひげ》をはやしていた。眼も赤、青、茶とさまざまで、股引《ももひ》きのようなもの（ズボン）をはき、紺色の羅沙地《らしやじ》の衣服を着ている。すべての者が短い靴をはいていたが、一人だけ長い靴をはいた背丈が六尺以上もある男がいて、それが船長のようであった。かれらは、物珍しそうに彦太郎たちをながめ、かすかに頰をゆるめて片眼をつぶる者もいた。

船が進みはじめた。彦太郎は、水主たちとはなれてゆく「永力丸」を見つめた。帆柱がなく船尾の破壊された船が、ひどく見すぼらしいものに見え、その船に十七人の男が乗っていたことが信じられない思いであった。

やがて「永力丸」は小さくなり、水平線下に没した。

彦太郎たちは、後甲板に導かれた。

船長が、四十年輩の異様な頭をした男を連れて後甲板にやってきた。頭のまわりも上もすべて剃《そ》られていて、脳天の中央だけ髪がのび、それが編まれて後方に長く垂れている。

長崎に行ったことのある水主が、

「唐人（中国人）だ」

と、仲間にささやいた。

顔つきが他の乗組員たちとちがい、むしろ日本人に近かった。やがて知ったことだが、唐人は料理人として船に雇われていて、船長はかれをコックと呼んでいた。

陰気な眼をした唐人は、筆と紙、それに墨汁の入った壺《つぼ》を手にしていて、船長に声をかけられると、筆で紙になにか書いた。それは「金山」という漢字であった。唐人は、なおもさまざまな字を書いたが、水主たちは首をかしげるばかりで、「米利加《めりか》」という文字もなにを意味するのかわからなかった。

唐人が筆をしまうと、船長が、水主たちに自分についてくるようにという仕種《しぐさ》をした。

彦太郎たちは船長に従い、一つの部屋に入った。そこはあきらかに調理室で、船長は大きな樽《たる》を指で軽くたたいて水が入っていることをしめし、干した肉などを指さした。船長は、さかんに身ぶり手ぶりをし、彦太郎たちは、なにを伝えようとしているのか真剣に見つめた。ようやくかれが、十二人乗りの船に彦太郎ら十七人が加わったので、食料と水を節約してもらわねばならぬ、と説明しているのを知った。

水主たちは、納得したことをしめすため何度もうなずいた。

船長は満足したように口もとをゆるめ、こちらに来いという手ぶりをして歩き出し、彦太郎たちはついていった。船長が連れていったのは小さい部屋で、美しい布の張られた椅子《いす》が置かれ、壁板も床も艶《つや》があって清潔だった。

船長は椅子に坐《すわ》れという仕種をし、腰かけた者がいたが、立ったままの者もいた。

背の低い四十年輩の男が入ってきて、テーブルの上に大きな海図を広げた。かれは、多くの地を指さしてなにか言ったが、水主たちは首をかしげるばかりであった。そのうちに男が広い土地を指さし、

「アーメリカ」

と、言った。

水主の中には、四年前に浦賀に二隻《せき》の異国の軍艦（コロンブス号、ヴィンセンス号）が来航し、それがアメリカからやってきた艦であるのを聞いた者がいて、アーメリカが国

名である、と彦太郎たちに言った。

男は、水主たちが理解したのを知り、広い土地を再び指さし、ついで部屋の床も指さした。それで彦太郎たちは、船がアメリカ船であるのを知った。

次に男は、細長い小さな島に指先を置き、

「ジャパン、イェド（江戸）」

と言って、水主たちの胸を指さした。

彦太郎たちの国を言っているらしいと察したが、ジャパンという名は聞いたことがなく、それに日本がそのような小さな国とは思えず、黙っていた。

男は、水主たちの反応が薄いことに落胆した風もみせず、海図をまとめて去った。

水主たちは、船長にお辞儀をし、部屋を出ると後甲板にもどった。かれらは腰をおろして言葉を交し合った。船がアメリカ船であるのを知っただけでも気持が落着き、船長が食料、水を節約するよう求めたことに話が及んだ。

万蔵は、船に積まれた食料と水の量は一定していて、船長の要求は当然だ、と言った。

しかし、水主の一人は、

「航海が長引いて食料がなくなったら、おれたちを食う気ではないだろうか」

と、おびえた眼をして言った。

異国には人を食う人種がいるのを彦太郎もきいたことがあり、不安になった。

「心配していたらきりがない。命を救《たす》けてくれたことをありがたいと思え。これからは三食を二食にして生きつづけるのだ」

万蔵の言葉には、船頭らしいきびしさがあった。

水主《かこ》たちは、この船が逆風にもかかわらず間切り（逆風帆走法）で見事に自分たちの乗った艀に船を近づけてきた航法を口にし、感嘆していた。

かれらは、船乗りとしてこの異国の船に興味をいだき、数人の者が後甲板をはなれて船の中をおずおずと歩きはじめた。彦太郎は、他の水主たちと甲板に坐っていた。

しばらくすると、船内を見てまわっていた水主たちがもどってきた。水主の一人は、大胆にも舵手《だしゅ》に近寄り手ぶり身ぶりでさまざまな質問をした。初めはわからなかったが、このアメリカ船の名前は、と船を指さすことを繰返した。船名をたずねようと思い、舵手の口からオクラン（オークランド号）という言葉がもれ、それが船名のようであった。

さらに水主は、船がむかっている目的の地につくまでどのくらいの時間がかかるかをたずねた。舵手はその意味を察したらしく、曲げた腕の上に頭をのせて寝る仕種をし、指で四十二を数えた。それで目的の港に入るまで四十二日間を要することを知ったという。

この日数については、信じる者はいなかった。日本の船は海岸沿いに走っていて、万蔵をはじめ水主たちは、黒い船が陸地の近くを航行しているにちがいないと信じこんでいた。陸地を見ずに船が走れるなど思いもよらぬことで、一両日中には港に入ると考えていたのである。

十七、八歳の青い眼をした男がやってきて、彦太郎についてくるようにと手招きした。最年少の十三歳である彦太郎に親しみをいだいていることはあきらかだった。彦太郎は立ち上り、かれの後について行った。

導かれたのは、かれが管理しているらしい小さな食料品室であった。かれは柔かい餅《もち》のようなもの（パン）を彦太郎に渡し、その上に黄色い油（バター）を塗って黒砂糖をのせ、食べろという仕種をした。また、傍らに汁（スープ）の入った深皿を置いた。

男は用事があるらしく部屋を出て行き、彦太郎は餅状のものを口に近づけたが、油の臭《にお》いが不快で食べることが出来ず、袂《たもと》に入れた。ついで恐るおそる匙《さじ》（スプーン）で汁をすくって口に入れてみると、それはひどくおいしかった。中には豆と塩漬けにした肉が入っていて、すべて飲みつくした。

男がもどってきて、餅状のものはうまかったかという仕種をし、彦太郎はうなずいた。男は満足そうに笑い、彦太郎はお辞儀をすると部屋を出て、後甲板にもどる途中、素早く袂から餅状のものを取り出して海に捨てた。油の臭いが、いつまでたっても鼻先に残っていた。

日が傾き、彦太郎たちは食堂に導かれ、夕食をとった。芋の煮つけ、餅状のもの、バター、塩肉、豆を煎《い》ったコーヒーが出され、餅状のものはブレ（bread・パン）という名称であるのを知った。「永力丸」から持ってきた米飯も食べ、バターと肉には手をつけなかった。

食後、水主たちの居室が用意され、彦太郎は、船長と四人の船員とともに一室に入った。船長が彦太郎だけを同室にしたのは、年少の彦太郎に親しみをいだいているからにちがいなかった。彦太郎は、毛で織った掛けぶとん（毛布）にくるまり熟睡した。

船は、天測によって順調な航海をつづけた。水主たちは、いつの間にか船内の雑用を手伝うようになり、彦太郎も、初めてパンとスープをすすめてくれた最年少の船員と食料品の整理をした。その船員が十七歳であるのを知り、彦太郎も指で十三歳であると教えた。

船に救出された直後、船長室で海図をひろげて「アーメリカ」と言って船がアメリカ船であるのを教えてくれた船員は、船長の次の次の地位にある二等航海士であるようだった。その小柄な男は水主たちに親切で、ことに彦太郎を可愛《かわい》がってくれた。

かれは、大きな地図帳を持って来て水主たちの傍らに坐り、それをひろげて広い面積の地を指さし、

「アーメリカ、アーメリカ」

と、繰返した。

彦太郎たちがうなずくと、かれは船の進む方向を指さし、

「カリフォルニア」

と、言った。

船がアメリカのカリフォルニアという地にむかって進んでいる意味だとすぐにわかり、彦太郎たちはうなずいた。二等航海士は満足そうだった。

航海士は、後甲板をはなれたが、古い洋服を手にもどってくると、彦太郎を手招きし、着物をぬぐようにという手まねをした。指示通りにぬぐと、航海士は、手にした服が自分のものだという仕種をし、彦太郎にシャツ、上衣《うわぎ》を着せ、羅紗の股引き状のもの（ズボン）をはかせた。航海士が小柄とは言え、その服は彦太郎には大きすぎ、航海士は白い棒状のもの（チョーク）で所々に印をつけ、服を持って去った。

翌日の午後、再び服を手に姿をみせた航海士は、それを着るようにうながした。裁断して縫い直したらしく、彦太郎にはぴったりだった。

航海士は、彦太郎の肩に手を置き、

「ヤンキー・ボーイ」

と言い、頰笑《ほほえ》んだ。

洋服は、着物とちがって体がしめつけられるような感じがしたが、暖かくて体を自由に動かすことができ、彦太郎は気に入った。しかし、水主たちは、姿がおかしいと言っ

て笑っていた。

可愛がってくれる二等航海士に彦太郎は、少しずつアメリカ言葉を教えてもらうようになった。水を指さして、なんと言うのか、という仕種をすると、航海士は、

「ワラ（water）」

と、言った。

鼻を指さすと、ノウス、耳はイヤイ、眼はアイ。

彦太郎が空をさすと、

「スクァイ」

太陽を指さすと、

「サン」

彦太郎は、それらの言葉を頭にきざみつけ、水主たちに伝えた。

十二月二十六日の朝、船の前部の方で絹を引き裂くような鋭い声が聞えた。後甲板に坐っていた水主たちは驚いて立ち上り、彦太郎もかれらと前部の方に走った。耳にしたこともない悲鳴に似た声であった。

水主たちは足をとめ、立ちすくんだ。彦太郎は、一頭の豚が両足をしばられて横たわり、大きな刃物を手にした唐人のコックが、それを振り上げて首を切断しているのを眼にした。唐人の腕、衣服、顔に血が飛び散っていて、次には唐人の刃物が音を立てて腿《もも》

にたたきつけられた。

彦太郎は、恐れを感じて水主たちと後ずさりし、その場をはなれて後甲板にもどった。日本ではそのような残忍な行為を見たことはなく、水主たちは一様に顔を青ざめさせて言葉を交した。生き物を容赦なく殺す異国人に対する恐怖をそれぞれ口にし、水主の一人は、

「航海が長びけば、異人どもはおれたちに襲いかかり、首や手足を切り落してがつがつ食うにちがいない」

と、ふるえをおびた声で言った。

彦太郎は、もしかするとそのようなことがあるかも知れない、と思った。

十二月二十九日は、嵐《あらし》になった。船員たちはすべての帆を巻きおさめ、一人が舵輪についただけで他の者は船室に入って眠ったり本を読んだりしていた。波が船に襲いかかってきていたが、水密甲板なので海水は海に流れ落ち、船が水びたしになることはない。

水主たちは、平然とした船員たちの態度と船の構造に度肝をぬかれ、感嘆しきりであった。

嵐は去り、船は帆を展張させて走りつづけた。年が改まり、嘉永《かえい》四年（一八五一）になった。

四

二月二日は厚い雲が空をおおっていたが、強い西風が吹き、帆はふくれ上って船は疾走した。

見張りの船員が前方を指さしてなにか叫び、船長が望遠鏡を手にして中央の大檣《たいしょう》（メインマスト）に登り、前方に向けた。その行為に、彦太郎たちは陸地が近づいているのを察した。

夜になって船は停止し、夜明けとともに動きはじめた。彦太郎たちは、陸地を見たい一心で、全員が起き、前方を見つめた。淡くかすんでいる陸地が、陽光が昇るにつれてくっきりと見えてきた。久しぶりに眼にする陸地で、水主たちの眼は輝やいていた。

船が、港の入口に近づいた。雑多な形と色をした船が数艘碇泊《そうていはく》し、その間を多くの小舟が三角帆をつけて走っている。水主の一人が、船員からその港がサンフランシーコ（サンフランシスコ）だときいてきた。

船に二艘の水先案内らしい小舟が寄りそってきて、その舟から背の高い四十五、六歳の男が乗ってきた。黒い服を身につけ、頭に箱のようなもの（シルクハット）をかぶっていた。

船は、水先案内の舟に導かれて港内の奥に入り投錨《とうびょう》した。どのような目的のためか、旗を立てた小舟やその他の舟がやってきて、入れ替り立ち替り何人かずつの男たちが船に乗ってきた。身なりの貧しい者たちが多かった。

新鮮な野菜などが船に積み込まれ、食事は豊かなものになった。酒を飲み、煙草《たばこ》をすう船員もいた。船長は髭《ひげ》を剃《そ》り、黒い服に着替えて箱状のものをかぶり、上陸していった。

船はそのまま動かなかったが、四日後にさらに港の奥に進み、長い波止場の近くで錨《いかり》を投げた。またも小舟が近づいてきて、黒服に箱状の帽子をかぶった二人の男が甲板にあがってきた。かれらはそれまで乗ってきた者たちより、はるかに上品で、船内を案内する航海士の態度で身分の高い人であるのが感じられた。

二人は、後甲板に集る彦太郎たちの前に来て足をとめ、二等航海士の説明をうなずきながらきいていた。

二人は、水主たちに近寄り、手をにぎると、

「ハワイヤ」

と、言った。

それはハウ・アー・ユー（How are you）であったが、「可愛いや」という日本語のようで、彦太郎たちはお辞儀をした。

「ハワイヤ」と言った四十年輩の男が、彦太郎を見つめ、陸の方を指さし、なにか言った。

彦太郎が怪訝《けげん》そうに首をかしげると、二等航海士が彦太郎に手まね身ぶりをして、しきりに足もとを指さした。「オークランド号」の船員たちは、言葉の通じぬ地にしばしば航海するので手まねや身ぶりがうまいが、ことに二等航海士は巧みであった。その仕《し》種《ぐさ》で男が、彦太郎に靴を買いあたえたいので上陸するようすすめているのを知った。

彦太郎は、男が上品そうではあるが、ついて行くのが恐しく、航海士が同行してくれるなら上陸してもよいという仕種をした。航海士はうなずき、部屋に行って外出用の洋服に着替えてくると、彦太郎をうながし、二人の男とともに小舟に乗った。小舟は「オークランド号」をはなれ、波止場についた。

彦太郎は、かれらについてサンフランシスコの町の中に入って行った。道は幅が広く、石畳みになっていて、両側に歩道があり車道に馬車が往《ゆ》き交っている。家は大半が石で出来ていて、二階建や三階建のものが多かった。

町は江戸のように賑《にぎ》わいをきわめていて、多くの人たちが往き交っている。墨を塗ったように黒い顔の男たちが寄りかたまって歩いている姿に、彦太郎は驚きと恐れをいだいた。

一軒のガラス窓のある店に入った。男が、店の番頭らしい男になにか言うと、番頭が数足の靴を出してきて彦太郎の足もとに置いた。うながされて靴をはいた彦太郎は、その中の一足がぴったり合っているのを感じた。上品な男はうなずき、番頭に金を払った。

店を出た男たちは、近くの酒場に入り、細長いガラスの杯に入った酒を飲み、彦太郎に西洋の菓子を食べるようすすめた。彦太郎は一個食べただけで、仲間の水主に持ち帰るため残りを紙に包んでもらった。

二人の男は腰をあげ、店の入口で足をとめると、航海士に別れの言葉を述べた。彦太郎は靴を指さして深く頭をさげ、航海士から感謝の言葉だと教えられた「サンキュー」というアメリカ言葉を口にした。男は微笑し、うなずいた。

彦太郎は、航海士と「オークランド号」にもどり、水主たちに菓子を渡し、見てきた町の情景を話した。

水主たちは、彦太郎のはいた靴に手をふれ、

「お前は年少だから可愛がられ、服も靴ももらった。おれたちより扱いがいい」

と、言った。

しかし、その言葉に嫉妬《しっと》のひびきはなく、彦太郎が愛されているのを喜んでくれてい

るのが感じられた。

気温が上昇し、港の岸に花が咲きみだれるようになった。

船頭の万蔵をはじめ水主《かこ》たちは、伸びた頭髪を後ろで束ねていたが、彦太郎は、二等航海士に髪を短く切られた。航海士をはじめ船員たちは彦太郎を、

「ヒコ」

と呼び、万蔵をはじめ喜代蔵、民蔵、亀蔵と蔵のつく名が多いので、

「ヒコゾ」

と、呼ぶ者もいた。

それにならって水主たちもいつの間にか彦蔵と呼ぶようになり、彦太郎は彦蔵という名を好ましく思い、呼ばれるままに彦蔵という名に改めた。

船員たちは親切で、みすぼらしい着物を身につけた水主たちに同情し、自分たちの着ている古い洋服をあたえた。水主たちは、面映《おもは》ゆそうにそれを着て、中には靴をもらった者もいた。

「オークランド号」は、積荷を陸揚げするため倉庫用に使われている大きな古びた船に横づけになった。船員たちは倉庫船に積荷を運び、彦蔵も水主たちとそれを手伝った。

荷揚げが一週間で終了し、倉庫船の船長が「オークランド号」にやってきて、彦蔵たちに手まねで一両日中に上陸して踊りをする場所に連れて行くという仕種をした。彦蔵

たちが荷揚げを手伝ってくれた礼のつもりのようであった。

翌々日、倉庫船長がやってきて水主たちに顔を洗って髭を剃り、洋服をぬいで着物に着替えるように言った。水主たちはその指示にしたがい、彦蔵もしまってある着物を着た。

夕食後、彦蔵たちは倉庫船の船長に連れられて上陸すると、踊りをする場所がある煉《れん》瓦《が》づくりの二階建の建物に行った。船長の友人が待っていて、彦蔵たちを二階に導いた。通された広い部屋には美しい布がはられた長椅子《ながいす》（ソファー）や椅子が置かれ、壁に眼にしたこともない大きな鏡がかけられていた。

坐《すわ》るように言われ、腰をおろした水主の間から驚きの声があがった。自分たちと同じ日本人が眼の前に何人もいる。

水主たちは顔を見合わせ、低い声で、

「かれらは、なぜここにいるのか」

と、ささやいた。

倉庫船の船長が、着物に着替えるように指示して彦蔵たちをここに連れて来たのは、日本人たちに会わせるためなのだ、と低い声で言う者もいた。

水主の一人が日本人に話しかけようと近づきかけたが、かれは日本人などいないことに気づき、足をとめた。彦蔵たちが日本人だと思ったのは、鏡に映っている自分たちの姿であった。全身が、それも何人も映るような大きな鏡を見たこともなく、そのための錯覚であった。彦蔵は、自分の姿がこのようなものなのか、と鏡を食い入るように見つめた。

不意に大騒音が起り、彦蔵たちは一瞬、驚きで身をふるわせた。それは太鼓を打ち鳴らし笛を勢いよく吹きつづける音で、音楽にちがいなかったが、激しい音響に彦蔵たちは耳をおおった。

「オークランド号」の船長が姿を現わし、彦蔵たちを横のドアから大きな部屋に導き入れた。そこは芝居小屋の舞台のようになっていて、前面に幕が垂れさがっていた。広い床に椅子が幕に向って一列に並んでいて、船長はそこに腰掛けるようにという仕種をし、一同、腰をおろした。幕をへだてて多くの人のざわめきが聞えている。

彦蔵たちは無言で坐っていたが、水主の一人が突然、

「倉庫船の船長の野郎。ここに連れて来たのは、おれたちを見世物にして、金もうけをしようとしているのだ」

と、怒りをこめた声で言った。

「そうか、ここは芝居小屋か」

「着物に着替えさせたのはそのためか」

水主たちが口々に言い、憤《いきどお》りの色を露《あら》わにして数人の者が立ち上った。

その様子を見ていた「オークランド号」の船長が走り寄り、かれらを手で制した。

その時、幕が引かれ、彦蔵はおびただしい人たちの顔が幕の間から現われるのを見た。かれらは、灯のともった大広間に立ち、こちらに視線を注いでいる。着飾った女もいた。かれらは無言で食い入るように舞台の彦蔵たちを見つめていたが、やがて互いに顔を見合わせてしゃべりはじめ、中には笑う者もいた。彦蔵たちは、体をかたくして坐っていた。

舞台の袖《そで》にいつの間にか倉庫船の船長が立っていて、人々に大きな声でなにか言い、手をしきりに動かして彦蔵たちに舞台から降りて大広間を歩けという仕種をした。気持が動転していた水主たちは、その指示に無抵抗に従い、舞台から人々の間に降りた。

観衆たちがしきりにこちらへ来るようにと手招きし、水主たちは散り散りになり、彦蔵も若い男に導かれて一人になった。人々は近づいてきて彦蔵の顔を見つめ、着物にふれる。彦蔵は、かれらが初めて眼にする日本人を珍奇なもののように強い興味をいだいているのを知った。

音楽が静かになると、大広間の中央で男と女が手を組み合い腰に手をあて踊りをはじめた。その周囲に立つ男や女は、ガラスの杯に入った酒を飲んだり話し合ったりしている。彦蔵の頭は空白状態で、若い男に導かれるままに人々の間を歩きまわった。

二十歳ほどの娘が脚のついた台の傍らに立ち、台の上には大きな文字盤が置かれていた。

案内の若い男が銀貨を一枚取り出し、彦蔵に文字盤の好きな所に置き、その上にある細長い棒をまわせという仕種をした。彦蔵は指示されるままに銀貨を文字盤の或《あ》る個所に置き、棒をまわした。棒は文字盤の上を回転し、その先端が彦蔵が銀貨を置いた所でとまった。娘は、銀貨二枚を渡してくれて、彦蔵はそれが賭《か》けごとであるのを知った。

若い男は、彦蔵の手にした銀貨をすべて文字盤に置くようすすめ、彦蔵は再び棒をまわした。またも棒の先端が銀貨の上で停止し、娘が倍の銀貨を渡してくれた。さらに若い男は有り金をすべて賭けるようにすすめ、その通りにすると棒の先はまたも銀貨の上でとまった。周囲に人が集ってきていて、かれらは感嘆の声をあげていた。

若い男は、銀貨をしまうように言い、彦蔵はそれを袂《たもと》に入れ、その場をはなれた。男は、「グッバイ」という別れの言葉を口にして立ち去った。

彦蔵は、人々に案内されて歩きまわった。男や女が近寄ってきて親しげに声をかけ、銀貨や金属製の装飾品を出し、取るようにという仕種をする。指にはめた指輪を抜き、彦蔵の手ににぎらせる女もいた。人々の間を歩いている仲間の水主の姿が見えたが、その水主も贈り物をもらっていた。

彦蔵は、いい気分になった。自分たちが見世物にされたのは不快であったが、それは日本の漂流民を眼にしたいというかれらの好奇心をみたすための自然な心情なのだ、と思い直した。人々は一様に親切で、惜しげもなく物をあたえてくれる。手をにぎる者もいたが、その手は温かった。彦蔵の両方の袂は、硬貨や装飾品でふくれ上った。

「オークランド号」の船長が姿を見せ、散っていた彦蔵たちを集め、階下の食堂に連れて行った。そこには食事が用意されていて、彦蔵たちは美味な食物を口に運んだ。

踊りはまだつづいていたが、彦蔵たちは船長とともに建物を出て波止場の方に向った。空は一面の星で、水主たちは明るい声で言葉を交しながら歩き、すでにかれらが憤りの感情をいだいていないのを感じた。

翌朝、水主たちは前夜もらった贈り物を甲板に並べて互いに見せ合ったりした。彦蔵がもらった物が最も多く、銀貨六十二枚、紙切りナイフ七個、指輪十二個、ネクタイピン三本であった。その中でよく光る石のついたネクタイピンは、二等航海士がその石はダイヤという高価なものであると教えてくれた。

数日後、積荷をすべておろした「オークランド号」は、次の航海に入る準備を終えていた。彦蔵たちは下船することになり、船長は、「ポーク号」という船に乗り移るので手廻りの物をまとめるように、と手ぶり身ぶりをまじえて指示した。

翌日の午後、剣を吊《つ》った士官が、五人の水夫とともにボートを横づけして甲板にあがってきた。「ポーク号」からの迎えの人たちであった。

万蔵の指示にしたがって、彦蔵たちは甲板に膝《ひざ》を突き、立っている「オークランド号」の船長や船員たちに何度も頭を深くさげた。死を目前に漂流していた自分たちを救ってくれたかれらに、日本語で口々に感謝の言葉を述べた。船長たちの眼に涙が光り、近づいてくると彦蔵たちの手を一人一人強くにぎってゆすった。

ボートに乗る時、彦蔵は、ことに親しかった二等航海士に、「グッバイ」と、英語で別れの言葉を口にし、航海士も眼をうるませてグッバイと言った。ボートが船べりをはなれ、彦蔵たちは「オークランド号」の甲板に立つ船長たちに何度もお辞儀をした。

「ポーク号」は、「オークランド号」とちがって船体が鉄製で、マストのまわりに大砲が据えられていた。彦蔵たちは、その威容に気おされながらも甲板にひざまずいて士官たちに頭をさげた。その間にも、水夫たちが彦蔵たちの手荷物をボートから甲板に運び上げてくれていた。

甲板に大きな体をした男が姿を現わし、士官がかれになにか言うと、男は彦蔵たちについてくるようにという仕種をした。かれが案内したのは船室で、寝台が二段づくりになっていた。男は、毛布を運んで寝台を整え、水夫の運び込んだ彦蔵たちの手荷物を置く場所も定めてくれた。

かれは、自分の胸を指さし、

「トマス」

と、何度も繰返した。

その言葉がかれの名であるのを察した水主たちはうなずき、トマスはひどく優しい笑顔を見せ、彦蔵たちの相談相手になるからどんなことでも申出て欲しい、という仕種をした。

彦蔵は、その初対面でトマスが好きになった。

「ポーク号」は三本マストの大船で、船内は清潔に整頓《せいとん》されていた。士官をはじめ水夫たちは、紺色の制服を着ていた。船尾に旗が立てられていたが、万蔵は、それが運上所（税関）の旗で、乗組んでいる者たちはその役人と配下の者らしい、と言った。

彦蔵たちが船室から甲板に出ると、水夫たちが親しげな眼をして集ってきた。かれらは、ついてくるようにという仕種をし、帆柱や帆をはじめ船上の物を指さしてその名を教えてくれる。海に指をむけて「シー（sea）」と言い、碇《いかり》を「アンカ（anchor）」と言ったりした。

翌日には、制服と下着四枚、キャップ（cap）という冠物《かぶりもの》、靴二足ずつを渡してくれた。制服は羅紗《らしゃ》地で、上衣《うわぎ》には金ボタンがつけられていた。また、ホークという熊手《くまで》状のもの、刺身包丁に似たナイフ、匙《さじ》や皿などの食器の入った箱を一人一人に配ってくれた。

食事は「オークランド号」とちがって品数が多く、質も良好であった。士官と水夫たちはきわめて親切で、時折り菓子や飲物を持ってきてくれたりした。

待遇が余りにも良いので、かれらがどのような目的でこのように親切にしてくれるのか、と水主たちは真剣に話し合った。或る者は、いつか自分たちを食おうとして肥えさせているにちがいない、と言い、他の者がそんなことがあるはずはない、と反論した。

万蔵が、口を開き、

「命を助けてくれた上に優しく世話をしてくれている恩人を、あしざまに言ってはならない」

と、たしなめた。

しかし、自分たちを食うにちがいないと言った水主は、

「おかしいじゃないか。なぜこんなにおれたちを優遇するのです。意図があるはずだ」

と、声を荒らげて言った。

万蔵は、その水主に顔を向け、

「船の異国人たちは、慈悲の心があるのだ。ただそれだけだ。見知らぬ異国の地に流れつき言葉も知らぬおれたちを哀れに思い、親切にしてくれているのだ」

と、静かな口調で言った。

その言葉を、彦蔵たちはそのまま受けいれた。船の人たちを疑うのは無礼きわまりない、と言う者もいた。

このような他愛ない議論をするのも、水主たちがなにをすることもなく日を過してい

るからだった。退屈まぎれに連れ立ってサンフランシスコの町を歩いたりしたが、それにも飽きた。その散策で、町の戸数が三千数百で、近くに世界有数の金山があり、黄金を得ようとして多くの人が集ってきているのを知った。

死ぬほど退屈な日々であった。「ポーク号」に移ってから数カ月が過ぎていた。

水主たちは、怠惰な生活からのがれるには、なにか仕事をする以外にないと話し合った。優遇してくれる船の者たちの好意に報いるためにも、船内の仕事を手伝いたかった。

そのことを親切に世話をしてくれているトマスに話すと、トマスはすぐにその申出を船長や士官に伝えてくれた。船長たちは喜んで承諾し、三人の水主が士官室、彦蔵が船長室の清掃その他の世話係となり、他の水主たちは水夫たちとともに甲板洗いなどに従事した。

万蔵が体の不調を訴えていて、それが気がかりであった。六十二歳という高齢のかれは、食欲がなくなり、体を動かすのも大儀そうで身を横たえていることが多くなっていた。船つきの医者が万蔵を診察し、薬をあたえてくれていたが、快方にむかう気配はなく、日焼けしていた逞《たくま》しい顔は青白く、頰骨が突き出ていた。

トマスは、ひまさえあれば彦蔵たちの所にやって来て、英語を教えてくれた。なぜか日本にひどくあこがれていて、いつかは日本に行きたいと繰返し言い、そのため日本語を教えて欲しい、と懇願した。ことにトマスは彦蔵に熱心に英語を教え、彦蔵もトマスに日本語を教えた。

それを知った年長者の長助と幾松が、彦蔵を強くたしなめた。異国の言葉をおぼえて日本に帰ったら、鎖国政策をとる幕府からきびしい罰を受け、彦蔵のみならず船頭、水主《か》《こ》たちも牢《ろう》に入れられるというのだ。

かれらの忠告に彦蔵は恐れをいだき、トマスから英語を教わるのはやめ、日本語を教えるにとどめた。

その年が暮れ、新年を迎えた。「永力丸」が破船し漂流してから、一年二カ月が過ぎていた。

水主たちは、時折り今後のことについて話し合ったが、すぐに暗い眼をして口をつぐんだ。命を救われはしたが、日本から遠くはなれた異国の地に来て、帰国できるあてはは全くない。歳月がむなしく過ぎ、やがて老い、死を迎える。遺体は異国の地に埋められ、骨も朽ちて土と同化してゆくだろう。かれらの顔には深い絶望の色が浮び、彦蔵も夜、寝台で身を横たえ、故郷のことを思って涙を流した。

不意に両拳《りようこぶし》を甲板にたたきつけて、嗚咽《おえつ》する者もいた。なにを考えているのか彦蔵にはよくわかり、視線をそらせて深く息をついた。自分も同じことをしたい衝動に駆られていた。

二月下旬、黒い大きな船がサンフランシスコ港に入ってきて、港口近くに投錨《とうびょう》した。軍艦「セント・メリー号」であった。

それから十日ほどした日の朝、士官と水夫が彦蔵たちのもとにやってきて、「セント・メリー号」を指さし、興奮したように手ぶり、身ぶりをまじえて話しはじめた。彦蔵たちは、かれらが日本の国名を意味するジャパンという英語をしきりに口にしながら、彦蔵たちが海を越えてジャパンに行くという仕種《しぐさ》をするのを見つめていた。

水主たちの眼がにわかに輝やき、かれらもジャパンという言葉を口にし、士官たちに手ぶり身ぶりでその意味を問う仕種をした。日本語を少し理解しているトマスが、それに加わった。トマスは、たどたどしい日本語を口にしながら、大きな仕種で事情を説明することにつとめた。

英語をいくらか知っている彦蔵は、おぼろげながらトマスの伝えようとしている意味を察した。港の運上所（税関）の高官が、アメリカの政府に彦蔵たちの扱いについて手紙でたずねたところ、丁重に待遇するよう指示するとともに、やがては軍艦で日本へ帰すという返事が来た。政府は、日本と握手すること（友好関係）を考え、そのために彦蔵たちを送還するのだという。

その意味をつかむのに長い時間かかったが、水主たちは手をたたき、体をはずませて喜び合った。かれらの中には、早くも自分の船室に入って手廻りの物を荷造りする者もいた。夜おそくまでかれらは興奮し、はしゃいでいた。

翌日、彦蔵たちのもとに「ポーク号」の船長がやってきた。体の大きい六十年輩の白髪の男であった。

かれは、トマスを通訳に説明した。トマスは日本語を口にしながら手ぶり身ぶりをはじめ、彦蔵たちはそれを食い入るように見つめた。それによると、二日か三日後に彦蔵たちは「セント・メリー号」に移乗し、「セント・メリー号」は、彦蔵たちをハンカン(香港《ホンコン》)まで送る。アメリカ政府は、ペリーを大将とする艦隊を日本に派遣する予定で、彦蔵たちを香港でその艦に乗せて帰国させるという。

水主たちは、前日の話が事実であるのを知って喜び、涙ぐむ者もいた。

船長は、別れるのは非常に悲しいが、彦蔵たちが日本へ帰ることは喜ばしい、とトマスの通訳で語り、大きな掌《て》で一人ずつ握手した。坐《すわ》っている万蔵の傍らにしゃがみ、肩をたたき、病身を気づかう言葉をかけた。万蔵は、深く頭をさげていた。

彦蔵たちは、船室に入って身の廻りの物をまとめた。午後になると、士官が一人ずつやってきて別れの言葉を口にし、手をにぎった。彦蔵は、かれらの温かい気持に感謝した。

三月十一日朝、港口附近に碇泊《ていはく》していた「セント・メリー号」が錨《いかり》を揚げて港の奥に進んできて、「ポーク号」の近くに投錨した。午後に「セント・メリー号」から二艘《そう》のボートがおろされるのが見え、「ポーク号」の船べりに横づけになり、士官と水夫が甲板にあがってきた。彦蔵たちを迎えに来た者たちであった。

「ポーク号」の船長をはじめ全乗組員が、彦蔵たちを取りかこんで別れを惜しんだ。船長は一人一人の手をにぎったが、眼には涙が光っていた。彦蔵の胸にも熱いものが突き上げ、涙を流す水主が多かった。

水夫たちが彦蔵たちの手荷物をボートに載せ、さらに縄梯子《なわばしご》をつかめぬほど衰えている万蔵を、椅子《いす》に腰かけさせたまま縄でくくってボートへおろしてくれた。彦蔵たちはボートに乗り、「ポーク号」をはなれた。トマスは、彦蔵たちを送りとどけるためボートに乗ってきていた。

「セント・メリー号」は、これまで乗った船とは様子が異なっていた。左右の舷窓《げんそう》からそれぞれ二十二門の大砲がのぞき、乗員は多く、トマスが、金の筋の入った帽子をかぶっているのが士官だと教えてくれた。

彦蔵たちは船室に案内され、手荷物を置くと甲板に出てトマスに別れを告げた。

トマスは、頬を涙で光らせながら、

「私ハ貴方《アナタ》達ト日本へ行キタイ」

と英語で言って悲しみ、艦からボートに移り、去っていった。

「セント・メリー号」は、次の日出帆の予定であったが、風向が思わしくないため、翌日まで延期されることになった。それで彦蔵たちはボートを出してもらい、「ポーク号」に行って船長たちと最後の別れを惜しんだ。

数人の水主たちがなにか話し合っていたが、船長のもとに行き、思いがけぬ申出をした。治作が、トマスを自分たちに同行させて欲しいと手ぶり身ぶりで懇請した。自分たちは英語がわからず、「セント・メリー号」には日本語を話せる者が皆無で、しかも見知らぬ者ばかりである。まことに心細く、日本語を知っているトマスが同行してくれればどれほど助かるか知れない、と真剣な表情で訴えた。彦蔵は、治作たちの要請は当然で、それが実現すれば嬉《うれ》しい、と思った。

船長は驚きの色を見せ、治作に要請の意味を何度も念を押し、やがてうなずいた。かれは水夫にトマスを呼んでくるよう命じ、すぐにトマスがやってきた。

彦蔵は、船長とトマスの会話を見守った。船長が治作の要請を伝えると、トマスは、喜んでそうしたいが、現在得ている月額五十ドルの待遇を捨てるわけにはゆかない、と拒んだ。しかし、トマスは思案する素振りを見せ、もしも「セント・メリー号」で水兵の給与十五ドルを支給してくれるなら同行したいと答えたことが、彦蔵にもわかった。

うなずいた船長は、部屋にもどると手紙を書き、それをトマスに渡した。トマスは、ボートで「セント・メリー号」に向った。

彦蔵は、水主たちとトマスのもどるのを待った。トマスが給与の三分の一以下でも同行したいと告げたことに、かれが日本へ行きたいと望んでいるのは偽りでないのを知った。

やがてボートが引返してきて、トマスが甲板にあがってきた。その表情の明るさに「セント・メリー号」の艦長が船長の依頼を承諾してくれたのを知った。トマスは船長に近づき、艦長からの返事らしい手紙を渡し、船長にはずんだ声でなにか言っていた。

トマスが彦蔵たちのもとにやって来て同行する旨《むね》を伝え、手荷物をまとめるためあわただしく船室へ入っていった。水主たちの顔には喜びの色があふれ、やがて手荷物をかかえてもどってきたトマスとともにボートに乗った。トマスは上機嫌で、「ポーク号」の甲板に立つ船長たちに大きな声で別れの言葉をかけていた。

翌早朝、「セント・メリー号」はあわただしい空気につつまれ、艦長と士官が後甲板に立っていた。士官が笛を鋭く吹くと、水兵たちはその合図にしたがって一斉に行動した。彦蔵たちは、出帆の模様を後甲板の隅に立って見物した。太鼓が鳴り笛が吹かれて、錨の鎖が車状のもので巻き揚げられ、ついで笛の吹鳴で三本マストの帆がすべて展張した。

艦が静かに動き出し、舳先《へさき》を港口に向けた。彦蔵の胸に、熱いものが突き上げた。自分たちは、この艦で帰国の途につく。アメリカという異国の地で死を迎えるかと絶望していたが、日本へもどり故郷の土をふむことができる。

「ポーク号」の傍らを艦は過ぎてゆく。船長をはじめ乗組員たちが甲板に立ってハンカチを振っている。彦蔵は、嗚咽しながら強く手を振りつづけていた。

五

「セント・メリー号」は、南西の方角に舳先を向けた。

椅子にくくりつけられたままボートから艦の甲板に吊《つ》り上げられた万蔵は、乗組員たちの注目の的になっていた。痩《や》せこけた顔が粉を吹いたように白い万蔵が重病人であるのを、かれらはすぐに知ったようであった。

艦長が、水兵に命じて万蔵を担架で医療室に運ばせ、彦蔵たちはトマスとともについて行った。その部屋には四十年輩の長身の男がいて、トマスが、医者を意味するドクトル（doctor）だ、と英語で彦蔵たちにささやいた。

医者は、万蔵を寝台に横たえさせ、トマスの通訳で万蔵に容体をたずね、彦蔵もトマスの通訳を助けた。万蔵は腹痛、嘔吐《おうと》、ゲップに苦しんでいると弱々しい声で言い、食欲がない、と訴えた。医者は、万蔵の上半身を裸にさせて、しきりに腹部に手を押しあてていた。

診察を終えた医者は手を洗い、彦蔵たちについてくるよう無言でうながした。部屋を出た医者は、甲板に出ると、彦蔵たちに診察の結果を説明した。両掌で丸い輪をつくり、それを自分の腹部に当てた。トマスが、万蔵の腹部に丸く硬いものがある、と彦蔵たちに伝えた。

医者は、彦蔵たちを見まわし、深刻な表情をして首をふった。彦蔵たちは、その仕種で万蔵の病状が恢復《かいふく》の望みが全くなく、死が迫っているのを察した。

医者が去ると、長助が、

「膈《かく》（胃癌《いがん》）らしい」

と、つぶやくように言った。

水主たちは、暗い眼をして口をつぐんでいた。

「セント・メリー号」は、順調に航海をつづけ、トマスの話では、ハワイという島に向っているという。艦の士官も水兵も一様に親切で、彦蔵たちは上質な食物をあたえられ、快適な寝台で就寝した。水主たちは、水兵たちの甲板洗いを手伝ったり、物の運搬に従事したりしていた。

水主たちは、水兵たちと言葉を交し、少しずつ英語の単語をおぼえるようになっていた。彦蔵にトマスから英語を教わらぬようにと強くたしなめた長助も、米のことをライシ（rice）と言ったりしていた。それを知った彦蔵は、トマスに日本語を教えるとともに再びトマスから英語を習得することにつとめた。

気温が日増しに低下し、きびしい寒気にさらされるようになった。トマスが士官に交渉して、各自に毛布一枚ずつが支給された。

幸いにも海は時化《しけ》ることなく、その上風も順風で、「セント・メリー号」は快走をつづけた。洋上に陸影は全く見えず、船の帆影を眼にすることもなかった。

ハワイ島は、アメリカと清国《しん》（中国）との中間にある由《よし》で、艦はそこに寄港し、薪《まき》、水、食料を補給するという。寒気がようやく薄らぎ、気温が徐々に上昇した。

万蔵は、清潔な一室の寝台に身を横たえていて、彦蔵たちは毎日様子を見に行った。万蔵は、腹部が痛むのか、顔をしかめていることが多かったが、寝息を立てて眠っている時もあった。医者は、定められた時刻に水薬をあたえていたが、万蔵はそれを飲むたびに医者に手を合わせていた。

暖気が増し、やがて汗ばむ日も多くなった。海鳥が群れをなして飛ぶ姿も見えた。

四月三日早朝、見張りの水兵が声をはりあげるのがきこえ、彦蔵たちは船室を出た。艦長が士官たちと艦首の近くに立っていて、望遠鏡を前方に向けている。彦蔵たちも舷側に集った。夜明けの空を背景に、島影がかすかに見え、艦はその島に向って進んでゆく。

彦蔵は、日本に近い清国とアメリカとの中間点に艦が達したことに興奮した。艦はハワイ島に寄港後、一気に清国へ向うのだろう。かれの胸に、穏やかな播磨灘に面した故郷の村の情景が浮び上った。義父の吉左衛門と義兄の宇之松の顔も思い起され、村に帰ったら、まず母の墓に詣《もう》でようと思った。

島が近づいてきた。かなり大きな島で、その後方にも島が折りかさなるように見え、島の中央には山がそびえている。彦蔵は、島に視線を据えた。島をおおっている緑が驚くほど濃く、陽光に光り輝やいている。海の色が藍《あい》の染料を流したように鮮やかで、岸に近いあたりに小舟が点々と浮んでいた。

艦の帆が半ば近くおさめられ、艦は岸に沿って速度をゆるめて進んでゆく。岸の所々にかや葺《ぶ》きらしいひどく小さな家が建ち、大人や子供の姿も見える。前方の陸地に海が深く食い込んだ港が見えてきて、艦は舳先をめぐらし、港口に近づいてゆく。

傍らに立つトマスが、

「ヒロ港ダ」

と、前方に眼をむけながら言った。

時刻は午前十一時頃で、「セント・メリー号」はすべての帆をおさめ、港に入るとすぐに錨を投げた。彦蔵たちは、港をながめた。大小さまざまな帆船が碇泊し、その間を小舟が往《ゆ》き交っている。

トマスが甲高い声をあげて近づいてくるのに気づいた。彦蔵たちは振返り、トマスのこわばった表情になにかが起ったのを知った。

トマスは、しきりに「マンゾ」という言葉を口にし、さらに「ダイ（die）」とも言った。彦蔵は、ダイが死を意味する英語であるのを知っていたので、トマスが万蔵の死を告げているのに気づき、それを水主《かこ》たちに告げた。水主たちは顔色を変え、舷側をはなれると万蔵の病室にあてられている部屋に走った。

部屋には、医者と小柄な水兵が立っていた。彦蔵たちは寝台をかこみ、万蔵の顔を見つめた。万蔵の口は半ば開き、欠けた歯がのぞいている。眼は閉じられ、顔に濃い死相がひろがっている。

万蔵の甥《おい》の治作が、万蔵の腕をつかむと顔を伏して嗚咽《おえつ》した。水主たちの間から泣き声が起り、彦蔵も肩をふるわせて泣いた。帰国の途につきながら、息絶えた万蔵が気の毒であった。

船頭として、遭遇した大時化に豊かな経験と知識で巧みに「永力丸」の沈没を防ぎ、自分たちを死からまぬがれさせてくれた功績は偉大であった。万蔵とともに故国へ帰れるのを楽しみにしていたが、病いに屈して死亡したことが悲しかった。

トマスも眼に涙を浮かべ、万蔵の死の経過を説明した。部屋に医者とともに立っている水兵が、食事を運んで部屋に入ってきて万蔵がすでに冷たくなっているのに気づいた。医者が駈《か》けつけて万蔵の体をしらべ、万蔵がすでに夜明け頃、息を引き取ったと判定したという。

最年長者になった長助を中心に、万蔵の遺体の処理について話し合った。

士官が入ってきて、万蔵の遺体に合掌し、日本ではどのような仕方で葬《ほうむ》るのか、とトマスの通訳でたずねた。質問の内容を知った長助が、遺体に白い衣類を着せ、桶《おけ》か箱に入れて葬るという仕種《しぐさ》をし、彦蔵も言葉を添えた。

士官は諒承《りようしよう》し、部屋を出て行った。

まず湯灌《ゆかん》をすることになり、大きな盥《たらい》が持ち込まれて逆さ水の方法で湯と水をみたし、遺体を裸にしてその中に入れて洗った。

遺体は悲惨であった。肋骨《ろつこつ》をはじめ骨がすべて皮膚から浮き出ていて、手も足も摺《す》り子木《こぎ》のように細く、治作は泣き声をあげながら体を洗った。湯灌をすませると、長助が剃刀《かみそり》を手に万蔵の髭《ひげ》を丁寧に剃《そ》った。

士官が部屋に入ってきて、白い綿布を渡してくれた。水主たちはそれを裁断して衣類の形に縫い合わせ、万蔵の遺体に着せた。船に乗っている大工が作った長く大きな箱を、水兵たちが運び入れてきた。水主たちは遺体をその中におさめ、小銭と杖《つえ》を入れた。

その夜は通夜をし、水主が交替で夜守りをした。

翌朝は空が青く澄み、空気が爽《さわ》やかであった。

艦長の好意でボートが用意され、水主たちは棺をボートにおろし、全員が乗って岸にむかった。士官二人とトマスもついてきた。

ボートが岸につくと、百人近い島の者たちが集ってきた。色は浅黒く、いずれも裸足《はだし》であった。艦長から島の役所に連絡がしてあったらしく、役人らしい長い棒をもった二人の男が島民たちに道を開けさせた。

役人が先に立って水主たちがかついだ棺が進み、彦蔵たちと士官、トマスがつづき、その後から島民たちがついてきた。長い葬列になった。

道を進んだ役人が足をとめたのは共同墓地で、その一郭に縦長の穴が掘られていた。役人の指示によるものであることはあきらかだった。水主たちは穴に棺をおろし、その上に土をかぶせて盛り土にし大きな石を置いた。

用意して持ってきた木の墓標に、文字を書くのが巧みな喜代蔵が、筆をとって南無阿《なむあ》弥陀仏《みだぶつ》日本万蔵と書いた。さらに死去した日を添えることになり、水主たちは話し合った。サンフランシスコで日を過すうちに、かれらは、いつの間にか西洋暦になじんでいて、その日が日本暦で何月何日であるのかわからなかった。あれこれと言葉を交すうちに嘉永五年三月四日ということで意見がまとまり、喜代蔵がそれを記した。

埋葬が終っても、水主たちはその場に立ったままであった。異境の地の土中に埋められた万蔵を、一人残して去る気になれなかった。万蔵には故郷の村に妻と二人の息子、一人の養子がいる。

士官たちも無言で立っていたが、しばらくして声をかけ、トマスも行こうという仕種をした。彦蔵たちは、あらためて合掌し、その場をはなれた。すすり泣きの声がもれ、彦蔵たちは、何度も振り返りながら町の方へ重い足どりで歩いていった。

町に入った彦蔵たちは、島民たちにかこまれながらあてもなく歩きまわった。町と言っても小屋のような家が所々にあるだけで、果物がみのる樹々《きぎ》が生い繁《しげ》っている。気温は高く、島民たちは着物らしいものは着ていない。

夕方、彦蔵たちはボートで艦にもどった。

「セント・メリー号」への物品補給の作業がはじめられていた。岸から野菜、飲料水の入った樽《たる》、果物、薪などを積んだ小舟がつぎつぎに艦の舷側《げんそく》につき、甲板に引き揚げられる。豚や鶏を運んでくる舟もあった。

連日、士官や水兵が補給品の物色のため町に行くので、なにをすることもない彦蔵たちは、ボートに便乗させてもらい上陸した。

万蔵の甥の治作は墓に足をむけ、数人の水主がついて行ったが、彦蔵はそれには加わらず町の中を仲間の水主たちと無言で歩きまわった。万蔵は同郷で義父とも親しく、墓に行けばはなれるのが辛《つら》く、そのような悲しみは味わいたくなかったのだ。

彦蔵たちの後からは、いつも島民たちがついて来ていた。振り向くと恥じらったように表情をゆるめて足をとめ、後ずさりする者もいる。初めはかれらに恐れをいだいていたが、いずれも穏やかな者たちであった。

彦蔵は、海に舟を出して漁をする島民以外の大半が、仕事らしい仕事もなく過しているのを奇異に思った。逞《たくま》しい体をした若い男たちが、かや葺きの小さな家の前にしゃがんでこちらを眺めたりしている。女たちは、髪を後ろで束ね、浴衣《ゆかた》のような物を着ていて帯はしていない。島民たちが働かずに日を過しているのは、地味が驚くほど肥えているからなのだ、と思った。

果物はいたる所に実っていて、それを採ってもとがめる者はいない。芋畠《いもばたけ》があったが、日本のように植えつけて収穫するのではなく、片端から掘り起し、蔓《つる》に芋を少しつけて残しておくと芋が自然に出来る。椰子《やし》の実も食べるという。

これらのことは、ぞろぞろついてくる島民との手ぶり身ぶりによって知ったことであった。

家は二百戸ほどで、そのまわりには日陰を作るためか背の高い甘蔗《かんしょ》が植えられている。気温は日本の初夏のように暖かく、時折り雨が激しく降ったが、すぐにやんで青空がひろがった。海で漁をする男たちが砂浜にもどってくるのも見たが、いずれの舟にも魚が満載されていて、海に魚が群れているのを知った。浜に揚げられた魚を男や女が金を払わずに持ち去るが、漁師たちはそれをとがめる風もなかった。

七日間で艦への物品補給は終った。食卓に油でいためた魚も出された。

「セント・メリー号」は抜錨《ばつびょう》し、帆をひらいた。彦蔵は、はなれてゆく島を見つめた。万蔵一人を残して去る悲しみが強く胸にせまった。

ハワイ島をはなれた「セント・メリー号」は、舳先《へさき》を西に向けた。

彦蔵は、甲板で海に眼をむけながら同じ海を漂流した折のことを思い起していた。帆柱を失い舵《かじ》も流失した「永力丸」は、東へ東へと漂い流された。毎日、夜明けに安太郎が海水で身を清めて西の方向にむかって膝《ひざ》をつき、神仏に祈ったが、それは日本の方角で、今、「セント・メリー号」は、西に向って進んでいる。故国に少しずつ近づいていることを思うと、彦蔵の胸に喜びの感情がひろがった。

漂流中に一人も死なずにすんだのは、奇蹟《きせき》に近かった。食料や水が十分に貯《たくわ》えられていたのが原因であったが、万蔵を中心に結束して日をすごせたのが幸いであったのだろう。いずれにしても、神仏が自分たちを見捨てなかったことがすべてで、かれはあらためて神仏に感謝した。

水平線になにも見えない日がつづいた。無風で艦の動きがほとんどとまったこともあったが、大時化に遭遇した時もあった。激浪が甲板を走り、船体は上下に大きく揺れた。しかし、乗組員たちは平然として船室にとじこもり、花札（カード）で遊んだり雑談をしたりしていた。艦は一人の舵手《だしゅ》の操作で船体の安定を保っていた。

西洋暦で五月に入った。彦蔵たちは、甲板洗いや艦内の雑用をして日をすごし、士官たちはその勤勉さに感心していた。

水主たちは、トマスをかこんで英会話を習い、トマスも熱心に発音をあらためたりした。トマスは、彦蔵のもとにしばしば来て日本語を毎日のように習い、妙な訛《なま》りではあったが、片ことの日本語を話せるようになっていた。トマスは、彦蔵が英語の理解力が最もすぐれていると言って、肩を親しげに軽くたたいたりした。

長い船旅で、くる日もくる日も海ばかりであったが、彦蔵たちは確実に故国に近い清国に艦が近づいていることに胸をおどらせていた。

ある日、トマスが、

「ヒコ達ノ国ハ、コノ方向ダ」

と、英語で言った。

それは北の方角で、日本が艦の右舷方向に位置しているのを知った。水平線はかすんでいて、彦蔵はそのかなたに日本があるのを感じ、体をかたくして見つめていた。風は順風で、帆ははち切れるようにふくらみ、艦は快走してゆく。彦蔵は身じろぎもせず立っていた。

周囲には海のひろがりがあるだけだったが、やがて水平線上に島影がかすんで見えるようになり、岩だらけの島の近くを過ぎることもあった。

「セント・メリー号」は西進をつづけ、五月二十一日の朝、前方に長くのびた陸影を眼にした。トマスは、清国を意味するチャイナという言葉を口にした。

艦はさらに西に進み、翌日、香港に接近し、入港して投錨した。そこは一周七里（二八キロ）の島で、イギリスの支配下にあるという。トマスは、アメリカの艦船がしばしば寄港する港だと言っていたが、港内には両舷に水車のような輪を装着したアメリカ国旗を船尾にかかげた蒸気船が碇泊《ていはく》していた。岸辺には清国の小舟が隙間《すきま》なく並び、多くの人が道を往き交い、荷を運ぶ人の姿も見える。島の北部は丘陵がつらなり、その裾《すそ》が海の近くにまで迫っていた。

艦に多くの小舟が食料、薪《まき》などを運んできて、彦蔵たちは、それらを甲板に上げる水兵たちの仕事を手伝った。長い間海上で日を過してきた彦蔵は、港の空気に人間の体臭がまじっているのを感じた。

翌日には、さらに二艘《そう》のアメリカの帆船が入港して来た。それらは商船で、荷の揚げおろしをはじめていた。

次の日、艦は錨《いかり》をあげ、陸岸を右にみて進み、夕刻、マカオに入港した。港内には、大型の外輪式の蒸気艦が碇泊していた。アメリカの東洋艦隊旗艦「サスケハナ号」で、トマスは、艦にひるがえっている旗を指さし、

「オーリック司令官ノ旗ダ」

と、英語で彦蔵に言った。今まで眼にしたこともない大船で、軍艦らしいいかめしさ

をそなえていた。

　翌朝、「セント・メリー号」からボートがおろされ、艦長と士官たちが乗って「サスケハナ号」にむかった。挨拶《あいさつ》のための訪問らしく、しばらくすると、「サスケハナ号」からもボートがおろされ、「セント・メリー号」のボートとつらなってこちらに近づいてきた。

　艦長とともに白い髭をはやした海軍の軍服をつけた小太りの男が甲板に上ってきて、整列した乗組員たちは、士官とともに敬礼した。トマスは、

「オーリック司令官ダ」

と、彦蔵たちに低い声でささやいた。

　司令官は、艦長の先導で士官や乗組員たちの敬礼を受け、艦長室への通路に入っていった。

　艦上は東洋艦隊司令官オーリックが来艦したことで緊張していたが、しばらくすると、オーリックが艦長とともに甲板上に姿を現わした。オーリックは、艦長と話し合っていたが、甲板の隅で身を寄せている彦蔵たちに眼を向け、近づいてきて足をとめた。トマスが敬礼し、彦蔵たちも頭をさげた。

　オーリックは、トマスに彦蔵たちのことについてたずね、トマスは体をかたくして説明した。うなずいてきいていたオーリックは、彦蔵たちの前をはなれると、ボートに乗

った。ボートが「サスケハナ号」にむかうと、「セント・メリー号」から十三発の礼砲が発射された。

三日後、彦蔵たちは甲板に集められ、士官がトマスの通訳で全員が「サスケハナ号」に移ることになった、と言った。理由についてトマスが、日本語と手ぶり身ぶりをまじえて説明した。アメリカ政府は、ペリーを大将に四隻《せき》の軍艦を日本に派遣することを決定し、ペリーは、このマカオに軍艦で来て、「サスケハナ号」に移乗し、日本にむかう。「サスケハナ号」に乗っている彦蔵たちは、艦隊が日本に到着後、日本側に引渡される。ペリーはまだ来ていないが、いつくるかわからぬので、彦蔵たちは「サスケハナ号」に移る。「セント・メリー号」は、フイジー島という南の島で数名のアメリカ水兵を殺した島民の処置をするためその島におもむき、それからアメリカに帰るという。

以上の説明を彦蔵たちは理解し、帰国できる手順が定められているのを喜び合った。かれらは手荷物をまとめ、翌朝、それらを手に甲板に集った。トマスも一緒であった。

艦長が士官とともにやってきて、彦蔵たちは膝を突き、年長の長助が、長い間親切に世話をしてくれたことに対して感謝の言葉を日本語で述べ、そろって頭を深くさげた。艦長は、一同が幸せに帰国できるよう祈っていると言い、一人一人に握手した。

彦蔵たちは立ち上り、艦で用意してくれたボートに分乗した。甲板では、艦長をはじめ乗組員たちが手を振っていた。

「サスケハナ号」の甲板にあがった彦蔵たちは、艦の大きさに驚いた。長さ四十間（七二メートル）、幅七間（一二・六メートル）ほどもあり、多くの砲をそなえている。彦蔵は、このような大きな軍艦が日本におもむいたら、日本人は驚きと畏怖《いふ》をおぼえるにちがいないと思った。

かれらは、水兵の案内で船室に入っていった。

「セント・メリー号」はフイジー島に向けて去り、二日後、「サスケハナ号」はマカオを出港、香港に入港した。「サスケハナ号」に移乗して意外であったのは、乗組員たちの気性が荒く、きわめて不親切であることだった。

トマスが弁明するように、その理由を説明した。「サスケハナ号」は、東洋艦隊旗艦として長い間清国を基地に行動していて、貧しい清国人を労働者として使っている。清国人は金銭を得るためへり下っていて、そのため乗組員たちは高慢な態度をとるようになっている。皮膚の色も顔つきも似ている彦蔵たちを、乗組員たちは清国人同様に考え、荒々しい態度で接しているのだという。

それをきいた水主《かこ》たちは、憤慨した。幼い頃から人間というものは相手を尊重し、決して獣のように扱ってはならない、ときびしく教え込まれている。それに反して清国人を見下す態度をとっているという乗組員たちに、水主たちは憤《いきどお》りをおぼえたのだ。

トマスの説明は、現実のものとなった。士官は、水主たちに怒声を浴びせかけたり、靴で蹴《け》るようなこともするようになった。彦蔵たちは身をすくめ、いつの間にか船室からも追い出され、下甲板の居住区に入れられた。そこは暑熱がよどみ、息苦しいほどであった。

水主の中には、オーリック司令官に不満を訴えると言う者もいたが、トマスは決して良い結果は得られない、と押しとどめた。

「サスケハナ号」は、なすこともなく碇泊をつづけていた。日本に派遣されるペリーが、本国からくるのを待つだけであった。

水主たちは、寄り集ると「サスケハナ号」に対する不満を口にした。「セント・メリー号」では自分たちに米飯を食べさせてくれたが、「サスケハナ号」ではそのような気配はみじんもなく、食事の質も水兵以下だと言ったりした。その度にトマスは、

「ヤガテ、ペリーガ来テ、軍艦ヲ率イテ日本へ行キ、貴方達《アナタ》ヲ日本国ニ渡ス。ソレマデノ辛抱ダ」

と、なだめた。

ボートが陸岸に行き、食料等の荷を積んでもどることを繰返していた。その積みおろしに彦蔵たちは使役された。ボートが岸につくと、清国人たちが運んできた荷をボートに載せる。清国人たちは一様に卑屈で、粗略にかれらを扱う乗組員たちに彦蔵たちは怒りをおぼえた。

乗組員たちが町に入ってゆき、彦蔵たちはボートの傍らでしゃがんで、乗組員がもどるのを待つことも多かった。

六

ある日、ボートの傍らで町に入っていった乗組員がもどるのを待っていると、洋服を着た男がこちらを見つめているのに気づいた。彦蔵は、視線を向けつづけている男に薄気味悪さを感じ、ひそかにその姿をうかがっていた。

男は、そのまま立っていたが、やがてこちらに歩きはじめた。彦蔵は警戒心をいだき、男に眼を向けた。

近寄ってきた男が、少しはなれた所で足をとめると、

「いずこの国のお方たちですか」

と、低い声で言った。

彦蔵はぎくりとし、自分の耳を疑った。意外にもそれは日本の言葉で、漂流以来、日本語を口にする人間に出会ったことはない。

いったいこの男は、なに者なのか。日本語を巧みに話せる清国人なのだろうか。男は

洋服を着ているが、顔は西洋人ではない。洋服は清潔で顔は洗い清められ、髭《ひげ》は剃《そ》られていて髪も後ろできちんと束ねられている。

眼をみはって男を見つめていた清太郎が、

「日本の者だが……」

と、低い声で答えた。

彦蔵は、男の眼が一瞬うるみ、口もとがゆがむのを見た。

男はかすかにうなずくと、

「なんとなくそのような気がしまして、あなた方が岸にやってくる度に見ておりました。やはり日本のお方たちですか」

と、言った。

彦蔵は、体をかたくした。この香港に日本人などいるはずがなく、清国の船が貿易のため毎年長崎へくるときいていたが、その船で往き来《ゆき》するうちに日本語を習いおぼえた清国人なのか。

水主たちは、無言で男を見つめている。

男は、彦蔵たちの視線に射すくめられたように顔を少し伏せると、

「私は、肥前《ひぜん》の国島原の口之津《くちのつ》（長崎県南高来郡）の力松と申す者でございます」

と、言った。

水主たちの口から、驚きの声がもれた。彦蔵も茫然《ぼうぜん》とした。断髪し洋服を着ているが、あらためて見てみると、顔は日本人の顔そのものであった。

しかし、なぜこの香港という異国の地に日本人がいるのか。自分たちは運命のままに漂い流されて、行く末どうなるかわからぬ身だが、力松という男には、土地にしっかり足をつけ安定した生活を送っているような落着きがある。この男は、長い間香港で暮していたのだろうか。

彦蔵の頭は、混乱していた。日本人などいるはずがない地に、日本人が眼の前に立っている。夢でも見ているような気持であった。

「なぜ、この地に……」

清太郎が、喘《あえ》ぐように声をかけた。

力松は少し視線を落し、唇をかんだ。顔に悲しみを堪えているような表情が浮んでいた。

しばらく口をつぐんでいた力松は、

「そのことは後で詳しくお話いたします。また、あなた方の身の上話もおきかせ下さい。お力にもなりましょう。すでに日は傾いております。明日にでも私の家においで下さい。日本力松の家はどこかとおたずねいただければ、すぐにわかります」

と言い、

「それでは、おいでをお待ちしております」

と言って頭をさげ、背を向けた。

彦蔵たちは、力松が町の家並の中に入ってゆくのを見送った。水主たちは、驚きで口もきけず、力松の消えた家並の方に視線を向けていた。

乗組員たちが町の中から姿を現わし、近づいてきた。彦蔵たちは二艘のボートにそれぞれ乗り、ボートが岸をはなれた。空が茜色《あかねいろ》に染り、海面はその反映で輝やいていた。

その夜、水主たちは、力松のことについて話し合った。日本人に会うなどとは想像もつかぬことで、これは神のお引合わせによるものだ、と繰返して言う者もいた。力松がなぜこの地にいるのかをききたかったし、また自分たちのこれまでのことも知って欲しかった。力松は、自分たちの力になるとも言ったが、それは日本へ帰るのに力を貸すという意味なのか。いずれにしても、明日、揃《そろ》って力松の家を訪れよう、と口々に言い合った。

かれらは、興奮して夜おそくまで起きていた。

翌朝、水主たちは、トマスに前日のことを話し、力松の家に行きたいので上陸を許可してくれるよう艦長に頼んで欲しい、と懇願した。トマスは承諾し、艦長のもとに行き、やがてもどってくると、艦長の許可を得たと言い、すぐにボートがおろされた。

彦蔵たちはボートに乗り、波止場に上陸した。

かれらは、町の家並の間におずおずと入っていった。せまい道の両側には露店がならび、人があわただしく往き交い、体がふれる。甲高い人声が交叉《こうさ》し、赤ん坊のひりつくような泣き声もきこえていた。

日本力松と言えばすぐ教えてくれる、と力松はいったが、清国語はだれも知らぬので道をきくにもきけない。彦蔵たちは、露地から露地へとたどり、露天商に「日本力松」と言ってみたが、商人たちはわからぬらしく、険しい表情をして手をふり、顔をそむける。

かれらは、途方にくれた。

彦蔵は、前方から高齢の西洋人が近づいてくるのを眼にした。香港はイギリスの支配下にあるので、イギリス人にちがいない、と思った。

かれは、老人の前に立ち、

「日本力松ノ家ハドコデスカ」

と、英語でたずねた。

老人は、よく知っているらしくうなずくと、

「チンチン・ショウシュ」

と、言った。

彦蔵が首をかしげると、老人は手を合わせて頭をさげる仕種《しぐさ》を繰返し、彦蔵はそれが

神社か寺であるのを察した。

ついで老人は、

「ナンバ、ツルイ、ハウス」

と、言った。

それは、第三番目の家という英語らしく、力松の家が神社か寺から三軒目であるのを理解した。

彦蔵は、礼を述べ、水主たちと老人の指さす方向に歩き出した。

チンチン・ショウシュを尋ね歩き、それが神社で、老人の教えてくれた通り三軒目に力松の家があった。

戸をあけて案内を請《こ》うと、西洋の女が出てきた。彦蔵が、片言の英語で訪れてきた理由を口にすると、女は承知していたらしく歓迎する仕種をして中に入るようにうながした。

力松は外出していたが、やがてもどってきて彦蔵たちを見て喜び、女を紹介した。アメリカ人で、かれの妻だという。女は、髪が茶色で顔は桃色をおび、生毛《うぶげ》がはえている。鼻が高く、瞳《ひとみ》が青い。力松がこのような異国の女を妻としていることが不思議で、彦蔵は呆気《あっけ》にとられて二人を眺めていた。

力松は、妻に英語で声をかけ、何度もうなずいた女は、豊かな腰をふるようにして奥の間に入っていった。そして、盆に酒と杯をのせて食卓の上に置き、肴《さかな》をつぎからつぎと運んできて並べた。水主たちは、力松と女のすすめるままに杯を手にし、肴を口にした。

力松に顔をむけた長助が、

「私たちは、あなたから日本の言葉で声をかけられた時には、肝がつぶれるほど驚きました。日本人に会えるなどとは夢にも思っていませんでしたので……。いったいあなたは、なぜこの地に……」

と、たずねた。

水主たちは、力松に視線を集めた。

力松は、

「私のことはゆっくりとお話ししますが、まずあなた方がなぜアメリカ軍艦に乗っているのか。それをおきかせ下さい」

と、いぶかしそうな眼をして言った。

「それが順序でした。お話しいたしましょう」

うなずいた長助が、これまでの経過を説明した。

一昨年十月、自分たちの乗った「永力丸」が江戸から兵庫へもどる途中、遭難し、漂流したが、幸いにもアメリカ船に救助され、サンフランシスコに着いた。その後、軍艦「セント・メリー号」に乗ってサンフランシスコをはなれ、ハワイ島に寄港した折に船頭万蔵は病死した。ハワイ島をはなれた「セント・メリー号」は香港に入港し、ついでマカオへ行き、自分たちは「サスケハナ号」に移乗、香港にもどった。

力松は、痛々しげな眼をしてうなずきながらきいていた。かれの妻は、部屋の隅の椅《い》子《す》に坐《すわ》っていた。

「御苦労なさいましたな。しかし、船頭が病いで亡《な》くなられたとは言え、十六人の方が皆達者でおられるのはなによりです。神仏の厚い御加護あってのことでしょう」

力松は、何度もうなずいた。

少し口をつぐんでいたかれは、

「それでは、私がなぜこの地におるのかお話しいたしましょう。もう十七年も前のことですが……」

と、言った。

彦蔵は、かれの眼に涙が浮ぶのを見た。顔を伏せ気味にした力松は、話しはじめた。

天保六年（一八三五）十一月一日、十六歳であったかれは、庄蔵二十九歳を直船頭にした地廻りの八十石積みの回船に寿三郎二十六歳、熊太郎二十九歳とともに水主として乗り組み、天草沖にさしかかった時、大時化《しけ》に遭って破船し、南西方向に吹き流された。三十五日間漂流し、積荷の薩摩《さつま》芋《いも》で辛うじて餓《う》えをしのぎながら、ヘレペン（フィリピン）という島に漂着し、上陸した。

無人の地と思ったが、皮膚の茶色い男たちが十数人、刀、弓矢を手にして森の中から姿を現わし、取りかこんだ。かれらは、刀や弓矢でおどし、衣類をはぎ取り、船にあった道具類もすべて奪った。殺されると思ったが、島人たちは力松ら四人を家に連れて行き、食物をあたえてくれた。

「甚だ暑い地で、男も女も腰に布をまとっているだけでした。島人は芋、魚、鳥を採って食べていました。人食い人種ではないかと恐しくてなりませんでしたが、思いがけず親切な者たちでした」

と、力松は言った。

その地に三十日ほどとどまっていると、弓矢、鉄砲を持った役人たちがやってきて連行された。樹木の生いしげった険しい山道を進み、深い谷を渡って野宿をかさねた。山蛭《やまびる》がひどく多く、それが樹《き》からばらばらと落ちてきて血を吸われ難儀した。

小舟で海を渡ったりして、ようやくマニィラ（マニラ）という町にたどりついた。その地はイスパニア（スペイン）が支配していて、マニィラは城下町のようだった。

その地から力松ら四人は、役人にともなわれてイスパニア船に乗り、清国のマカオに送られた。上陸した役人たちは、四人をある家の前まで連れて行くと、そこに捨てるようにして去った。

そこまで話した力松は、彦蔵たちを光った眼で見まわすと、

「驚いたことに、その家に三人の日本人がいましてね。役人が私たちを家の前に置き去りにしたのは、日本人がいることを知っていたからなのです」

と、言った。

水主たちは、息をのむように力松を見つめた。彦蔵も、三人の日本人がいるのを知った力松たちが、どれほど驚いたかを察することができた。思いがけぬ力松の話に、水主たちは驚きの色を露《あら》わにして口もきけぬようだった。落着きなく体を動かす者もいた。

「いったい、その日本人たちはだれなのです。どうしてマカオになどいたのです」

清太郎が、言葉をしぼり出すようにたずねた。

力松の顔に、再び悲しげな表情が浮び、視線を落した。

顔をあげた力松は、

「私やあなたたちと同じように、大海の波にもてあそばれ風に吹き流された漂流民たちだったのです」

と言って、唇をかんだ。

彦蔵は、不意に背筋が凍りつくのを感じた。髷《まげ》を切ってざんばら髪になり、一心に神仏に祈り、帆柱を切り倒した情景が思い起された。何度も死の危険にさらされながらも辛うじて命を保ち、この地にまでたどりつくことができた。力松やかれが会ったという日本人三人も、自分たちと同じようにあてもなく漂い流れる哀れな者たちなのだ。

「その三人の日本人は、尾張《おわり》国の宝順丸に乗組んでいた者たちです。私たちよりはるかに辛《つら》い目にあった由《よし》で、話をきいているうちに涙が流れました」

力松は、眼をしばたたき、かれらからきいたことを口にした。

「宝順丸」は尾張国知多郡小野浦（愛知県知多郡美浜町小野浦）の樋口源六の持船で、源六の息子である重右衛門を船頭に天保三年（一八三二）十月十一日に尾張藩の廻米《かいまい》を積んで鳥羽を出帆し、江戸へむかった。千五百石積みで、船頭以下十四人が乗っていた。

遠州灘を伊豆半島南端の下田にむかって進んだが、気象状況が悪化し、大暴風雨になった。舵《かじ》は破壊され波が船内に打ち込み、覆没の危険が迫ったので帆柱を切り倒し、坊《ぼう》主《ず》船となった。船は、潮流に乗って東へ東へと流された。

乗組みの者たちは、積荷の米を粥《かゆ》にして餓えをしのぎ、雨水をすすって渇きに堪えて十四カ月の漂流の末、アメリカのフラッタリ岬附近に漂着した。その間に船頭重右衛門以下十一名が餓死し、岩吉、久吉、乙吉の三人が生き残っただけであった。

かれらは、インディアンに捕らえられ、奴《ど》隷《れい》として酷使された。その地にカナダの毛皮貿易を独占していたイギリス政府支援のハドソン湾会社があって、会社所属の「ラマ号」船長マックニールが、かれらを救出し、会社の支店長マックラフリンが保護してくれた。

マックラフリンは、この三人の漂流民を利用すればイギリスと日本との通商を開くことができると考え、「イーグル号」にかれらを乗せてロンドンに送った。

「案内人とともにその町（ロンドン）に上陸して、見物した由ですが、見るもの聞くものの珍しいものばかりで頭がぼーっとしたと言っておりました」

と、力松は言った。

イギリス政府の関心はもっぱら清国にそそがれていて、日本との通商には不熱心であったため、三人はハドソン湾会社の所属船でアフリカの喜望峰をへて清国のマカオに送られた。三人は、イギリス商務庁の保護下に入り、商務庁の主席通訳官である宣教師のドイツ人ギュツラフの世話を受けた。

語学の才にめぐまれたギュツラフは、日本へのキリスト教伝道を悲願としていて、三人を自宅に住まわせ、日本語の習得につとめた。

三人のうち岩吉は、片仮名文字しか知らなかったが、久吉と乙吉は漢字も知っていて、ことに最年少の乙吉は漢字を自由に書くことができた。ギュツラフは、乙吉の協力を得て「新約聖書」の中の「ヨハネの第一、第二、第三の手紙」を和訳した。

力松たち四人も、ギュツラフの家に引取られ、「宝順丸」の漂流者三人と共同生活に入った。

広東《カントン》に設けられたアメリカの有力商社オリファント会社の支店長キングは、七人の日本人漂流民を帰国させてやりたいと考え、七人の保護者であるギュツラフも同意見であった。二人は、積極的に準備を進め、オリファント会社の所有船「モリソン号」にかれらを乗せて日本に送りとどけることをきめた。

力松たちは大いに喜び、五六四トンの快速船「モリソン号」に乗り、同船は一八三七年（天保八年）七月四日、マカオを出帆した。船長はインガーソルで、船にはキング夫妻、宣教師で自然科学者のウイリアムス、医師パーカーをはじめ船員ら計三十八名が乗っていた。

七月十二日に琉球《りゆうきゆう》の那覇《なは》に寄港、やがてギュツラフが「ローレイ号」でやってきて、「モリソン号」に移乗した。「モリソン号」は、七人を日本に引渡すことを目的としていたので、日本側を刺戟《しげき》せぬため大砲はおろし、聖書も積んではいなかった。

キングは、日本側へ渡す中国語で書いた書状を四通たずさえていた。第一の書状には、漂流民が哀れでならず送還すると書かれ、第二はアメリカの国情を簡単に記して、日本がアメリカと友好的な交流をして欲しいと記されていた。第三は、「モリソン号」から贈るワシントン大統領の肖像画、望遠鏡、書物等の目録で、第四は日本との交易を望み、それにあてる物品を記した目録であった。

七月二十九日朝、見張りをつづけていた「宝順丸」の岩吉が、前方を指さして叫んだ。遠州灘と駿河《するが》湾の境い目に突き出た御前崎を眼にしたのだ。

「あの時の喜びは、なんとも言えないものでした。互いに手をとり体を抱き合って喜びました」

力松の眼に、涙が光った。

江戸通いを繰返していたかれらは、次々に眼になじんだ地形が現われる度に喜びの声をあげた。夕方には、伊豆半島南端の石廊崎《いろうざき》沖を過ぎた。

翌七月三十日（天保八年六月二十八日）、「モリソン号」は江戸湾に入り、浦賀にむかって進んだ。その時、突然、砲声がとどろき、海面に水柱があがった。さらに砲撃がつづき、「モリソン号」は浦賀へ進むことを断念して野比村沖に投錨《とうびょう》した。

多くの漁船が集ってきて遠巻きにしたが、やがて一艘《そう》の小舟が横づけになり、老いた漁師が甲板にあがってきた。それを見て危険はないと察したらしく、漁船がつぎつぎに船べりについた。

多くの漁師たちが、「モリソン号」の甲板にあがってきた。かれらは臆《おく》する風もなく歩きまわり、帆柱を見上げたり、載せられているボートに手をふれたりした。キングは、かれらに硬貨やビスケット、葡萄酒《ぶどうしゅ》などをあたえ、医師のパーカーは、かれらを診察して薬を渡したりした。

キングは、比較的みなりの良い者に短い書状を渡した。そこには、役人の訪れを待つということが中国語と日本語で書かれていた。キングとギュツラフは、高位の役人が来た折には七人の漂流民を会わせ、帰還させる方法について話し合うつもりであった。漁師たちは上機嫌で、やがて漁船にもどり、去っていった。

キングたちは、望遠鏡を陸岸に向けて役人がくるのを待ったが、その気配はなかった。

翌日は夜明け前に激しい雨が降り、それがあがると、不意に丘から砲撃が開始された。「モリソン号」は、敵意がないことをしめすため白旗をかかげたが、砲撃はやまず、一弾が甲板上に落下し、はねて海中に落ちた。

やむなく「モリソン号」は抜錨し、帆を張って退避した。後方から数艘の船が追ってきて砲弾を打ちかけ、「モリソン号」は江戸湾外にのがれた。浦賀奉行は、文政八年に理由のいかんを問わず異国船をすべて撃退させよという幕府が発した異国船打払い令にもとづいて、「モリソン号」の国籍、来航目的もただすことなく砲撃させたのである。

故国を目前に帰国できると思っていた七人の漂流民の失望は大きく、無言で甲板に坐っていた。

「モリソン号」は、鹿児島へむかった。鹿児島を選んだのは、藩が密貿易をしていることをキングが知っていたからで、外国船も穏便に扱ってくれるにちがいないと考えたのである。

船は西進し、八月十日（日本暦七月十日）の早朝、鹿児島湾口に到着し、佐多浦沖に投錨した。

船からボートがおろされ、庄蔵と寿三郎が近くの漁船に乗り移り、上陸した。佐多浦の者たちは、洋服を着た二人に驚き大騒ぎになったが、二人が事情を説明すると深く同情し、涙を流す女もいた。

やがて役人が姿を現わし、庄蔵がこの地に来た目的を話し、帰郷できるよう尽力して欲しい、と訴えた。そのうちに上品な中年の役人が従者を連れてやってきて、庄蔵と寿三郎は、かれらを「モリソン号」に案内した。キングは、鹿児島藩主宛《あて》の書状を渡し、役人は藩主に必ずとどける、と約束した。

役人は、湾内には岩礁《がんしょう》が多く危険なのでこれ以上進入せず、水先案内人がくるのを待つようにと告げ、岩吉と庄蔵が役人と従者をボートで送り、上陸した。

しばらくたって、岩吉と庄蔵が、三人の役人と水先案内人を伴って「モリソン号」にもどってきた。役人たちは水先案内人に指示を出し、陸岸に引き返していった。水先案内人はおどおどしていて、「モリソン号」を対岸の岡児ヶ水《おかちょみず》沖に導き、船が錨《いかり》を投げると急いで岸に去った。

岩吉と庄蔵は、上機嫌であった。上陸した二人が、「モリソン号」に乗っている自分たちをふくめた七人の漂流民の名、年齢、出生地と漂流した概要を役人に説明すると、役人はそれを克明に記録し、かれらを送ってきた「モリソン号」のキングたちの行為を慈悲深いものとして賞讃《しょうさん》した。七人の漂流民の処置については、

「間もなく故郷へ帰れることはまちがいない」

と言って、いたわりの言葉をかけたという。

その言葉を伝えきいた他の者たちは、満面に笑みをうかべ、声をはずませて喜んだ。

「モリソン号」が鹿児島湾に入ってから三日目の八月十二日（日本暦七月十二日）の朝は、雨が降っていた。夜の間にいつの間にか陸岸の岡児ヶ水の岸に陣幕が長々と張られ、旗がひるがえり、道を騎馬が走るのが見えた。

キングは、その情景がなにを意味するのかわからなかったが、漂流民たちは、

「戦さの準備をしている」

と、悲しげに言った。

ようやく事態を理解したキングは、退避を命じ、「モリソン号」は錨を揚げ、帆を展張した。突然、砲声がとどろき、張られた幕の間に白煙が湧《わ》いた。砲撃が連続したが、砲弾は「モリソン号」にとどかず、水柱をあげるだけであった。

キングもギュツラフも、漂流民を鹿児島藩に受取ってもらうことを断念し、漂流民に長崎へ行って交渉してみる、と言った。しかし、浦賀につづいて鹿児島でも砲撃を浴びた力松たちは、絶望感にとらわれ、長崎に行っても同様の扱いを受けるだけだと言い、マカオに帰りたいと口々に言った。かれらは、鎖国政策をとる幕府が自分たちを罪人として入国をかたく拒否していることを知ったのだ。

その意見にキングもギュツラフも同意し、「モリソン号」は帰航の途についた。船が

台湾海峡をすぎ、厦門《アモイ》の沖を通ってマカオの港に入ったのは、八月二十九日の夕刻であった。雨が降っていた。

力松は、頬を流れる涙を布でぬぐい、頭《こうべ》を垂れて口をつぐんでいた。彦蔵は、言葉もなく力松を見つめていた。故国を眼の前にして引返さざるを得なかった力松たちの悲しみが、胸に迫った。

「それから十五年もこの清国に……」

治作が、眼に涙をうかべて言った。

力松は、無言で何度もうなずいた。

「ほかの方たちは、どうしておられます」

長助が、声をかけた。

顔をあげた力松は、

「熊太郎さんは、モリソン号でマカオへ引返してからすぐに病いにおかされて死にました。そして、寿三郎さんも……」

と、低い声で答えた。

「やはり病いで？」

長助が、たずねた。

「阿片煙草《あへんたばこ》を好んですい、痩《や》せ衰えて息絶えました。阿片は肉も骨もとかす恐しい煙草です」

力松は、深く息をついた。

「それでは、達者なのは五人だけで……」

「いえ、宝順丸の岩吉さんも先頃、この世を去りました。寧波《ニンポウ》に住んで清国の女を妻としていましたが、その女が不義をし、間夫《まぶ》（不倫相手の男）に殺されたのです」

力松は、再び息をついた。

彦蔵は、暗澹《あんたん》とした。わずか十五年の間に七人の男のうち三人が死亡している。寿三郎は阿片で死んだというが、「モリソン号」で故国を目前にしながら追い払われたことに絶望し、その悲しみから快楽を得るため阿片に溺《おぼ》れたのではあるまいか。密通した妻の相手に殺害されたという岩吉も、哀れであった。

「その他の四人のお方は？」

長助が、たずねた。

「私の乗っていた船の船頭の庄蔵さんは、すぐ近くに住んでおります。宝順丸の久吉さんは上海《シャンハイ》に住んでおり、いずれも清国の女をめとり、子もいます。庄蔵さんは手広く裁縫商を営み、久吉さんは漢字を良く知っておりますので、役所に勤めを得ており、私はイギリスの商館の仕事をさせてもらっております」

力松の顔に、ようやく落着きがもどった。

「乙吉というお方は」

「上海に住み、イギリス商館の支配人をしております。漢字をよく知り、イギリス語を話すのも巧みで、天竺《てんじく》（インド）の女を妻とし、なに不自由なく暮しています」

彦蔵は、生き残った者たちが異国の地でそれぞれ逞《たくま》しく生きていることに畏敬《いけい》の念をいだいた。

深い静寂がひろがった。

力松の話をきいて、かれの仲間の水主《かこ》たちがどのようなことを考えているのか、彦蔵にはよくわかった。力松たち七人の漂流民のうち三人は死亡し、四人もいずれは死を迎える。異国の地に骨を埋めるという言葉があるが、かれらはまさにそのような運命にある。

他人《ひと》ごとではなく、自分たち十六名もかれらと同じ道をたどるのか。「モリソン号」で故国を眼にしただけでも、かれらの方が自分たちより幸せなのかも知れない。彦蔵は、胸が裂けるような深い悲しみに襲われた。

清太郎が沈黙を破り、

「その後は、故国へもどる努力をなさらなかったのですか」

と、苛立《いらだ》ちをこめた声でたずねた。

「大砲を打ちかけられた私たちは、故国が決して受けいれてくれぬことを身にしみて知りました。しかし、親兄弟に会いたい気持は強く、せめて自分たちが異国の地で無事でいることを伝えたいという思いから、庄蔵さんと寿三郎さんが、手紙を書いたことが一度あります」

力松が、淡々とした口調で言った。

「手紙を？」

清太郎が身を乗り出し、彦蔵たちも力松を見つめた。

「あれは、モリソン号でマカオにもどってから五年後の天保十三年（一八四二）六月のことでした」

力松は、思い出すような眼をして語りはじめた。

長崎の出島に設けられているオランダ商館の商館長エドワルド・フランチスソンの任期が来て、ピーテル・アルベルト・ビクが新任の商館長として長崎へむかう途中、マカオに立ち寄った。

それを知った庄蔵は、寿三郎とともにビクに会いに行き、自分たちの境遇を述べ、手紙を長崎の奉行所役人に渡して故郷にとどけてもらうよう懇願して欲しい、と頼んだ。哀れに思ったビクは承諾し、庄蔵と寿三郎は、それぞれ手紙を書いてビクに託した。

やがてビクは、長崎にむかうオランダ船に乗ってマカオをはなれていった。

「あなたは、なぜ手紙を書かなかったのですか」

清太郎が、いぶかしそうにたずねた。

「そのオランダ人が長崎の役人に渡してくれたとしても、役人は破るか火に投げ込むだけです。私たちは罪人なのです。故郷になどとどきはしません」

力松の眼には、拗《す》ねた光が浮んでいた。

力松は、ビクが手紙を長崎奉行所に渡しても役人が破るか焼却するにちがいない、と予想したが、それは事実とちがっていた。

力松たちを乗せた「モリソン号」が異国船打払い令によって砲撃されたことに、国内の有識者たちから批判の声があがった。そのような強硬な手段は外国の怒りをまねき、日本を窮地におとしいれると憂慮する者が多く、洋学者の渡辺崋山《かざん》と高野長英は批判文を書いた。これに対して、洋学者に強い反感をいだいていた目付鳥居《とりい》耀蔵《ようぞう》は、崋山を永《なが》蟄居《ちつきよ》（後に自刃《じじん》）、長英を永牢《ながろう》に処した。蛮社の獄である。

その後、幕府は、崋山、長英の批判は当を得ているという反省から、異国船打払い令の廃棄を決定し、庄蔵と寿三郎がビクに手紙を託した翌月の七月二十三日に、打払い令を改めて異国船を穏便に扱い、食糧、水等をあたえる薪水《しんすい》供給令を発している。

このような情勢の変化によって、ビクから長崎奉行所にわたされた庄蔵と寿三郎の手紙は、奉行柳生伊勢守《やぎゆういせのかみ》が正式に受領して幕府にも報告されている。

寿三郎の手紙は、初めに、

「肥後国（熊本県）玉名郡坂下（南関）手水晒
寿三郎
長崎　御役人衆中様　御家来衆」

と、記されていた。

寿三郎は、漢字をほとんど知らぬので、手紙は片仮名で書かれていた。

「オホソレナガラ　ヒトフデ子《ネ》ガヒアゲタテマツリソロ」

という書き出しではじまり、船が破船してフィリピンに漂着し、それから清国のマカオに送られた経過がたどたどしい文章でつづられていた。それにつづいて「モリソン号」で日本に行ったが、浦賀でも鹿児島でも砲撃を受け、「マコトニ　ソノトキノカナシサ　アハレ、カヘス〲モ　ウミヤマニモナニニモタトヘルコトナキ」と嘆いている。「ワタクシ、チチハハキヤウダイニ　ハナハダアヒタイケレドモ」と記しながらも、砲撃で打ち払われるような罪人とされているので、親兄弟に迷惑がかかることを恐れ、「カヘリタクハナク」「アキラメソロ」と帰国を断念している。

自分の現状については「ナニヒトツ、フジユウイタサズ」と記し、親兄弟の安否を気づかい、「コノコトバカリ　オンシラセクダサレ」と記しながらも、「ワタクシニ　カヘレトイフコトハ、オンカキクダサラヌヤウ」と頼んでいる。宛名は、親　林助、兄　桂助としてあった。

庄蔵は、船頭であるだけに漢字も平仮名も知っていて、その手紙の冒頭は、

「弥《いよいよ》御平安奉賀候《がしたてまつりそうろう》」

という文句ではじまっている。

寿三郎の手紙と同じように、フィリピンに漂着して清国のマカオに送られた経過が冷静な筆致でつづられている。「モリソン号」で浦賀に行った時のことについては、砲撃されて「（自分たち）七人ども、じがひ（自害）をいたす筈《はず》」ときめたが、鹿児島へ行くというので思いとどまった、としている。

鹿児島では、上陸して藩の役人たちと接触したが、またも砲撃を受け、悲しみの余り、「三、四日飯もたべずにとこ（床）につき候」と、記している。

その二度の砲撃によって、

「其時《そのとき》思ひし（知）り、まことにつみ（罪）の人とあきらめ、日本にハふたたびかへらぬとさだめ」

と、寿三郎同様に帰国を断念したことが書きとめられている。

それにつづいて、清国にはその後も日本の漂流民が送られてきている実情を記し、自分はこれらの者を日本へ送り還《かえ》すことに力をつくしたい、と述べ、清国にとどまっているのはその使命を果すためだ、と熱をおびた筆致でつづっている。

宛名は船主で、日本九州肥後国川尻正中島町　茶屋喜次郎となっていて、無事に暮し

ている と報告し、

「我共の儀、日本より出シ日を命日に……」

と、川尻を出船した日を命日にして欲しいと頼み、父母に不孝を詫《わ》びていると伝えてもらいたいと記していた。

庄蔵には妻子がいて、それについては、

「によふほふ（女房）子供　御なんだい（御迷惑）ながら　よろしく　御せハ（話）なし下され……此事《このこと》をミな（皆）内〳〵江おしらせ可被下《くださるべく》候　以上」

と、結ばれていた。

この寿三郎と庄蔵の手紙は、長崎奉行からそれぞれ宛名の者に送りとどけられた。

むろん、それらの手紙の返事は寿三郎と庄蔵のもとにはこず、二人は、力松と同じように長崎の役人によってにぎりつぶされたにちがいない、と思っていた。かれらは、深い諦《あきら》めの境地にあった。

手紙を書き送ることすらしなかったという力松に、彦蔵たちは重苦しい気分になった。水主たちは、力松を無言で見つめていたが、清太郎が、沈黙に堪えきれぬように口を開いた。

「力になってやると言われたが、日本に帰れるよう力をお貸し下さるのか」

清太郎の眼に、すがりつくような光が浮んだ。

水主たちの視線を受けた力松は、眼をしばたたくと、

「あなたたちがどうしても帰りたいと言うのなら、お世話もいたしましょう。しかし、なかなかどうして、それは容易なことではない。私たちが追い払われたように、日本はあなたたちを受け入れてはくれません」

と、断定するように言った。

水主たちは、無言で力松を見つめている。

力松は、表情をあらためると、

「いかがでしょう。日本へ帰るなどという考えはきっぱりと捨てて、私たちのようにこの地にとどまっては……。私が役所に願い出て、女房をめとり、暮しも立つように職業のお世話もいたします」

と、水主たちは、困惑したように互いに顔を見合わせた。

水主たちの顔を見まわした。

「いかがかな」

力松が、答えをうながした。

清太郎が、視線を力松に向けると、

「よく考えてみまして……」

と、辛うじて言った。

水主たちは落着きなく体を動かしていたが、

「それでは、今日のところはこれで……」

と一人が言うのをきっかけに一同立ち上り、頭をさげて家を出た。

かれらは足をはやめて波止場に行き、待っていたボートに乗った。口をきく者はなく、艦の甲板に上ると、自分たちの居住区に連れ立って入った。

水主たちは、急に饒舌《じようぜつ》になった。

「あの力松という男の心の底は、よく見えている」

一人が言うと、そうだ、そうだという声があがり、力松を非難する言葉を口にし合った。

「奴《やつ》が故国へ帰るのを諦めたのは、奴の勝手だ。淋《さび》しいものだから、おれたち十六人を巻きぞえにしてこの地にとどめさせようとしているのだ」

「アメリカの女を女房にしているのだから、それを残して帰国する気にはなれぬのだ。異国の女を連れて帰ることなど、到底できはしない。おれたちは、あの男とはちがう。奴は清国人になりきってしまっている」

水主たちは、甲高い声で言い合った。

ひとしきり力松への批判を口にした水主たちは、

「おれたちは、なんとしてでも日本へ帰る。これまで神仏の御加護で生きてきた。これからも必ず御慈悲によって道が開ける」
「みんなで日本へ帰ろう」
と、口々に言った。

七

彦蔵たちの乗っている「サスケハナ号」には、怠惰な空気がよどんでいた。日本遠征を企てているペリーを使節とする一行は、アメリカ本国から清国に来て、ペリーが「サスケハナ号」に乗って日本にむかうことになっている。「サスケハナ号」は、ペリー一行がくるのを待っていたが、本国からの出発がおくれたらしく、姿を見せない。待つことに乗組員たちは倦いていた。

それに、連日、暑熱が甚しく、艦内にいると頭がかすみ息苦しかった。甲板にも陽光が照りつけていて、そのためボートで町へ行く者が多かった。彦蔵たちも、それらのボートに乗せてもらい、木陰に坐《すわ》ったりして涼をとった。不信感をいだいた力松の家には、近づくことはしなかった。

その日も、寺の境内の大きな樹《き》の日陰で寄り集って坐っていると、寺の中から老いた僧が出てきた。近づいてきた僧は、手を動かして寺の中に入るようにこやかな表情でうながした。

彦蔵たちは立ち上り、僧の後について庫裡《くり》のような板敷きの広い部屋に入った。僧は、煙草《たばこ》をすすめ、お茶も淹《い》れてくれた。彦蔵たちは、しきりに頭をさげた。

僧の言葉は、むろん彦蔵たちにはわからなかったが、香港の町を歩いている間に漢字を書けば意思が通じることもあるのを知るようになっていたので、清太郎たちがそれぞれ筆談をはじめた。水主《かこ》たちは、しきりに日本へ帰りたいという希望を文字に託し、首をかしげていた僧はようやくそれを理解したようだった。

ついで、アメリカ軍艦が日本へ行くというので、それに乗って行くつもりだ、と文字を書き、手ぶり身ぶりをまじえて説明した。

その意味を察した僧は、激しく手をふった。日本は外国の船をことごとく追い払い、アメリカの軍艦も同様で、それに乗って帰国するなどという考えは捨てた方がいい、と書いた。

それよりも、この香港から北西四十里（一六〇キロ）弱の広東《カントン》に行くべきだ、とすすめた。広東の役所に帰国希望の願書を提出すれば、清国は日本と貿易をしている関係にあるので役所は許可し、船便によって南京《ナンキン》に送りとどけてくれるはずである。毎年、長崎へむかう清国の貿易船の出港地は乍浦《チーフー》という港で、南京の役所は乍浦の役人に指示し、彦蔵たちを貿易船に乗せてくれることは疑いないという。

僧の言葉に、水主たちは興奮した。長崎に行ったことのある者もいて、それによると、港内に唐船と称される装飾をほどこした清国の船が二艘《そう》か三艘碇泊《ていはく》しているという。唐船は毎年長崎に入港してきていて、それに乗ることができれば、「モリソン号」のように追い払われる恐れもなく確実に長崎の土をふむことができる。

「広東へ行く道は？」

という問いに、僧は、紙に略図を描いた。

「無事に行きつくことができるだろうか」

それに対して、僧は、道中手形（旅券）を渡す、と答えた。僧の発行した手形は信用され、道中、それをしめせば宿泊、食事の便宜もはかってくれるという。

「ぜひ、それをいただきたい」

と頼むと、僧は、朱色の紙に道中手形をしめす文字を大きく書いて渡してくれた。

彦蔵たちは、僧に厚く礼を述べ、寺を出た。

かれらは、再び大樹の下に寄り集って坐り、広東行きについて熱っぽい口調で話し合った。たしかに僧の指示は筋道が立っていて、清国の貿易船に乗ることができれば、まちがいなく長崎の土をふめる。広東、南京の役所の許可を得るのが先決であるが、日本とは友好関係にあるので、僧の言う通り助力を得られるだろう。

問題は、旅費であった。日本の銭をそれぞれ持ち、サンフランシスコでアメリカ人から贈られた硬貨や装飾品もある。が、それらを清国の銭に替えなければならない。一人が、力松の家の近くに住む元船頭の庄蔵のもとに行って、それらの銭や装飾品を清国の銭に換金してもらおうと言った。力松は、広東行きに反対するにちがいなく、かれの力は借りたくなかった。しかし、水主の中には銭も装飾品もわずかしか持っていない者もいて、かれらは広東に行くことをためらった。

彦蔵は相応の金品を手にしていたが、気乗りがしなかった。サンフランシスコから終始親切にしてくれたトマスに挨拶《あいさつ》もせず広東に行く気にはなれなかった。

かれらは互いに言葉を交し、九人が広東行きをきめ、彦蔵をふくむ他の七人が艦にとどまることになった。漂流以来行を共にしてきた水主は、ここに至って二手に別れることになった。それは船頭万蔵を失ったからで、万蔵が生きていればそのようなことを許すはずはなかった。

広東行きをきめた九人の者は、庄蔵の家に行くことになり、艦に残る彦蔵たち七人もついて行った。

庄蔵が手広く裁縫業を営んでいるときいていたが、たしかに家は大きく、広い仕事場では十人ほどの者が繊維品をひろげて働いていた。

庄蔵は商用で外出していて留守であったが、妻である清国人の女が親切に迎え入れてくれた。日本語もかたことながら話すことができ、九人が広東に行くと告げると、家に泊って明朝、出発し、その間に日本の銭その他の換金もしておく、と言った。

広東に行く者と残る者が、別れの言葉を交した。「サスケハナ号」に残る者の方が先に日本の土をふむかも知れず、いずれにしても先に帰国した者が他の者たちの無事をそれぞれの故郷に報《しら》せよう、と誓い合った。

彦蔵たちは、

「御無事で……」

と、広東に行く者たちに声をかけ、庄蔵の家を出て波止場に引返し、ボートに乗った。

翌朝は激しい雨で、艦の士官が、九人がいないのに気づき、

「ドウシタノダ」

と、たずねた。彦蔵は、

「日本人ノ招待ヲ受ケテ、ソノ家ニ泊リマシタ。ヤガテ帰ッテクルデショウ」

と、答えた。

雨は夕方まで降り、夜になると月が雲の切れ間からのぞいた。

翌朝は快晴で、強い陽光が艦をつつんだ。彦蔵たちは、九人がどのあたりまで進んだか、と話し合った。すでに広東についているかも知れない、と言う者もいた。

日が傾き、彦蔵たちは甲板に出て風に吹かれていた。

岸から清国の小舟が近づいてきて、舷側《げんそく》についた。甲板に上ってきたのは、思いがけず広東へ行った五人の水主たちであった。ズボンをつけてはいるが、上半身が裸で靴もはいていなかった。

かれらが、顔をしかめて事情を説明した。九人の水主は、降雨の中を僧の指示してくれた通りの道を進んだ。途中、僧の渡してくれた手形を村々の者に見せると、例外なく親切に道を教えてくれた。空腹になったので、農家に行って銭を出し、飯を炊《た》いてもらってそれを食べた。

その家を出て二町（二一八メートル）ばかり行くと、突然、六十人ほどの男が出て来て道をさえぎった。かれらは、鋤《すき》や短刀を手にしていてなにか威嚇《いかく》するような声をあげ、水主たちを取りかこんだ。

男たちは、鋤をふりかぶり短刀を突きつけ、怒声に似た声をあげる。服を荒々しくつかんではぎとろうとし、頭を拳《こぶし》で激しく突き、背中をたたく。水主たちは身の危険を感じ、洋服をぬぎ靴もはずした。袋に銭を入れて持っていたが、それも奪われた。わずかにズボンをはくことが許され、半裸になった。

男たちは、さらに鋤や短刀でおどして道をもどれという仕種《しぐさ》をしたので、水主たちは夢中になって走り出し道を引返した。気がついてみると五人だけになっていた。

日が没し雨がやんだので、かれらは野宿し、朝になって道もない山中をたどり、ようやく香港の町に入ったという。

素足で歩いてきたかれらの足は血だらけになっていたので、彦蔵たちが手当をしていると、またも清国の小舟が漕《こ》ぎ寄せてきた。そこには、同様に哀れな姿をした四人の水主たちが乗っていた。思わぬ災難に、かれらは悄然《しょうぜん》としていた。

士官や水兵たちが集ってきて、異様な姿をした九人の水主たちの姿を見まわし、トマスも気づかわしげに近寄ってきた。

士官が、

「ドウシタノダ」

とたずね、彦蔵は、

「盗賊ニ襲ワレ、洋服ヲ奪ワレタ」

と答え、トマスも言葉を添えた。

士官たちは納得したらしく、はなれて行った。彦蔵たちは、自分たちの予備の洋服を九人の水主にあたえた。

この事件は、日本へ帰る道をさぐるのがいかに困難であるかを、水主たちに感じさせた。

清国の貿易船に乗ることができれば長崎にたどりつけるのだろうが、広東に行く途中で身ぐるみはがれ、命まで奪われかねなかった。貿易船に乗るには、気の遠くなるような距離がある乍浦《チーフー》という港にまで行かねばならず、そこに至るまでに命がいくつあっても足りぬほどの苦難を強いられるだろう。かれらは、深い失望感にとらわれた。

わずかに帰国できる手段は、やがてやってくる使節ペリーとともに「サスケハナ号」に乗って日本に行く以外にない。水主たちは、手荒な士官や水兵たちの扱いに堪えながら、待つほかはないのを感じた。

物憂《ものう》い日が過ぎた。暑熱がよどみ、夜は寝苦しかった。入浴などすることはないので体中に汗疹《あせも》ができ、それを掻《か》くと皮膚が破れ化膿《かのう》した。彦蔵たちは、海に飛び込んで体を洗った。

二カ月ほど過ぎた頃、アメリカの帆船が本国からやってきた。「サスケハナ号」をはじめアメリカ東洋艦隊の各艦に渡す嗜好品《しこうひん》や手紙等を積んでいた。

彦蔵たちは、その貨物船から物品を「サスケハナ号」に移す仕事に狩り出されたが、その間に貨物船の船員からきき出した話が話題になった。

日本遠征を企てるアメリカ使節ペリーは、清国に来て十一隻《せき》の軍艦をひきいて日本に向うという。

十一隻という軍艦の数に、彦蔵たちは口もきけぬほどの驚きをおぼえた。それほどの大規模な陣容で日本にむかうということは、日本を徹底的に威嚇し、アメリカの要求をすべて認めさせようとしていることをしめしている。強要に対して、日本も国をあげて反抗の姿勢をしめし、その結果、大戦争となる。そのような意図を持つ「サスケハナ号」に乗って日本に向えば、戦争に巻き込まれ、帰国することなどおぼつかない。

水主たちは顔色を変え、口々に「サスケハナ号」で日本へ行くのは断じて避けるべきだ、と言い合った。

水主たちは、トマスのもとに行き、意見を求めた。

トマスも十一隻という艦隊規模に驚き、水主たちの危惧《きぐ》も当然だ、と言った。かれは、十五年前に力松たち七人の漂流民を乗せたアメリカ帆船「モリソン号」が、浦賀につい で鹿児島でも砲撃を浴びて追い払われたことを知っていた。「モリソン号」は商船で、しかも大砲も撤去していたのに砲撃されたことを考えれば、十一隻からなる艦隊に日本側も火力のすべてをかたむけて砲撃することは疑いの余地がない、と気の毒そうに言った。

水主たちの眼には、深い絶望の色が浮んでいた。

彦蔵は、甲板の隅に行って膝《ひざ》をかかえて坐った。力松の顔が、眼の前に浮んだ。「モリソン号」に乗って追い払われた七人の漂流民のうち三人は死亡し、力松たち四人は日本に帰ることをはっきりと諦《あきら》めている。力松は、帰国する考えなど捨てて妻をめとり清国で安穏に暮すようすすめた。その言葉に反撥《はんぱつ》はしたが、自分たちも力松と同じ運命をたどる以外にないらしい。かれらは異国の地に骨を埋めることになり、自分もやがて死を迎え、この地の土に同化するのだろう。

故郷の播磨灘《はりまなだ》の海を死ぬまでにもう一度見たい、と思った。

彦蔵は、頭《こうべ》を垂れて坐りつづけていた。絶望感で体から力がぬけ、頭の中は空白だった。いつの間にか陽が傾き、海面が茜色《あかねいろ》に染っていた。

足音が近づき、傍らに大きな体の男が坐った。トマスだった。

トマスの掌《て》が、彦蔵の肩にのせられた。トマスはサンフランシスコで会って以来、水主たちを親切に世話をし、ことに彦蔵には親愛の情をしめしていた。

「ヒコ（彦蔵の愛称）、話シタイコトガアル」

トマスは、海に顔を向けながら英語で言った。

「私ハ、ペリー使節ノ艦隊ガクルノヲ待ツノガイヤニナッタ」

トマスは、英語に日本語をまじえながら話しはじめた。

かれは、彦蔵をはじめ水主たちが日本へ帰れるのを手助けするためこの地までついてきた。自分も日本へ行きたいという気持があるからで、ペリーがくれば、この「サスケハナ号」で日本へ行けるというので、ペリーのくるのを辛抱して待っていたが、いつまでたってもこない。しかもペリーは十一隻の軍艦をひきいて日本に行く予定だという。それは戦争を仕掛けるためとしか思えず、彦蔵たちはもとより自分も日本の地をふむことはおぼつかない。

「ヒコ、私はアメリカへ帰る」

トマスは、日本語で言った。

アメリカのカリフォルニアは金鉱景気で沸き立っていると言われ、ひともうけできる。日本へ行く望みも断たれたので、カリフォルニアへ行きたい。

「ヒコ、私トアメリカへ行カナイカ。費用ハ私ガ負担スル」

トマスは、二、三年後には必ず日本は開国され、外国人の渡航も自由になるだろう、と言った。開国すれば、彦蔵も帰国できる。その間にアメリカで英語を十分に学び、西洋文明の知識も身につけ、帰国して日本の役に立つことを考えるべきだ。

「ココニイテモ、ナンノ益モナイ。私トアメリカへ行コウ」

トマスの手に力が入り、彦蔵を抱き寄せた。

思いもかけぬ言葉に、彦蔵は茫然《ぼうぜん》とした。優しいトマスではあるが、仲間の水主たちと別れる気など毛頭ない。これまで十五人の水主たちとともに互いに身を寄せ合って生き、その集団の中にいることで、異国の地に来ても孤独感におそわれることもなくすごしてきた。そこから一人はなれることは、死にもつながる。

「ヒコ、私トアメリカへ行コウ」

トマスが彦蔵の顔をのぞき込み、体をゆすった。

彦蔵は、髭《ひげ》の生えたトマスの顔をみつめると、

「私ハ行カナイ」

と英語で答え、首を強くふった。

日本に近い清国へ来たというのに、再び遠いアメリカへ行く気などない。それに、共にすごしてきた仲間たちと別れ、アメリカ人の中に身を入れることなど想像するだけでもいやであった。

「ナゼダ」

「仲間と離れることはできない」

彦蔵は、力をこめてゆっくりとした日本語で言った。

トマスは、その答えを予想していたらしく、

「ソレデハ、ヒコノ仲間ノ一人ヲ連レテ行クナラ、同行スルカ」

と、言った。

彦蔵は、イエスと答えた。水主のなかでアメリカへ行くという者がいるはずはなく、トマスの気分を損ねることを恐れてイエスと答えたのだ。

トマスは、無言で何度もうなずき、彦蔵の肩から手をはなすと腰をあげた。彦蔵は、トマスが船室に通じる通路の方に歩いてゆくのを見送った。

トマスがアメリカ行きを口にしたことに、彦蔵は帰国の望みが全く失われているのをあらためて感じ、体が地底に沈んでゆくような悲しみをおぼえた。

翌日、彦蔵が甲板に立って香港の町の方に眼を向けていると、トマスが近づいて来て肩を抱き、

「ヒコ。カメガアメリカニ行ク」

と、言った。

カメとは、トマスが亀蔵を呼ぶ時の愛称で、トマスは、若い二十四歳の亀蔵を口説いたにちがいなかった。

彦蔵は驚き、トマスの顔を見つめた。トマスとの約束もあり、亀蔵がアメリカ行きを承諾したかぎり、トマスに同行しなければならない。しかし、仲間たちとはなれてアメリカへ行くのは恐しかった。

トマスは、はなれて行ったが、その日の夕方、彦蔵のもとにやってくると、思いがけぬことを口にした。

「トラモ行ク」

トマスの言葉に、彦蔵は呆気《あっけ》にとられた。

トラとは、彦蔵と同じ村の出身である治作で、親しい亀蔵からアメリカ行きの話をきくとトマスのもとに来て、

「ぜひ連れて行って欲しい」

と、頼み込んだという。

治作は二十九歳の思慮分別のある水主《かこ》で、すすんでアメリカ行きをトマスに頼んだことを知った彦蔵は、トマスと同行すべきなのかも知れない、と思った。

彦蔵が承諾すると、トマスは、口もとをゆるめ、

「司令長官ノ諒解《リョウカイ》ヲ得テクル」

と言って、足早に去った。

その日、トマスから司令長官オーリックの許可が出たことをきいた彦蔵と亀蔵、治作は、他の水主たちのもとに行ってトマスとアメリカに行くことを言いにくそうに告げた。かれらの驚きは大きかった。さまざまな意見がかれらの間から出て、三人が別行動をとるのは好ましくないと首を激しくふる者もいれば、「サスケハナ号」で故国に帰るのは不可能で、アメリカへ行って帰国の機会を探るべきだ、という者もいた。かれらの言葉は熱をおび、徐々にアメリカに行く以外に日本へ帰れる望みはないという意見にかたむいていった。

アメリカ行きは、彦蔵、亀蔵、治作だけのことではなく水主すべての問題になり、やがてかれらは全員がトマスとともにアメリカへ行くことで意見が一致した。水主たちは、彦蔵ら三人にトマスにその旨《むね》を頼んで欲しい、と口々に言った。

思いがけぬ結果に彦蔵は驚いたが、早速、亀蔵、治作とともにトマスのもとに行った。事の次第を彦蔵が英語まじりの日本語で告げると、トマスは表情を曇らせ、思案するよ

うに顎《あご》に手をあてたりしていたが、無言で船室を出て行った。

やがてもどってきたトマスは、彦蔵たち三人を連れて水主たちのもとに行った。トマスは、

「アメリカニ行クコトヲ希望スル者ハ、前ニ出ナサイ」

と言い、彦蔵が通訳した。

水主たちは、全員がトマスの前に立った。

トマスが、日本語まじりの英語で話しはじめた。オーリック司令長官に彦蔵ら三人の退艦願いを出して許可を得たが、全員をアメリカに連れて行くという話をすると、それは断じて許さぬ、と言われた。理由は、やがてやってくる使節ペリーが、日本側との交渉に漂流民引渡しを利用しようとしているからだという。

「第一、私ニハ三人ヲ連レテ行クダケデ精一杯デス。オ金ガアリマセン」

トマスは、両手をひろげ、首をすくめた。

水主たちは、顔を青ざめさせた。アメリカにもどるトマスは、むろん船賃をはらって商船に乗る。彦蔵、亀蔵、治作の船賃は負担するが、その総額はかなりのものになる。トマスはそれだけで精一杯で、さらに十三人分の費用を出すことなど到底できないという。無理からぬことで、水主たちの顔には諦めの色が濃くうかんだ。

かれらは、長い間黙っていたが、一人が口を開くと、他の者たちが苛立《いらだ》ったように思

い思いの言葉を口にした。それは、三人と別れるのは好ましくないというものだった。万蔵が生きていたら、三人がアメリカへ行くことは断じて許さず、全員がそろって日本へ帰るまではなれず生きてゆこう、と励ましたはずだ、と言う者もいた。

しかし、かれらの口数は少なくなり、やがて深い沈黙がひろがった。三人のアメリカ行きはオーリック司令長官の認可を得ていて、すでに決定していることであった。

「イツ、出発スルノカ」

清太郎が、トマスに英語でたずねた。

「今日、タダチニ出発シ、マカオニ行ク」

トマスは、言いにくそうに答えた。

マカオには外国商船の出入りが多く、その地でサンフランシスコ行きの商船を探す。そのために早目にマカオに行かねばならないのだ、と説明した。

トマスは、彦蔵たち三人に眼をむけると、

「ヒコ、カメ、トラ。出掛ケルカラ、旅ノ仕度ヲシテクレ。私モスル」

と、声をかけた。

トマスが歩き出し、彦蔵たちもその後にしたがった。彦蔵は、亀蔵、治作とともに船室に行き、用意した手廻りの物を手にして甲板にもどった。

やがて、トマスが大きな鞄《かばん》をさげて彦蔵たちのもとにやってくると、波止場の方にむかって大きく手をふった。その合図を待っていたらしく、清国の小舟が岸をはなれるのが見えた。

水主たちが、近寄ってきて彦蔵たち三人を取りかこんだ。口をつぐんでいるかれらの眼には涙が光り、彦蔵の胸にも熱いものが突き上げた。漂流して以来、万蔵は死んだが、一同身を寄せ合って生きてきた。その環《わ》の中から自分たち三人がはなれるのが辛《つら》く、申訳ない思いでもあった。かれは、わずかに視線を落した。

最年長の長助が、涙ぐみながら、

「くれぐれも達者でな」

と、途切れがちの声で言った。すすりなく声が起り、彦蔵も涙をぬぐった。

先輩の炊《かしき》である仙太郎が、無言で彦蔵に抱きつき、嗚咽《おえつ》した。彦蔵も、仙太郎の体を抱きしめた。

「ヒコ、カメ、トラ、行コウ」

トマスが、声をかけてきた。

小舟が船べりにつき、櫓《ろ》をこぐ清国の男がこちらを見上げている。甲板では士官や水兵たちが遠巻きにして見つめていた。

トマスにうながされて、彦蔵は縄梯子《なわばしご》をつかみ、亀蔵と治作がつづいた。最後にトマスが小舟に降り立った。

清国人が櫓を動かし、小舟が舷側《げんそく》をはなれた。彦蔵はしゃがみ、「サスケハナ号」を見つめた。甲板に水主たちが並んでこちらに顔をむけている。

「達者でなあ」

叫びに似た声は、清太郎の声にちがいなかった。

新らたに涙があふれた。アメリカに行ってもどうなるか見当もつかず、艦に残った十三人の行く末も予想できない。これが最後の別れになるかも知れず、その恐れが大きいように思えた。

水主たちの姿が小さくなり、艦も島かげにかくれていった。

舟は、島の間を西へ進んでゆく。海は凪《な》いでいた。

日が傾きはじめた頃、マカオの町が近づいてきた。

舟が港に入り、彦蔵たちは波止場にあがった。トマスが歩き出し、彦蔵たちは無言でついてゆき、ホテルに行った。安宿を予想していたが、設備のととのったホテルで、経営者のフランクというポルトガル人がすぐに奥から出てきた。

トマスはフランクと顔見知りらしく、親しげに言葉を交した。彦蔵たちの境遇を話すと、フランクは同情の眼をむけ、近寄ってくると一人一人に握手し、歓迎の言葉を口にした。

彦蔵たち三人は、快適な部屋に通され、すぐに食堂に案内された。フランクが葡萄酒《ぶどうしゅ》を出してきて、彦蔵たちもそれを飲んだ。料理は洗練されていて、艦の貧しい食物を口にしてきた彦蔵たちは、ひどく豊かな気分になった。

トマスは、港に行ってはサンフランシスコに行く商船がないかを探っていたが、適当な船がなく、夕方に疲れてもどってくることを繰返していた。

かれは、夕食後、サンフランシスコに行く理由を彦蔵たちに話した。アメリカの西部では、露出した金が人の眼にふれるようになり、金鉱が各地にあるという説がひろがった。サンフランシスコの東方にも大金鉱があるというので、多くの人が各地から集ってきている。そのためサンフランシスコの購買力はたかまり、活況を呈している。これから本格的な金鉱探しがはじまると言われていて、それに乗りおくれぬようにサンフランシスコにもどりたいのだという。

彦蔵は、ふと、漂流中に「オークランド号」に救助された直後、船にコックとして雇われていた清国人が、船の行き先を「金山」と筆で書いたことを思い起した。その折は意味がわからなかったが、金山のあるサンフランシスコに行くことをしめしたものであるのを初めて気づいた。

「景気ガ良イカラ、アナタタチノ働キ口モスグ見ツケラレル。心配スルナ」

トマスは、口もとをゆるめて言った。

彦蔵は、あらためてトマスが情のあつい男であるのを感じた。三人のサンフランシスコまでの旅費は、ばかにならない額で、それを全額負担してアメリカに連れて行っても、トマス自身にはなんの益にもならない。トマスは、三人が清国にとどまっていても帰国の望みはなく、アメリカに行けば、それを可能にする道を見出《みいだ》せるかも知れないと思っている。トマスは、ひたすら三人を日本へ帰してやろうと考えている。

彦蔵は、トマスの温かい気持に感謝の念をいだいた。

彦蔵たちは、ホテルにいても手持ちぶさたなので、トマスについて便船を求めるため港に行くようになった。港には、外国の帆船が数多く碇泊《ていはく》し、外輪を廻して入港してくる蒸気船もあった。トマスは、船員を見掛ける度に声をかけ、船員の乗る船の予定する行先をたずねたりしたが、サンフランシスコに行く船はなかった。

マカオについて一週間後、港に近いイギリス商船会社の出張所の外壁に、広告が貼《は》られているのを眼にした。

「コレダ」

広告文を読んだトマスは、はずんだ声で言った。

そこには「サラー・フーパー号」というイギリス商船が、二日後にサンフランシスコにむけ出港すると記されていた。

トマスは、商船会社の小さな出張所に入り、すぐに若い長身のイギリス人と出てきた。

「船ヲ見ニ行ク」

トマスが言い、彦蔵たちは、トマスとともにイギリス人の後について港に行った。波止場にもやってあるボートに彦蔵たちは乗り、イギリス人がオールをにぎった。

ボートがついたのは、四〇〇トンほどの三本マストの帆船だった。甲板にあがった出張所員が、船室などを案内した。いかにも老朽船といった感じの船で、船材は古く、塗料もはげかけている。船室は、三等船室だけであった。

波止場にもどったトマスは、出張所員と別れると、しばらくの間、港にうかぶ「サラー・フーパー号」をながめていた。サンフランシスコまでは一カ月半以上を要し、老朽船での船旅はむろん快適なものではない。他に便船を探すか。そのためにはマカオでの滞在を余儀なくされ、それだけホテル代がかさむ。トマスは、どのようにすべきか思案していた。

やがてかれは、思い切ったように出張所に入ってゆくと、一人あたり五十ドルの乗船券を買って出てきた。

「アノ老イタ船ニ乗ル」

かれは首をすくめたが、眼には笑いの色がうかんでいた。

ホテルにもどり、彦蔵たちは手廻りの品を梱包《こんぽう》した。

翌々日の朝は、空が青く澄んでいた。彦蔵たちは手荷物をかつぎ、トマスは鞄をさげてホテルを出た。経営者のフランクが港までついてきてくれた。

商船会社の出張所に行くと、乗船客が集ってきていた。出張所員に導かれて波止場に行き、待っていたボートに分乗した。フランクが手をふり、トマスも手をふった。

ボートが「サラー・フーパー号」につき、彦蔵たちは甲板にあがった。

彦蔵は、デッキにもたれてマカオの家並に眼をむけた。香港で別れた十三人の水主《かこ》たちの顔が、一人ずつ眼の前にうかんだ。抱きついてきた仙太郎の腕の感触もよみがえる。果してかれらは生きぬき、日本へ帰ることができるのだろうか。それとも、清国の土となってしまうのではあるまいか。

ドラが鳴り、錨《いかり》をあげる音がひびき、マストに帆がひらいてゆく。船が動き出し、彦蔵は、遠くなってゆく陸岸を身じろぎもせず見つめていた。

船が、帆を全開させて港口から外洋に出た。

八

「サスケハナ号」に残った十三人は、そのまま艦にとどまっていた。

同艦は厦門《アモイ》、マカオに行って香港にもどったりしていたが、十一月になるとフィリピンにむかい、十一月二十五日にマニラに入港した。日本では寒中の季節であるのに暑熱が甚だしく、雷雨がしばしばあった。その地はイスパニアの支配地で、マニラは繁華な町であった。

三十日間ほど碇泊し、「サスケハナ号」は十二月末に香港にもどった。

長助ら水主たちは香港の町を連れ立って歩いた。歳越《としこし》という文字を書いた赤い紙が売られていて、それを買った男女が神社の至る所に貼っていた。元日の日にも上陸し、長助たちは嘉永六年（一八五三）の新年を迎えたことを知った。

二月中旬、「サスケハナ号」は、香港を出港して陸岸沿いに北上した。七日後、幅が三里（一二キロ）もある大河（揚子江《ようすこう》）の河口に達し、川をさかのぼって上海についた。

翌日は、朝から多くの小舟が艦の舷側に集ってきて、商人たちがさかんに織維品を買ってくれ、と声をかける。そのうちに、甲板にも上ってきて、織維品をひろげ、集ってきた乗組員たちは、それらをながめ、手にしたりする。金を払って買う者もいた。

商人たちの取締りをしているらしい老人が、寄り集っている水主たちに近寄ってくると、英語で、

「日本人カ？」

と、問うた。

長助たちが、そうだと答えると、老人は、

「コノ地ニ日本人ガイル。ソノ名ハオトキチ」

ていた。

と、言った。

長助たちは、香港で力松から上海に乙吉と久吉という漂流民が住んでいることをきいた。

乙吉と久吉は、二十一年前に「宝順丸」に乗って鳥羽から江戸へむかう途中、遭難し、漂流した。翌年、アメリカのフラッタリ岬附近に漂着したが、漂流中に船頭以下十一人が死亡、乙吉、久吉、岩吉の三人は、ハドソン湾会社支店長のジョン・マックラフリンの保護下に入り、イギリスが日本と通商交渉をする折りの材料として役立つかも知れぬというので、ロンドンに送られた。

その間、乙吉は、イギリス人に乙《おと》とはなにを意味するかと問われ、答えに窮してSoundと答え、それによって音吉とも称し、オットーと呼ばれるようになった。同じように久吉も久をLasting（永久の）、岩吉は岩をRockと説明し、久吉はキューコー、岩吉はイワと呼ばれていた。

三人は、ロンドンから清国のマカオに送られ、そこに肥後船の漂流民庄蔵、力松、寿三郎、熊太郎がフィリピンから送られてきて合流した。七人は、アメリカ商船「モリソン号」で日本にむかったが、砲撃されて清国にもどった。その後、熊太郎は病死、寿三郎は阿片《あへん》で衰弱死し、岩吉は不倫をした妻の相手の男に殺害されている。残った庄蔵と力松は香港にいて、乙吉と久吉が上海に住みついていることを、長助たちは力松からきいていた。

長助たちは、乙吉に会いたいと思い、老人にその所在を片ことの英語で問うた。老人は承諾し、筆をとると紙に略図を描いて渡してくれた。

長助たちは、士官に上陸の許しを得て、上海の町に行く水兵たちのボートに乗せてもらった。波止場にあがった水主たちは、老人からもらった略図を手に上海の家並の中に入っていった。

町は区割りされていて、入口には柵門《さくもん》があって門番が立っていた。長助が略図を見せて乙吉の家に行きたいという仕種《しぐさ》をしてみせると、うなずいた門番が先に立って歩いていった。やがて門番が足をとめ、道沿いの建物を指さして引返していった。

水主たちは茫然《ぼうぜん》とし、顔を見合わせた。長い塀にかこまれた広い敷地に、三階建の大きい建物が建っている。窓にはギヤマン（ガラス）がはめられ、その建物の背後にはいくつもの蔵が並んでいる。門番が他の家を教えたのではないか、と思った。

しばらくためらっていたかれらは、恐るおそる門をくぐり、建物の扉をあけて声をかけた。

清潔な衣服を身につけた清国の初老の男が出てきて、清太郎が紙に自分たちは日本人で、乙吉に会いたいと漢字で書いてしめした。男は、うなずいて奥に入り、すぐに断髪をし洋服を着た小太りの中年の男が出て来た。

かれは、清太郎たちを見まわすと、

「乙吉です」

と、日本語で言った。

水主たちの顔に安堵《あんど》の色がうかび、

「私どもは……」

長助が言いかけると、乙吉は、

「お入り下さい、お話は奥でうかがいます」

と言って、中に入るよううながした。

水主たちは、乙吉の後について扉の中に身を入れた。

通されたのは広い部屋で、その美麗なことにかれらは眼をみはった。重厚な家具は艶々《つやつや》としていて、吊《つ》るされた鳥籠《とりかご》はあきらかに金で作られている。部屋に接して幅三間（五・四メートル）奥行き二間ほどのギヤマン張りの部屋（温室）があって、見たこともない花が咲き乱れていた。

かれらは、乙吉にすすめられて刺繍《ししゆう》で彩《いろど》られた椅子《いす》に腰をおろした。

「日本人が十人以上も香港に来ているという話をきいていました。あなたたちですね」

乙吉がたずね、長助が、

「はい、香港におりました」

と、答えた。

肌の浅黒い、眼の大きな女が入ってきた。その後から数人の召使いらしい清国の女が茶菓を運んできてテーブルに置いた。

「女房です」

乙吉が、眼の大きな女を紹介した。華やかな衣服を身につけていて、彫りの深い顔をしている。

「天竺《てんじく》（インド）の生れです」

乙吉が言うと、女はにこやかな表情をして頭をさげた。

「なぜ清国に来ているのですか、お話し下さい」

乙吉が、長助たちを見廻した。

長助にうながされて清太郎が、漂流するまでの経過とアメリカ船に救助され、サンフランシスコから清国に送られてきた事情を説明した。さらに船頭万蔵の死と彦蔵ら三人がトマスに連れられてアメリカへ引返し、残ったのは十三人だ、と言った。

うなずきながらきいていた乙吉は、清太郎が言葉を切ると、

「難儀でしたね。今までよく生きてこられましたな」

と、同情するような眼をして言った。

少しの間口をつぐんでいた乙吉は、

「もう二十一年も前のことになりますが……」

と言って、「宝順丸」に乗っていた乙吉らの遭難、漂流とその後の経過を説明した。

「生き残った三人のうち、岩吉は殺され、上海にいる久吉と私だけになってしまいました」

かれは、しんみりした口調で言った。

しばらくの間沈黙がつづいたが、清太郎が部屋を見まわし、

「大層豊かなお暮しをなさっておられるようですが、おさしつかえなければ、なにをして生活の糧《かて》を得ておられるのかお教え下さい」

と、遠慮がちにたずねた。それは水主すべての関心事であった。

乙吉は、ゆったりと椅子に背をもたせかけ、眼に笑みをうかべながら説明した。

家は、清国との貿易をするイギリス商社の持物で、かれはその出店の総取締りをしていて三十人ほどの男を使い、清国でさまざまな物品を買い集めてイギリスに送っている。召使いは七人いるという。

清太郎たちは驚嘆し、あらためて部屋の調度に眼をむけたりした。

漂流民でありながら豊かな生活をしている乙吉を、清太郎たちは信頼のおける人物だと思った。イギリスの商社の出店をまかされていることは、乙吉が有能で誠実であることをしめしている。

清太郎が、長助と低い声で言葉を交し、乙吉に眼をむけると、

「香港でお会いした力松さんに、日本へ帰りたいと申しましたところ、それは叶《かな》わぬことでこの清国にとどまり、女房もめとって安穏に暮すように言われました。しかし、私たちはなんとしてでも日本へ帰りたいのです。お力をお貸し下さいませんか」

と、訴えるような口調で言い、水主たちは乙吉の顔を見つめた。

責任のある仕事をまかされて裕福に暮している乙吉は、妻帯もしていて清国の地にしっかりと腰を据えている。かれには日本へ帰る気などなく、現在の生活に十分満足しているのだろう。乙吉も、力松と同じように日本に帰るのは至難で、それよりも清国で生きる道を探るべきだとすすめるような予感がした。

乙吉が、口を開いた。

「私は、モリソン号で故国を前にしながら石火矢《いしびや》（大砲）で打ち払われ、その時から帰国をすっぱりと諦《あきら》めました。それは自分の宿命で、悔いはありません。断念はしましたが、その後、私は悟りを得ました。今後、私と同様に漂流の憂目《うきめ》にあった日本人を帰国させることが、私の務めであると……」

乙吉の顔には、かたい決意の色がうかんでいた。

水主たちは、身じろぎもせず乙吉に視線を据えている。

水主たちを見廻した乙吉は、

「あなた方を帰国させるようお世話をしましょう」

と、強い口調で言った。

水主たちの顔に喜びの色がうかび、涙ぐむ者もいた。自らは清国の土となるのを覚悟し、その上で漂流民を帰国させることを自分の使命と考えている乙吉に感動した。

「帰国するには、どのような方法があるのでしょうか」

清太郎が、乙吉を見つめた。

「御存知のごとく、清国から交易船が毎年長崎に出向いています。清国に産するもろもろの物品をのせて長崎に運び、日本の産物を持ち帰ることを繰返しております。その船に乗れれば帰国できます」

乙吉が、答えた。

「どこへ行けば乗れるのでしょうか」

「この地から南の方に乍浦《チーフー》という港があり、そこから清国の船が出帆しています。乍浦の役所に掛け合って乗船の許しを得る必要がありますが、そのためには、あなたたちが、まずサスケハナ号からはなれなければなりません。船将（艦長）に許可してくれるようお頼みなさい」

乙吉は、結論を下すように言った。

水主たちは、互いに顔を見合わせ、うなずいた。

「それでは、ただちに船へもどり、船将にお願いしてみます」

清太郎がはずんだ声をあげ、腰をあげた。

水主たちは、乙吉に丁寧に頭をさげ、あわただしく外に出た。

かれらは、歩きながら話し合った。「サスケハナ号」に坐乗《ざじよう》していた東洋艦隊司令長官オーリックは、病いを得てアメリカに帰っていったので、艦長ブキャナン中佐に頼みこまねばならない。水主たちは、オーリックとは何度も接したが、ブキャナンは遠くから見る存在にすぎなかった。

「清太郎、お前が頼み込んでくれ」

長助が、清太郎に声をかけた。水主たちの中では、清太郎が片ことながら英会話に通じていた。

波止場に行き、艦にもどるボートに乗った。

甲板にあがった清太郎は、士官に艦長との面会を申出て、長助とともに艦長室に行った。

「私達ハ、コノ軍船カラハナレタイ」

清太郎は、椅子に坐《すわ》っているブキャナンに言った。

「ナゼカ」

ブキャナンが、いぶかしそうな眼をした。

「私達ハ、コノ地ニトドマッテ働キタイノデス」

清太郎は、とっさに嘘《うそ》の言葉を口にした。

ブキャナンは、険しい眼をして早口でしゃべりはじめた。清太郎にはその英語をほとんど理解できなかったが、日本人漂流民を艦に乗せて日本へ連れて行く予定なので、艦からはなれさせることは断じて許せぬ、と言っているのを感じ取ることができた。

ブキャナンの言葉はつづき、清太郎は、これ以上頼んでも無駄であるのを知り、頭をさげると長助とともに艦長室を出た。

水主たちのもとにもどって艦長から拒否されたことを伝えると、水主たちは落胆し、打開方法について話し合った。アメリカ船に救出されてアメリカの軍艦で清国に送られてきたかれらは、十分にアメリカに恩義を感じていて、艦長に無断で脱出する気はなかった。

「乙吉さんに相談しよう」

一人が言い、他の者も同調した。

清太郎が乙吉のもとに行くことになり、波止場にむかうボートに乗った。水主たちは甲板に寄り集って、清太郎が波止場にあがり、家並の中に消えてゆくのを見守っていた。

しばらくすると、波止場に清太郎と乙吉の姿が見え、清国の小舟に乗って漕《こ》ぎ寄せてきた。

甲板にあがった乙吉は、士官に近づくと流暢《りゅうちょう》な英語で艦長に面会したい旨《むね》を伝え、士官がうなずくと清太郎とともに艦長室へ通じる通路に入っていった。水主たちは、身を寄せ合って乙吉と清太郎がもどるのを待った。

かなりの時間がたち、乙吉と清太郎が通路から姿を現わした。

「艦長は、四人だけは艦からはなれるのを許した。私は、今日はこれで引きさがるが、後の九人についてはあらためて談判する」

乙吉は、四人を連れてすぐに上陸する、と言った。

人選がおこなわれて、四人が選ばれた。かれらは船室に入ると、手荷物をまとめて甲板にもどり、乙吉とともに小舟に乗って波止場にむかった。

清太郎は、残った水主たちに乙吉の交渉ぶりを話した。乙吉は、少しも臆《おく》することなく、淀《よど》みない英語で日本人漂流民を解放するよう強く求めた。艦長は、やがてアメリカ使節ペリーが来て漂流民を軍艦に乗せて日本へおもむく予定であるので、断じて許可できないと答えた。しかし、乙吉は屈することなく、漂流民に慈悲を垂れて艦から解放させるべきだ、と執拗《しつよう》に説き、ようやく艦長も承知したのだという。

「乙吉さんは大した男だ」

清太郎は、感嘆して言った。

「サスケハナ号」に残った九人の水主たちは、今後のことについて言葉を交した。乙吉は、再び艦に来て九人を艦から解放させるよう艦長のブキャナン中佐に交渉してくれると言ったが、成果を危ぶむ者が多かった。やがてやってくるペリーは、日本人漂流民を日本との交渉に利用しようとしている。もしも、九人を解放したとしたらブキャナンは命令違反のかどで処罰されるにちがいなく、たとえ乙吉が執拗に要求しても、ブキャナンがそれに応ずるはずがない。

水主《かこ》たちは、自分たちが大きな岐路に立っているのを感じた。艦からはなれることができれば、清国船で帰国できる望みがあるが、艦にとどまった場合は日本の土をふむことはおぼつかない。

話し合っているうちに、かれらは艦長に無断で脱出する以外にないという意見にかたむいた。

「時間がたてばたつだけ、おれたちに対する警戒がきびしくなる。今夜、この軍船からこっそり脱け出そう」

清太郎が結論を下し、その方法を口にした。

乗組員が寝静まった深夜、ひそかに船室から甲板に出てボートをおろし、陸岸にむかう。脱出したことを知ったブキャナンは、乗組員を上陸させて探させるだろうが、上海の町は家屋が密集していて発見される恐れはない。

「持ってゆくのは手廻りの物だけだ。用意しろ」

清太郎は、眼を光らせて言った。

水主たちは、船室に入っていった。

清太郎は、ボートで脱出した後のことについて長助と相談した。頼りになるのは乙吉で、乙吉のもとに行って指示を得る必要がある。乙吉は、解放された水主の四人を、自分の家に連れていっているにちがいなかった。

ブキャナンは、九人の水主の脱出が乙吉の指示によるものと考え、捜索する乗組員をまず乙吉の家にさしむけるはずであった。そうしたことから考えて乙吉のもとに直接おもむくのは危険で、上陸したら小人数ずつにわかれて町の中に身をひそませ、三日後の深夜、乙吉の家に行って合流しよう、と話し合った。

日が没し、かれらは夕食をとった。幸いにも空は厚い雲におおわれ、濃い闇《やみ》がひろがっていた。かれらは、手廻りの物をまとめ船室の寝台に身を横たえた。

不意に物音がし、水主たちは顔を見合わせた。あきらかに機関の始動する音であった。艦では時折り蒸気機関の試運転をするので、それかと思ったが、両舷《げんそく》側にとりつけられた外輪がゆるやかにまわりはじめる音がしている。

「出船だ」

水主の一人が叫んだ。

顔色を変えた清太郎がはね起きると、無言であわただしく船室を出ていった。外輪の回転する音が大きくなり、バシャバシャという海水のはねる音もしてきた。船が動いている。

やがてもどってきた清太郎が、

「南京に戦さ見物に行くのだそうだ」

と、青ざめた顔で口早やに言った。

戦さとは、太平天国の乱と称する戦乱で、上海でも反乱軍が攻め込んでくるのではないかという噂《うわさ》が流れ、騒然とした空気がひろがっていた。

水主たちは、その戦乱が十三年前に二年にわたってつづけられた阿片戦争がきっかけで起ったことを知っていた。インドを植民地としたイギリスは、インドで産するケシの未熟果から採取した麻薬の阿片を清国に密輸入し、そのため清国から大量の銀が流出した。これは政治、経済、社会上の重大問題で、清国は密輸禁止の強い処置をとった。これに対してイギリスは、自由貿易に反するものとして海軍を派遣し、広東省沿岸をはじめ天津《テンシン》、上海、南京を攻撃、清国は屈服して南京条約をむすんだ。条約の内容は、上海など五つの港の開港、香港の割譲、賠償金の支払いで、これによって清国はイギリスの半植民地となった。

この条約締結によって権威を失った清朝に対し、客家《ハッカ》（漢民族）の洪秀全《こうしゅうぜん》が、満州族の清朝から政権を漢民族の手に奪い返そうとして兵をあげた。初めは三千の農民軍であったが、洪軍は人心を掌握して百万の兵力にふくれあがり、三月二十九日には南京を攻略、その地を太平天国の都と定めた。

南京陥落の報が数日前に上海にもつたえられ、「サスケハナ号」は、東洋艦隊旗艦としてその実情調査のため南京にむかおうとしたのである。

水主たちは、失望した。深夜ひそかに艦から脱出しようとしたが、艦が動きはじめてはどうにもならない。かれらは、口をつぐみ、床に腰を落し、寝台に身を横たえる者もいた。機関の音と外輪の廻転音が、規則正しくしている。

やがて艦は港外に出たらしく、揺れが大きくなった。

「サスケハナ号」は、揚子江をゆるい速度で遡航《そこう》したが、濃霧にさまたげられてしばしば停止し、一昼夜動かぬこともあった。水主たちの眼には、幅の広い揚子江が海のように見えた。

南京に近づくにつれて、岸の近くにあきらかに軍船と思える無数の船を眼にするようになった。華やかな色の幟《のぼり》や旗が建てられ、剣をふり上げたり拳《こぶし》をこちらにむけて突き出したりして威嚇《いかく》する兵たちの姿も見えた。艦は停止し、ブキャナン艦長をはじめ士官たちは望遠鏡をそれらの軍船にむけていた。

ブキャナンがどのような判断をしたのか、艦は南京の手前で反転し、揚子江を下りはじめた。清太郎が、乗組員に艦の行先をたずねると、上海にもどるのだという。それをきいた水主たちは喜んだ。

艦は、濃霧でとまることを繰返しながら揚子江をくだって上海に帰港し、錨《いかり》を投げた。上海を出てから七日目の夕刻であった。

それを陸岸から見ていたらしく、翌朝、乙吉が小舟でやってきて、甲板にあがってきた。かれは、ブキャナン艦長に再び談判すると言って、清太郎を伴って艦長室に行った。

乙吉は、ブキャナンに贈り物を渡し、流暢な英語で交渉した。水主たちは、「永力丸」で漂流中、アメリカ船に救出されて死をまぬがれ、さらに軍艦で清国に送られた。そのアメリカ側の温情に、かれらは心から感謝している。上陸も自由なかれらが、そのまま脱出しようと思えばできるが、それをしないのはアメリカ側の好意をふみにじることになると考えているからだ。

「カレラニ対シテ少シデモ同情ノ気持ガアルナラ、希望通リカレラヲ解放シテヤッテ欲シイ」

乙吉は、切々と訴えた。

ブキャナンは、ペリーが漂流民を連れて日本へむかう予定だということを繰返し、要請を拒否した。乙吉は、人道的にもかれらを艦に拘束するのは好ましくなく、仁慈の心をもってかれらの望みをかなえてやるべきだ、と執拗に懇願した。

そのうちにブキャナンは口をつぐみ、しばらくの間思案するように舷窓の方に眼をむけていた。乙吉の熱情をこめた訴えに心を動かされたようであった。

やがて乙吉に顔をむけたブキャナンは、

「ヨロシイ、解放スル。タダシ仙太郎ノミハ艦ニ残ス。ソレヲ条件ニ他ノ八人ノ下艦ヲ許可スル」

と、言った。

乙吉は、仙太郎一人だけを艦に残すのが哀れで、全員を解放してやって欲しい、とかさねて要請した。

「私ハ最大限ノ譲歩ヲシタ。ソレヲ受ケ入レヌト言ウナラ、コノ話ハナシニスル」

ブキャナンは、声を荒らげた。

憤《いきどお》りに顔を朱に染めたブキャナンにこれ以上要請するのは無理と判断した乙吉は、ブキャナンの言葉を諒承《りようしよう》した。ブキャナンが仙太郎を残留させようとしたのは、水主の中で最も若く、それに料理づくりが巧みであるからにちがいなかった。

乙吉は、清太郎とともに艦長室を出ると、水主たちの寄り集っている後甲板に行った。水主たちは、乙吉が表情をこわばらせて口にするブキャナンとの話の結果に耳をかたむけた。

「仙太郎にはまことに気の毒だが、これがぎりぎりの線だ。仙太郎一人この軍船にとどまることになるが、いつかは帰国の手だてが必ず見つかるだろう。軍船は、やがて日本にむかい、その折に日本側に引渡されるかも知れない。幸運にめぐまれるよう神仏に祈願している」

乙吉は、仙太郎に言いにくそうな口調で言った。

かれは、他の水主たちを見まわすと、

「船将の気持が変らぬうちに、八人はすぐに私とともに上陸する。手廻りの物を持ってくるように……」

と、あわただしく言った。

仙太郎は、顔に血の気を失わせて立ちすくんでいる。水主たちは視線を落し、口をつぐんでいた。

「早くするのだ」

乙吉が、声を荒らげた。

その声に、水主たちは重い足どりで船室に通じる通路の方に歩いていった。

一人残った仙太郎は、身じろぎもせず立っている。乙吉は、視線をそらせていた。

やがて、水主たちが手荷物を持って甲板に戻ってきた。だれの顔もひきつれている。

一人が乙吉に近づき、

「仙太郎を連れて行けぬのですか」

と、哀願するようにとぎれがちの声で言った。

「船将との約束だ。堪《こら》えて欲しい」

乙吉は、強い口調で答えた。

かれらは、たたずむ仙太郎に顔をむけた。

仙太郎の顔はゆがみ、眼に涙が光っている。不意にかれは背をむけると、半ば走るように船室に通じる通路の方に入っていった。水主たちの間から、嗚咽《おえつ》の声が起った。

「さ、行くぞ」

乙吉が声をかけ、舷側の縄梯子《なわばしご》の方に歩いていった。

九

イギリスの支配下にある上海の町は、騒然としていた。南京を占領した太平天国の反乱軍が、上海に攻め寄せてくるという説がしきりで、イギリス人の城将マンレインは周囲三里（一二キロ）、城壁の高さ一丈八尺（五・四メートル）の城に四千の兵とともに立てこもり、石火矢《いしびや》二百五十挺《ちょう》をそなえていた。

八人の水主たちは、乙吉の家に行って十二人となり、反乱軍にそなえて乙吉から斧《おの》や槍《やり》を渡され、家の警戒にあたった。乙吉は、反乱軍が攻め込んできた折には、用意の小舟で海上にのがれるように、とも指示していた。

そのうちに反乱軍が上海に攻め込んでくるという話は、反乱軍が故意に流した噂で、軍は北京《ペキン》方向にむかったという情報が入り、ようやく動揺もしずまった。

五月四日（日本暦三月二十七日）、上海の港にアメリカ国旗をかかげた蒸気艦が入港してきた。多くの砲を装備した「ミシシッピー号」であった。上海の町には、その艦に日本へ遠征する使節ペリーが乗っていて、ペリーがすぐに東洋艦隊旗艦「サスケハナ号」に移乗したという話がつたえられた。「ミシシッピー号」には、岸から石炭や食料品、飲用水を入れた樽《たる》を積んだ多くの小舟が、その舷側につくのが見えた。

翌日、乙吉のもとに「サスケハナ号」の士官が、従兵を連れて訪れてきた。

乙吉は、かれらを部屋に通し長い間話し合い、やがて士官は従兵を連れて去った。

乙吉は水主たちを集め、士官が来宅した目的を話した。

「サスケハナ号」に乗ったペリーは、日本側との談判に利用しようとした漂流民が仙太郎一人を残して上陸したことを知り、甚だ不機嫌になった。当惑したブキャナン艦長は、士官を乙吉宅におもむかせ、十二人の水主全員を艦にもどして欲しいと要求したのだという。

「いったん解放した者たちを軍船に帰させることはできない、とはねつけた。ところが、アメリカ士官は、ペリー使節の随行者にウイリアムズという者がいて、少し日本語を話せるので二、三人をしばらくの間軍船に寄越してくれ、と申出た」

そこまで言うと乙吉は口もとをゆがめ、

「しばらくの間などとは、偽りだ。軍船におもむいたりすれば、そのまま拘禁される。それで私は、水主たちは二度と軍船へは行きたくないと申している、と言って拒絶した」

と、言った。

水主たちは、眼もとをゆるめた。

翌日、「サスケハナ号」の士官が、再び従兵を連れて乙吉の家を訪れてきた。水主たちは、家の奥に身をひそませていた。

やがて士官と従兵が家から出て行き、水主たちは乙吉のいる大きな部屋に入った。

椅子《いす》に坐《すわ》っていた乙吉は、

「今度は私に日本へ同行してくれぬか、と言いに来た。私が英語を操れるので、日本側との談判の通弁をして欲しいと言うのだ。そして、もしも帰国したいという望みがあるなら日本側に引渡すよう努力する……と」

と言い、少し口をゆがめて笑うと、

「私には仕事があり、到底そのような余裕はない、と突っぱねた。なにをたくらんでいるか、油断はならない。もうこれでやってくることはあるまい」

と、言った。

水主《かこ》たちの顔には、ようやく安堵《あんど》の色がうかんだ。

かれらは、乙吉の家での生活に満足していた。天竺《てんじく》の女であるという乙吉の妻は親切で、心のこもった料理を出してくれる。米飯をたいてすすめてくれることもあり、かれらは彼女に感謝していた。

水主たちは、あらためて乙吉に帰国したいという強い希望をつたえ、力を貸して欲しいと訴えた。

乙吉は承諾し、親しくしている上海城の城将マンレインのもとにかれらを連れて行った。

マンレインの大きな部屋に入った乙吉は、贈り物を渡して淀《よど》みない英語で水主たちの身の上を話し、日本へ帰れるよう力を貸して欲しい、と言った。同情したマンレインは、上海に入港してくるイギリス船で日本へ送り帰してやる、と言ったが、乙吉は、日本側が受け取りをこばむ恐れが十分にあると考え、それを拒絶し、長崎へ行く清国の交易船に乗せてやりたいのだ、と言った。マンレインは素直に諒承し、役人を付添わせて水主たちを乍浦に送りとどけることを約束してくれた。

その言葉を乙吉が水主たちに通訳すると、水主たちは、マンレインに手を合わせて何度も深く頭をさげた。かれらは、足をはずませるように上海城を出た。

水主たちは、いつでも出発できるように準備をととのえて、マンレインからの連絡を待った。乍浦には役所があって、交易船に乗る許可を得なければならないが、水主たちにそれができるはずはなく、乙吉が妻を連れて同行することになった。

やがてマンレインから使いの者が来て、河舟二艘《そう》を用意したので明日の夕刻に乗るように伝えた。乙吉は、港に行って自分と妻の乗る舟の手配をした。

翌日の夕刻、笠《かさ》をかぶった水主たちは乙吉に連れられて港に行き、付添いの役人とともに二艘の舟に乗った。舟が南下し、乙吉夫婦の乗る舟がつづいた。靄《もや》が濃く、船燈《せんとう》の灯はにじんでいた。かれらは、寄りかたまって眠った。

翌日も靄が立ちこめていて船脚はおそく、夕方、平湖《ピンフー》に舟を寄せ、舟の中で夜をすごした。

次の日は靄がはれ、岸ぞいに進み、正午頃乍浦についた。

乙吉は、役人とともに上陸して役所にむかった。漂流民を連れて来た理由を説明するためであった。乍浦の港は杭州《こうしゅう》湾に面し、海水は泥の色で濁っていた。

やがて乙吉がもどってくると、それを追うように清国の役人がやってきた。役人は、

「程なく迎えにくるから、しばらくの間待っているように……」

と、言った。

驚いたことにそれは長崎なまりの日本語で、交易船でしばしば長崎へ行っている交易事務にたずさわっている役人のようであった。水主たちは、あらためて乍浦が長崎とむすびついている港町であるのを感じ、眼を輝やかせた。

再び役人が来て、水主たちは、乙吉夫婦とともに上陸した。町は商港らしく活気があり、多くの商店が並び、問屋らしい大きな蔵をもつ家もある。水主たちが案内されたのは会所（商人の集会所）で、大きな部屋に入れられた。

役人は、日本語で、

「この部屋から出ることは厳禁する。規則をおかす者は処罰する」

と、きびしい口調で言った。

乙吉は、

「あなたたちの身柄は、長崎へ行く唐船の船主に託された。六月か七月頃に船が出帆する手筈《てはず》だという。それに乗って日本へ帰りなさい」

と、言った。

水主たちは、乙吉夫婦に深々と頭をさげた。

町に宿をとった乙吉夫婦は、毎日会所にやってきたが、四日後に上海へ付添いの役人たちと帰ることになった。

「お達者で……」

乙吉の眼に涙が光り、水主たちも泣いた。

乙吉夫婦は、部屋を出て行った。

水主たちは、乍浦の会所から一歩も外へ出ることもなくすごしていた。部屋の外には番人がいて、あたかも牢屋《ろうや》にとじこめられたようであった。

食事が粗末であるのに、一同辟易《へきえき》した。朝夕二食で、米飯を出してはくれるが、質がきわめて悪い。それに、副食物も油を入れて煮たものばかりで悪臭がし、大いに困惑した。

そうした生活の中で、かれらは、唐船が六月か七月頃に長崎へ出帆するということを期待し、日をすごしていた。

水主たちは、日本語に通じている役人が姿をみせる度に、いつ船が出るかをたずねた。役人は、

「程なく……」

という言葉を繰返していたが、六月に入ると、

「当年は船を出さぬことになった」

と、言った。

水主たちは、口もきけぬほど落胆した。船が出ないならば乍浦などに来ることはせず、食事をはじめ待遇のよい乙吉方に世話になって、来年になってから乍浦に来た方がよか

った、と後悔した。

夏がすぎて秋風が立ち、十月に入った或る日、役人が、十七人の日本人漂流民が乍浦に送られてきたということを口にし、その日の夕方、日本の衣服を着、丁髷《ちょんまげ》を結っている男たちが部屋に入ってきた。当然、船乗りたちと思っていたが、意外にも船乗り以外に大小刀を腰におびた武家もいた。武家たちは薩摩藩士であった。

藩士たちは、藩命をうけて平左衛門を船頭とした船に乗って鹿児島を発して琉球（沖縄）におもむいた。その地で用事もすませて六月十日琉球を出て鹿児島にむかったが、途中、暴風雨に見舞われて帆柱が折れ、激しい東風に吹き流されて揚子江河口附近に漂着した。保護されたかれらは役人に付添われて蘇州《そしゅう》へ送られ、その地に六十日ほど滞留した。その間に瘧《おこり》（マラリア性の熱病）にかかって二人が死亡し、十七人になった。かれらは帰国を強く希望したので、乍浦に送られてきたのだ、という。

長助たちは新しい仲間がふえたことを喜び、二十九人が部屋で同居するようになった。

その年の暮れに、薩摩船の水主が風邪がもとで死亡した。それを役人に伝えると、役人が属吏十人と医師をともなって銅鑼《どら》を鳴らして部屋に入ってきて、医師が入念に検視した。なにか仲間うちで争いが生じ殺害されたのではないかと思ったようだが、疑わしき点はみられず、かれらは去った。

日本語を話せる役人が来て、長持ちのような箱を渡してくれた。薩摩船の水主たちは、遺体をそれにおさめ、涙を流しながら会所の外に運び出した。柩《ひつぎ》に縄がかけられ、太い棒が通されて二人の清国人がかつぎ上げた。「永力丸」の漂流民たちは、薩摩船の水主たちとその後からしたがった。乍浦に来てから初めての外出であった。

葬列は町の中を過ぎ、丘を三町（三二七メートル）ほど登ると、頂きに多くの小さな墓石が並んでいる墓地があった。清国人が穴を掘り、柩をおろして土をかぶせ、石をのせた。

近くに天尊寺という標札の出ている寺があり、一同、そこへ行って百文のお布施を差出した。奥から僧が出てきて墓所へ行き、木魚を鳴らして読経《どきよう》してくれた。僧は鼠色《ねずみいろ》の衣服をつけていて、日本の僧と少しも変りはなかった。かれらは、会所へもどった。

嘉永六年（一八五三）が暮れ、元旦《がんたん》に、思いがけず乙吉夫婦が会所に姿を見せた。「永力丸」の漂流民が清国の交易船で長崎へむかったという話がないので、心配して来てくれたのである。

二度と会えぬと思っていただけに、「永力丸」の水主たちは涙を流して喜び、あらためて乙吉夫婦の心優しさに感謝した。

かれらにとって気がかりであったのは、「サスケハナ号」にただ一人残してきた炊《かしき》の仙太郎であった。それについてたずねると、乙吉は、使節のペリーが蒸気艦の「サスケハナ号」「ミシシッピー号」と帆走艦をしたがえて上海を出港し、昨年の六月に日本の浦賀についた。四隻《せき》の軍艦を迎えた日本側は打払うどころか、平穏に応接したという。仙太郎が「サスケハナ号」に乗っていったことはまちがいないが、日本側に引渡されたかどうかは知らない、と乙吉は言った。さらに、上海城が昨年八月五日に太平天国軍の攻撃を受けて落城したが、市民に危害を加えることはなかった、とも言った。

乙吉は、持参してきた食物を水主たちにあたえ、

「今年はまちがいなく唐船が長崎へ行く。帰国できることを心から祈っている」

と言い、翌日もやってきて水主たちをはげまし、上海にもどっていった。

薩摩藩の武士たちは、帯刀はあずけてあったが、常に会所の者を威圧するような態度をとっていて、拘禁状態にあることに不満をいだき、二月に入ると、

「一同、ついてこい。町に行く」

と言って、会所を出た。

番人たちは恐れをなして制止もせず、「永力丸」の水主たちも武士について町を歩きまわり、夕方に会所にもどった。それがきっかけとなってかれらは毎日外出し、芝居見物をしたりしてすごした。

乍浦の中心街の道は石畳で、家々は瓦《かわら》ぶきであった。江戸でつくられた錦絵《にしきえ》、団扇《うちわ》などを売っている商店もあり、乍浦が長崎に通じる港であるのを実感として感じた。

清国では女性の足が小さく細いのをよしとする纏足《てんそく》の風習があって、上流階級の女性

は自分で歩くこともできず、両側から召使いに支えられて歩いているのをしばしば眼にした。きくところによると、そのような女性は二、三歳頃から絹布で足をかたく縛りつけ、成人に達するまではずさず足の成長をとめるのだという。

水主たちは、足のむくままに町の中を歩きまわっていたが、二月二十二日の夕方、いつの間にか岩吉の姿が見えなくなっているのに気づいた。会所に一人もどっているのだろうと思ったが、会所にはいず、書置きが残されていて失踪《しつそう》したことを知った。書置きには、いつまでたっても帰国のあてはなく、食物も粗末で病死する恐れがあり、イギリス人にでも雇われて帰国の道を探る、と記されていた。

清太郎は長助と相談し、世話をしてくれている唐船の船主の番頭二人にそれを告げた。番頭は、船主に伝えたものの乍浦の役所にはとどけなかった。

時折り役人が来て点検していたが、岩吉の姿がみえないことに気づいた。

役人から報告を受けた役所は厳しい取調べをし、届け出を怠った二人の番頭を捕えて投獄し、さらに船主に対して岩吉を探し出すよう命じた。船主は、八方に人を派して探らせ、ようやく岩吉が上海のイギリス人経営の商会に雇われているのを知った。しかし、大きな権限をもつイギリス人の保護下にある岩吉を連れもどすことはできず、困惑した船主は、すでに岩吉が病死していたと偽って役所に届け出た。

役所では二人の番頭に百敲《たた》きの刑を科し、その件は落着した。会所に残る「永力丸」

の水主は、十一人になった。

五月に入ると、今年の夏に二艘の交易船が長崎へ行くという話が伝えられ、一同大いに喜んだ。その話は事実で、六月二十三日に役人が来て、薩摩の漂流民と「永力丸」の水主たちをそれぞれ別の船に乗せて長崎へむかうと告げた。かれらは出発の準備をととのえ、出帆の日を待った。

やがて役所から、長官が役人たちを連れて会所に来て、一人一人に菓子二個と団扇一本ずつを餞別《せんべつ》として渡してくれた。

七月八日朝、武士をふくむ薩摩の漂流民は、役人の指示で「豊利号」という交易船に乗るため会所を出て行った。「永力丸」の水主たちは、自分たちが乗る交易船が「源宝号」という船であるのを知った。

「永力丸」の水主たちは、役所に行って長官に帰国の挨拶《あいさつ》をし、長官から白砂糖、菓子一包みずつをあたえられ、連れ立って港にむかった。

気がかりなのは、安太郎であった。三日の夜から瘧（マラリア）の症状があらわれ、悪寒《おかん》とともに高熱を発し、強い発汗によって解熱することを繰返していた。かれは歩行も容易ではなく、仲間に体を支えられていた。長崎言葉を話す通事が同行していて、薩摩の漂流民を乗せた「豊利号」はその日の早朝に出帆したと言った。

港についたかれらは、小舟で「源宝号」に行った。華やかに彩《いろど》られた船で、色鮮やかな幟《のぼり》や旗がひるがえっている。長さ二十間（三六メートル）、幅五間（九メートル）ほどの大船で、海賊の襲撃にそなえるためか大砲一挺《ちょう》、中筒六挺が装備されていた。船内にはいくつもの部屋があって、水主たちはその一つに導かれた。荷の積み込みがさかんにおこなわれていて、役人や長崎で交易をする商人たちも手荷物をかかえて乗り込んできた。

翌々日、順風を得て「源宝号」は乍浦を出帆した。漂流民を除く清国人の乗組人数は、百八人であった。

船は、東にむかって進んでゆく。水主たちは、船の舳先《へさき》の近くに寄り集って前方の海に視線をむけていた。海の彼方《かなた》には故国があり、かれらの眼は輝やいていた。

夜になって、満ちた月が昇った。かれらは、その光に陶然とし、長い間月を見上げていた。

出帆してから四日目の夜、かれらの集っている部屋に思いがけず豪華な酒肴《しゅこう》が運び込まれてきた。呆気《あっけ》にとられた水主たちが理由をたずねると、船に乗っている船主が惜別のためにもてなすのだという。

水主たちは喜び、久しぶりに酒を飲み肴《さかな》を口にして歓《よろこ》びの声をあげ、手をたたいてはしゃいだ。

星の配置からみて、かれらは船が正しく東にむかって進んでいるのを知っていたが、乍浦を出帆して八日目の夕方から天候が悪化した。翌日は、風雨がさらに激しく、船は激浪にもまれるようになった。潮流の動きもいちじるしく、船は早い速度で流されてゆく。

商人たちの大半は船酔いで突っ伏していたが、唐船の乗組員たちは、時化《しけ》になれているらしく平気な様子であった。

夜も海は荒れに荒れ、翌朝、東の方向に陸影が見えた。水主《かこ》たちは、それを見つめた。船の進行方向からみて、故国にちがいなかった。

乗組員の動きがにわかにあわただしくなり、船は、波にもまれながら陸影に舳先をむけた。

「源宝号」が辛うじてすべり込んだのは、薩摩藩領の羽島の港であった。七月二十二日朝であった。

突然の唐船の入津《にゆうしん》に、羽島は騒然となり、浦役人が早馬を鹿児島の藩庁に走らせた。ただちに薩摩藩から外事掛の役人その他が出張してきて、小舟で唐船に乗りつけてきた。役人は、「源宝号」が荒天で羽島に避難したいきさつをただし、また、「永力丸」漂流民十一名が乗っていることも確認した。

「永力丸」の水主たちは、薩摩藩の役人に瘧にかかった安太郎を治療して欲しい、と懇願した。役人は諒承《りようしよう》し、早速手配して医師一人が「源宝号」にやってきた。

安太郎を診察した医師は、病気が甚だ重く自分の手には到底負いかねると言って、秀《すぐ》れた医者が多くいる長崎で十分な治療を受けるようにとすすめ、薬をあたえてくれることもせず下船していった。

翌日になるとようやく天候が恢復《かいふく》し、次の日の朝には順風になったので、浦役人の指示によって小舟四十艘に曳《ひ》かれて「源宝号」は港の外に出た。

「源宝号」は、帆に風をはらんで北上し、二十五日に肥後《ひご》国天草諸島の大江に入った。

翌日出船して五島列島の椛《かば》島沖に潮がかりをしたが、投錨《とうびょう》して間もなく安太郎が息を引き取った。明日は長崎入港が予定され、それを目前に死亡した安太郎が哀れであった。

「源宝号」では柩を用意してくれて、水主たちは泣きながら遺体をおさめ、その夜は通夜を営み、清国人たちも焼香した。

翌朝、船は椛島沖をはなれて東へ進み、長崎湾口の野母崎《のもざき》の遠見番所の者がその船影をとらえ、狼火《のろし》をあげて長崎湾内の小瀬戸番所に通報し、番所から奉行所につたえられた。

「源宝号」は長崎湾内にゆるい速度で入り、港口で停止した。奉行所から役人、唐通事《つうじ》の乗った舟が「源宝号」に来て、型通りの臨検をおこなった。漂流民十人の名、生国、年齢が記録され、安太郎の遺骸《いがい》も検視された。

臨検が終り、役人の合図で多くの小舟が集ってきて、太い二本の曳き綱が「源宝号」にとりつけられた。小舟の群が二列に並び、合図とともに各舟の者たちが櫓《ろ》をいっせいに漕《こ》ぎはじめた。「源宝号」はゆるやかに動きはじめ、港の奥に進んでゆく。「永力丸」の水主たちは、濃い緑の色におおわれた丘陵と近づく家並に眼をむけていた。

やがて船が停止し、錨《いかり》を投げると、安着を祝って船上で銅鑼、太鼓が打ち鳴らされた。

翌二十八日四ツ半（午前十一時）頃、「永力丸」の水主十人は、奉行所の役人にともなわれて「源宝号」に乗ってきていた乍浦の清国人船主ら三名とともに上陸し、奉行所に出頭した。

役所では水主たちに昼食をあたえ、久しぶりに口にした味噌汁《みそしる》はきわめて美味で、かれらを喜ばせた。

まず、船主の汪仰泉《おうこうせん》と世話人二人が白洲《しらす》に引き据えられ、目付、与力らの取調べをうけた。通事は唐大通事の頴川《えがわ》豊十郎らで、「永力丸」水主らが清国に滞在していた事情、長崎へ連れてきた理由、薩摩藩領羽島に寄港したいきさつ等を訊問《じんもん》した。

また、「永力丸」の水主たちについては、キリスト教の信者になっていないことを確認するため白洲で踏絵をさせた上で、一人一人出身地、年齢等をたずね、漂流して清国に在住していたことについての吟味がおこなわれた。病死した安太郎の遺骸は、「源宝号」からおろされ、その日のうちに大音寺の墓所に運ばれて仮埋葬された。

役所つきの医師によって健康診断がおこなわれたが、十人中、浅右衛門、甚八以外はすべて病いにおかされている、と診断された。ことに京助はかなり重症の脚気《かっけ》で、医師が入念な治療をおこなった。

かれらは、牢屋敷《ろうやしき》の揚り屋に収容されたが、そこには乍浦を二日前に「豊利号」で出帆した薩摩の漂流者たちが、収容されていた。

訊問を受けた「永力丸」の水主たちは、初めは口裏を合わせて偽りの陳述をしていた。かれらは、清国人から日本は切支丹《キリシタン》禁制の国でアメリカへ行っていたことが知れれば極刑に処せられるので、そのことは決して口にしてはならぬ、と忠告されていた。そのため水主たちは、破船して漂流し、清国に漂着したと述べていた。

しかし、役所では、「源宝号」船主らから水主たちがアメリカ船に救出されてサンフランシスコに滞在したこともきき出していて、水主たちをしばしば白洲に呼び出して吟味を繰返した。そのきびしい追及に水主たちは偽りを口にできなくなり、一転して真実を陳述した。

揚り屋で病臥《びょうが》していた京助の病状が悪化し、医師吉田良僊《よしだりようせん》、郡《こおり》兼蔵が治療にあたっていたが、九月五日夜八ツ半（午前三時）に息を引取った。三十六歳であった。

九人の水主たちは、京助の遺体を埋葬地まで送りたいと申出て許され、かれらは柩をかついで禅林寺に運び、僧の読経のもとに埋葬した。

役所では、大坂町奉行所を通して「永力丸」の船主松屋八三郎と連絡をとり、また荷主である江戸霊岸島の回船問屋中西新八郎から積荷の明細書を送らせ、水主たちのこれまでの陳述が相違ないことを確認した。これによって吟味はすべて終了した。九月下旬であった。

奉行所の水主たちに対する扱いは、きわめて穏便であった。煙草《たばこ》をすうのは自由で、月に三回の行水も許された。食事も良質のものがあたえられ、水主たちは感謝していた。

水主たちは、長崎の町に海の神である金比羅大権現《こんぴらだいごんげん》をまつる神社があるのを知り、帰国できた御礼をするため参詣《さんけい》させて欲しい、と申出た。役所では許可し、十月十三日、九人の水主は役人に付添われて金比羅神社に参拝し、役所からあたえられた銭五十文を賽銭《さいせん》として供えた。さらにかれらは、本蓮寺《ほんれんじ》、聖福寺、福済寺にも参詣した。ついで十一月十五日には、安太郎と京助をそれぞれ埋葬した大音寺と禅林寺に参詣して、一同冥福《めいふく》を祈った。

役所では、水主たちを一日も早く故郷に帰してやりたいと考え、それぞれの生地を支配下におく各藩に連絡をとり、引取りにくるよううながした。

初めに長崎へ水主引取りにやってきたのは、鳥取藩士の村瀬弥兵衛であった。長崎に宿をとった村瀬は、役所に行って水主の与太郎三十一歳に引合わされた。与太郎は、鳥取藩領の伯耆国《ほうきのくに》（鳥取県）河村郡長瀬村の出身で、村瀬は引取りのすべての手続きをすませ、十一月十四日、与太郎をともなって長崎を去った。

五日後、姫路藩の奉行下役赤石熊八が、小役人や村庄屋ら九名を連れて長崎についた。

彦蔵と同郷の浅右衛門三十八歳、清太郎三十二歳、甚八四十三歳、喜代蔵三十七歳は、いずれも姫路藩領内の出身で、それぞれの村の庄屋たちが同行してきたのである。

長崎に唐船が入津前日病死した安太郎は、清太郎らと同郷であったので、一同そろって埋葬されている大音寺の墓前に行き、香華《こうげ》を手向けた。かれらは、赤石にともなわれて十一月二十三日に姫路へむかった。

徳兵衛三十四歳、民蔵二十九歳もそれぞれの生地の藩士とともに故郷に去り、長助五十二歳と幾松四十一歳のみが残った。二人は同じ摂津《せっつ》の国（兵庫県）の生れであった。十一月二十七日に元号が安政に改められ、安政二年の正月を迎えたが、二人を引取りにくる者はいなかった。

かれらは、一月十五日に京助を埋葬した禅林寺の墓地におもむき、墓前で合掌した。その日は長崎の町の祝日で、太鼓や鉦《かね》の音がきこえていた。一月二十三日に長助の故郷神戸村の庄屋与兵衛と幾松の生地二ツ茶屋村の年寄弥三兵衛が連れ立って長崎に来て、ようやく二十七日に二人は長崎をはなれていった。

故郷に帰った水主たちは、奇異な体験をした者として珍しがられ、しばしば各方面の人に招かれて漂流した折の話をし、謝礼の物品を受けたりした。その体験談を記録させる藩もあった。ことにかれらが輸入される洋書でしか知ることのできないアメリカの地をふんだことに、出身地の藩は大きな関心を寄せた。

伯州（鳥取県）河村郡長瀬村出身の水主与太郎（利七）の場合もその例にもれず、鳥取藩に招かれて詳細に難破のいきさつ、サンフランシスコから清国へ送られ長崎に帰るまでの事情を述べた。それは藩士奥多昌忠によって「長瀬村人漂流談」として記録された。与太郎は、日本人が乗ったことのない蒸気船に乗り、さらに水主としてその船をこまかく観察していたので、安政二年三月、藩はかれを藩校尚徳館の小吏に任じ、苗字《みようじ》帯刀を許して佐伯文太と改名させた。藩主池田慶徳《よしのり》は、水戸藩主徳川斉昭《なりあき》の子で海外事情に強い関心をいだいていたので、吉岡温泉に湯治の折、与太郎を招いて漂流談とともにアメリカ、清国の事情を聴取した。それは藩士である儒者堀庄次郎によって「漂流記談」としてまとめられた。

彦蔵と同郷の水主浅右衛門、清太郎、甚八、喜代蔵は、姫路藩の奉行下役赤石熊八らに付添われて、安政元年十二月十八日に姫路につき、城下の宿屋に入った。郷里の肉親、親族らが駈《か》けつけ、涙を流して喜んだ。その間、藩では事情聴取を繰返し、それも一段落して、翌二年二月中旬にかれらは帰村した。

生還した「永力丸」の水主九名は、それぞれ故郷にもどったが、かれらには、きびしい制約が課せられていた。鎖国政策にもとづいて、かれらは漂流の体験は口にしてもよいが、異国の地についての話を一般人にすることは一切禁じられた。また、再び異国の地におもむくことのないよう船に乗って海に出ることも厳禁された。これは、船乗りの仕事しか知らぬかれらには生活上の重大問題で、かれらは生計を確保するため仕事探しに歩きまわらねばならなかった。

清太郎も途方にくれていたが、その年の四月下旬、かれのもとに、姫路藩士として国学寮教授の任にあった秋元安民から一通の書状がとどけられた。内容は、学友の一色見龍その他が清太郎たち漂流民から異国事情をききたいと言っているので姫路にくるようにというもので、路銀として二朱銀が添えられていた。秋元は国学者であったが、江戸に出役中洋書に親しみ、西洋の文物に強い興味をいだいていた。

清太郎は、浅右衛門、甚八、喜代蔵とともに姫路へおもむき、秋元に会った。かれらは、秋元に連れられて藩校に行き、待っていた一色見龍にアメリカの事情、乗った帆船、蒸気艦の構造などについて話し、菅生信胤が筆記した。五カ月を要して聴き書きが成り、「東西異聞」と題された。

清太郎たちは謝礼を下賜《かし》されて帰村したが、二カ月後の十一月六日、再び秋元から清太郎のもとに書状がとどけられた。

幕府は、欧米の艦船が日本近海に出没することに危機感をいだいて、洋式軍艦の必要性を痛感、二年前の嘉永六年五月に薩摩藩の要請をいれて大型洋式軍艦「昇平丸」を起工させた。

その一カ月後、ペリーにひきいられた四隻《せき》のアメリカ艦隊が浦賀に来航して開国をせまり、幕府は近代海軍の創設を緊急課題として、それまで諸藩に課していた大船建造禁止令を解いた。それによって、まず幕府は大型洋式軍艦「鳳凰丸《ほうおう》」を翌嘉永七年五月に竣工《しゅんこう》させた。また、日露外交折衝のため来日したプチャーチン坐乗《ざじょう》のロシア艦「ディアナ号」の坐礁《ざしょう》沈没によって、伊豆国戸田《へだ》村で、洋式帆船が君沢型として建造され、その年の安政二年三月完成していた。

このような気運の中で、秋元は、西洋式帆船の建造の必要性を感じ、藩主酒井忠顕《ただてる》に建造を建言した。忠顕は、洋式軍備の編成に熱意をもっていたので、秋元の建言を即座にいれた。

秋元は、西洋式帆船の知識を洋書によって得ていたが、船乗りとしてアメリカの帆船に乗っていた清太郎たちの経験を活用したいと考え、手紙の筆をとったのである。内容は、藩主が西洋式帆船を造るよう命じたが、建造費がどれほどかかるか言上するように言われているので、それについて相談したく、姫路に来て欲しいというものであった。

清太郎たち四人は、ただちに姫路におもむき、秋元の指揮のもとに帆船建造に従事することに決定した。同時にかれらは苗字帯刀を許され、二人扶持《ぶち》をそれぞれ受ける身となった。清太郎は本庄善次郎、喜代蔵は濱本帰平、浅右衛門は山口洋右衛門、甚八は木村甚八と改名した。船の構造に最も詳しい清太郎が大工指図役、喜代蔵、浅右衛門が材料買入役、甚八と喜代蔵が人足指図役に任ぜられた。

秋元の所持する帆船建造の洋書にもとづいて、清太郎ら四人は室津《むろつ》で建造に取り組んだ。秀れた船大工、鍛冶《かじ》職人が多数集められ、鋭意工事が進められた。

洋式帆船は、和船と構造上大きな差異があるので船大工たちは戸惑うことが多く、大工指図役の清太郎はかれらが納得するまで入念に説明することにつとめた。そうしたことから工事はしばしば停滞したが、翌年末には基本工事を終え、安政五年を迎えて最後の仕上げにかかった。その間、四月二十三日に人足指図役であった甚八が病死し、遺体が菩提寺《ぼだいじ》の蓮花寺《れんげじ》に葬《ほうむ》られた。

工事は急速に進み、六月二十五日に竣工進水して、「速鳥丸」と命名された。

藩船となった「速鳥丸」は、試し乗りを繰返し、清太郎が船頭役、喜代蔵が表仕役、浅右衛門が舵取《かじとり》役として九月十六日、御廻《かいまい》米千俵、国産木綿三十個と江戸詰藩士への荷物を積み込み、江戸に初航海に出た。「速鳥丸」は清太郎らの指揮で船員たちは定め通りの操船をし、無事江戸品川沖につき、姫路に引返した。その後、同船は明治四年までもっぱら江戸間を往復した。

秋元は、藩主の許しを得て「速鳥丸」より大型の洋式帆船の建造を企て、文久二年に清太郎らの協力のもとに起工、竣工させて「神護丸」と命名した。同船は文久四年一月八日、御廻米二千五百俵を積んで江戸にむけて初航海を試みた。船頭役は喜代蔵であった。

「神護丸」も性能が良く、明治時代に入っても航行をつづけていた。「速鳥丸」「神護丸」の船頭役は清太郎、浅右衛門、喜代蔵が交替でつとめ、かれらは洋式帆船の操船術に熟達した。「永力丸」の生還水主《かこ》が海に出ることを禁じられていた中で、清太郎たちが藩に抱えられて洋式帆船で航海をつづけていたのは異例のことであった。

幕末の激動期に姫路藩は大揺れに揺れたが、その中で清太郎たちは帆船の操船をつづけ、明治維新を迎えた。清太郎は明治八年十二月五日、浅右衛門は十一年二月十一日、喜代蔵は十七年一月二十九日に歿《ぼっ》した。

かれらが清国船で乍浦から長崎に上陸後、奉行所では彦蔵、治作、亀蔵、仙太郎、岩吉について水主たちに訊問している。その結果、トマスとアメリカに引返した彦蔵、治作、亀蔵は「アメリカ商船ニテ出帆、行衛不レ知《ユクエシレズ》」、炊《かしき》の仙太郎は「アメリカ船ニ居残(リ)行衛不知」、失踪《しっそう》した岩吉は「欠落《カケオチ》(失踪)後病死仕　候由《ツカマツリソウロウヨシ》」と、記録された。

十

「サスケハナ号」にただ一人残された仙太郎は、どうなったのか。

仲間の水主たち全員が乙吉に連れられて上海に上陸したのに、かれ一人だけが艦に残されたのは、水主の中で最も若い二十二歳であるからであった。仙太郎は、自分の若さを恨み、嘆き悲しんだ。かれは船室にとじこもり、床に膝《ひざ》をかかえて坐《すわ》り頭《こうべ》を垂れていた。気づかった水兵が食物を持ってきても、ほとんど口にしなかった。

水兵たちは、仙太郎に同情してしきりに慰め、食事をとるようにすすめた。そのような水兵たちの熱心な態度に、かれもようやくかれらの好意を受けいれるようになった。漂流してアメリカ船に救出され清《しん》国に送られたのは自分の運命であり、一人艦に残されたのも宿命だ、と諦《あきら》めた。これからは一人で自分の道を切り開いてゆかねばならぬ、と自らに言いきかせ、名を仙八と改めた。水兵たちは、親愛の情をこめてサム・パッチと呼んだ。

日本遠征の使節ペリーが、五月四日（嘉永六年三月二十七日）本国から蒸気艦「ミシシッピー号」に乗って上海につき、ペリーは「サスケハナ号」に移乗した。「永力丸」の漂流民を日本側との交渉に利用しようとしていたペリーは、漂流民のほとんどが上陸したことを憤《いきどお》り、艦にもどすよう艦長ブキャナンに命じた。ブキャナンは、士官を乙吉のもとに派遣して交渉させたが効果はなく、ペリーも仙八一人を連れてゆくことを渋々諒承《りようしよう》した。

「サスケハナ号」は、「ミシシッピー号」、帆船「サプライ号」とともに五月十六日に上海を出港、琉球の那覇におもむき、帆走船「サラトガ号」と合流した。艦隊は、小笠原諸島を測量視察後、那覇へもどり、七月に出港して日本へむかった。「サスケハナ号」は帆船の「サラトガ号」を、「ミシシッピー号」は帆船の「プリマス号」を曳航《えいこう》していた。

上海を出港後、仙八に積極的に接近してきた海兵隊員がいた。ジョナサン・ゴーブルで、かれは信仰心が篤《あつ》く、バプテスト教会の宣教師になることを夢みていて、将来、日本で布教に従事する希望をいだいていた。かれは従順で賢い仙八に親愛感をいだき、日本布教に協力してもらおうと考えていたのである。

四隻から成る艦隊は、太平洋上を江戸湾にむかって航進した。それは「永力丸」が何度も往復した航路で、見なれた陸岸の情景に仙八は涙ぐんだ。

七月八日(嘉永六年六月三日)、蒸気艦「サスケハナ号」と「ミシシッピー号」は、それぞれ帆走船を曳《ひ》いて江戸湾に入り、浦賀東北方の海上で停止し、錨《いかり》を投げた。浦賀は「永力丸」が最後に出帆した港で、仙八は、眼に涙をうかべて浦賀の家並を見つめた。

仙八を恐れさせたのは、力松や乙吉たちが乗った「モリソン号」が追い払われたように、砲火を浴びせられることであった。そのような気配はなかったが、鉄砲、槍《やり》を手にした藩兵の乗る無数の小舟が各艦を取り巻いたことに、身のふるえるような恐怖をいだいた。

力松や乙吉が、自分たちは日本にとって罪人で帰国できる身ではないと繰返していた言葉がよみがえり、甲板から日本の軍船を見るのが恐しく、艦内に身をひそませていた。やがて艦隊側と日本側との交渉が開始され、「サスケハナ号」に日本の役人が何度もやってきたようだったが、仙八にはどのようなことが話し合われているのかわからなかった。

六日後には、ペリーがボートに分乗して水兵、海兵隊、軍楽隊ら三百人とともに上陸し、久里浜という地で談判をおこなったことも知った。海岸には長々と陣幕が張られ、旗、幟《のぼり》も立てられていて、武装した多くの兵の姿が見えた。海上にもおびただしい軍船が浮んでいて、仙八は今にも戦さがはじまるのではないか、と身をふるわせていた。

上陸したペリーたちが久里浜から艦にもどり、翌日に艦隊は湾の奥へ進んだ。

仙八は、士官に呼ばれ、甲板に出た。望遠鏡を手にした多くの士官たちが集っていて、

「サム・パッチ、アレハ何ダ」

と、広い川の河口を指さした。

それは澪標《みおつくし》で、仙八は答えに窮し、川の流れ出る水路をしめす杭《くい》だと、片言の英語と手ぶりで説明した。士官たちは、なんとなく諒解したようだった。

かれは、落着かず、昼間は艦内にこもり、夜になると甲板に出た。海岸一帯に陣がしかれているらしく、篝火《かがりび》が赤々と帯状につらなっている。夜気はまちがいなく故国の匂《にお》

いで、彼は深く吸い込んだ。星の光も異国で見るものとはちがって、清らかに冴《さ》えていた。

江戸湾に入ってから十日目に、艦隊はつらなって湾外に出ると、外洋を西にむかって進んだ。

仙八は、これで故国の見おさめかと思ったが、親しくなった海兵隊員のゴーブルは、

「艦隊ハ、来年マタ江戸湾ニクル」

と、慰めるように言った。

ペリー艦隊は、琉球の那覇港に引返し、香港、広東をへてマカオに行って碇泊《ていはく》した。ゴーブルの言ったように艦隊は、蒸気艦「ポーハタン号」、帆走艦「マセドニアン号」、「バンダリア号」の三隻を加えて再び日本へおもむく予定になっていて、年が明けるとマカオを出港し、那覇をへて二月十三日（嘉永七年一月十六日）からぞくぞくと江戸湾に入った。

艦隊は、湾内奥深く入って羽田沖に達した。それは日本側を威嚇《いかく》する動きで、艦隊の威圧的な態度に恐れをいだいた幕府は、横浜村で会談に応じた。

その会談にともなう折衝で浦賀奉行所与力香山栄左衛門らの役人が、通詞をともなってしばしば「サスケハナ号」に訪れたが、艦長のアダムスが香山に、サム・パッチ(Sam Patch) という名で呼ばれている日本人が艦隊に所属していることを告げた。

思いがけぬ話に、香山は大いに驚き、会ってみたいと言い、アダムスは、「二三日中に要求に添ふやうにする（土屋喬雄、玉城肇訳・ペルリ提督日本遠征記）」と、約束した。

香山の日記によると、仙八（サム・パッチ）に会ったのは二月七日（日本暦）で、与力の中嶋三郎助も同道して「サスケハナ号」におもむいている。

香山は、姿を現わした仙八について、

「アメリカ風之《の》衣服相用《あいもちい》、頭は五分月代《さかやき》（断髪）にて、同国之風躰《ふうてい》（アメリカ人の身なり）」

と、記している。

仙八が、香山と中嶋と会った折のことについて「ペルリ提督日本遠征記」には、「約束によつて、サム・パッチが連れだされて、日本役人の面前に出された。彼はこの高官達を見るか見ないうちに、明かに全く恐懼《きょうく》して直ちに平伏した。サムは祖国に到着すると生命が危険に曝《さら》されるだらうと述べるので航海中仲間の水夫達から屢々《しばしば》笑はれ、からかはれてゐた。そしてこの哀れな奴《やつ》は、多分最後の時が来たのだと思つたに違ひない。アダムス艦長は、極めて憐《あわ》れ千万な恐怖を抱きつゝ、四肢を震はせながら跪《ひざまず》いてゐる彼サムに膝を上げるやうにと命じた。サムに対し自分がアメリカの軍艦にゐるのであり、乗組員の一人として全く安全であつて、恐怖すべきものは何もないことを思ひ出させたのだつたが、祖国の人の面前にゐる間は気を取直させることができないと判《わか》つたので、間もなく立ち去らせた」

と、記されている。

ペリーに随行していた主席通訳官のウイリアムズの「ペリー日本遠征随行記」(洞富雄訳)にも、この折のことについて、

「サム・パッチが彼(香山栄左衛門)に引き合わされて、身元について二、三の質問が行なわれた。哀れなこの男は、恐怖に震えおののいて、何をしたらよいのか、またどう振舞ったらよいのか、ほとんど見当もつかない有様だった。

甲板で平伏した彼は、支離滅裂な言葉をもぐもぐさせるばかりで、立ち上がることができず、平生にはお目通りかなわぬ高い身分の栄左衛門の、きびしい眼光に射すくめられて脅《おび》えていた」

と、記されている。

「支離滅裂な言葉をもぐもぐさせるばかり」とあるが、仙八は、香山の質問に答えていて、日本側の記録に、

「生国安芸国《あき》(広島県)広島にて、生年二十三歳、倉蔵と申(す)者」

と記され、「永力丸」乗組みの炊として難破漂流中にアメリカ船に救《たす》けられてサンフランシスコに上陸、清国に送られて水主の中でただ一人この軍艦に残されたいきさつが

書きとめられている。

仙八には、十六年前の天保八年に「モリソン号」に乗って日本に来ながら砲撃を受けて追いはらわれた力松、乙吉らのことが、頭にこびりついていたにちがいない。日本にとって力松らは、国法をおかした重罪人で、そのため火力によって追いはらわれた。武装もしていない商船「モリソン号」に乗っていた力松たちがそのような扱いをうけたことから考え、大規模な武装をした軍艦に乗ってきた自分は、断じて許しがたい罪人とみなされていると考えたのだろう。そのため、かれは、恐怖のため香山と中嶋の前でただひれ伏して体をふるわせていた。倉蔵という偽名を口にしたのも、累《るい》が故郷広島の肉親、縁者に及ぶことを恐れたからであった。

むろん、仙八は、故国日本に帰りたく、故郷にもどるのを夢見、それが唯一《ゆいいつ》の悲願であった。しかし、かれは、日本側に引渡されれば極刑に処せられることは確実と考え、それを恐れて香山たちの前で平伏し、体をふるわせていたのである。

アダムス艦長をはじめ士官たちは、役人の前でしめした仙八の態度に驚いた。仙八は水兵の一人として月に九ドルの俸給をあたえられている身で、その恐れおののく姿は、艦隊の威厳をいちじるしくそこなうものと考え、そうそうにその場を去らせたのである。

アメリカ艦隊は江戸湾を出て下田に入港し、一部は箱館へむかった。

六月二十一日(日本暦五月二十六日)、下田に出張してきていた主席通詞の森山栄之助は、艦隊の通訳官ポートマンに仙八を引渡して欲しい、と申し入れた。森山はオランダ通詞であったが、アメリカの捕鯨船からボートで蝦夷《えぞ》（北海道）の利尻島《りしりとう》に上陸して長崎に護送されたアメリカ人ラナルド・マクドナルドから、本格的な英会話を学んだ人物であった。

仙八に対する艦隊側の態度は一貫していて、サム・パッチ（仙八）が望むなら日本側に引渡すが、それには幕府が決して処刑しないという誓約書を提出することを条件としていた。森山は、処刑などするはずはなく、気の毒な身の上なので故郷に帰してやりたいだけなのだ、と力説した。

「ソレデハ、明日、艦ニ来テ、サム・パッチト話シ合ッテ下サイ」

ポートマンが、答えた。

翌日、森山は、下田奉行所の役人とともに艦に行った。

ポートマンは、

「サム・パッチノ考エ次第」

と、かさねて念を押し、仙八を甲板に連れて来た。仙八は、またもひれ伏し、体をふるわせた。

森山は、仙八のかたわらにしゃがみ、

「時勢は変ったのだ。罰せられることなど決してない。親兄弟が待つふる里へ帰りなさい」

と、じゅんじゅんと説いた。

仙八は、額を甲板にすりつけ、顔もあげない。

「アメリカ艦隊は、日本側にあなたをすぐにでも引渡すと言っている。これから私たちと奉行所の舟に乗って上陸しよう」

森山は、おだやかな口調で言った。

仙八は、ひれ伏したまま急に後ずさりして首を激しくふった。

「どうしたのだ。恐れることはない」

森山がさとしたが、仙八は体をふるわせ首をふりつづけている。

傍らに立って仙八を見下していたポートマンが、

「上陸シタクナイト拒ンデイル。無理強イヲシテハイケマセン」

と、言った。

森山は仕方なく立ち上り、哀れみをこめた眼で仙八を見つめた。

「ヤムヲ得マセン」

森山は英語で言うと、奉行所の役人とともに舷側《げんそく》の方へ歩いていった。

アメリカ艦隊は、三日後に下田をはなれ、那覇をへて広東に帰着した。

任務を終えた各艦は、それぞれ清国をはなれてアメリカ本国にもどった。ニューヨークに上陸して除隊した海兵隊員ゴーブルは、仙八をともなって故郷のウェインに行った。

ゴーブルは、ウェインからニューヨーク州ハミルトンに移り、宣教師になるためバプテスト系のマジソン大学に入り、仙八も入学させた。しかし、英語の未熟な仙八は授業についてゆくことができず退学し、結婚したゴーブルの雇人としてすごした。その間に、かれはゴーブルのすすめでハミルトン・ファースト・バプテスト教会でH・ハーヴェ牧師により日本人として最初の洗礼をうけた。

一八五九年（安政六年）、ゴーブルは宣教師として日本伝道を命じられ、仙八をともなってニューヨークに行き、「バルチック号」でニューヨークをはなれた。サンフランシスコ、ハワイをへて「ゾウイ号」に乗って日本にむかい、一八六〇年四月一日（安政七年三月十一日）、横浜についた。八日前に大老井伊直弼《いいなおすけ》が暗殺された桜田門外の変が起っていて、国内は騒然としていた。

仙八の上陸に際してその国籍が問題となり、アメリカ領事館と神奈川奉行所の間で折衝がおこなわれ、アメリカ側の人間とされることで結着をみた。処刑されることを極度に恐れていた仙八は、アメリカ人であれば問題はなく、ようやく落着きをとりもどした。

断髪し洋服を着ていたかれは、アメリカ人を装《よそお》って決して日本語を口にせず、サム・パッチという名で終始した。かれは、ゴーブル一家とともに成仏寺を宿所とした。

その寺に、来日した改革派教会のバラ夫妻が住み、仙八はゴーブルからはなれてバラの雇人となり、調理を受け持った。その後、バラとともに横浜村居留地に移り、さらにバラ夫人に従って一八六六年（慶応二年）三月、アメリカにもどった。

バラ夫人は、静岡学問所の教授として日本に招かれているウォーレン・クラークに仙八を引合わせ、仙八はクラークに従って明治三年に日本へ引返した。学問所は、青年組と幼年組にわかれ、幼年組の中には徳川宗家をついだ徳川家達《いえさと》も加わっていた。教授には中村敬太郎（敬宇）らがいて、クラークは月俸三百ドルで物理、化学、語学、幾何等を教授した。

クラークは仙八と蓮永寺に住んでいたが、駿府《すんぷ》城の敷地内に二階建の洋館を建てて移り、仙八は隣接した平家を住居とした。かれがクラーク夫妻と別の家屋に住んだのは、妻帯したからであった。

クラークと仙八は、主人と雇人というよりは友人に近いものであった。仙八はクラークの身の廻りの世話をして快適な食事をととのえ、クラークは妻とともに仙八に親愛感をいだいていた。仙八のために一戸建の家を建てたのもそのあらわれであった。

明治六年十二月、クラークは仙八夫婦を伴って東京に移り、開成学校の理化学教授に就任した。

その頃から仙八は、罹病率《りびょう》の高かった脚気《かっけ》におかされ、翌年にはクラークのすすめで外国人医師の多く勤務している東京府病院に入院した。

クラークは、夫人とともに七月二十三日に京都旅行に出発したが、仙八はその旅行中に病院から脱け出してクラークの留守宅にもどった。生真面目《きまじめ》なかれは、クラーク夫妻が旅からもどる前に家の内部を整頓《せいとん》しておこうとしたのである。

旅からもどったクラークは驚き、すぐに仙八を再入院させたが、病状は悪化していて、心臓に重大な障害の起る脚気衝心の重症患者になっていた。クラークは、しばしば仙八を見舞ったが、十月七日、危篤《きとく》におちいり、翌日息を引取った。四十三歳であった。

翌日、葬儀がキリスト教式で営まれ、司会のタムソン宣教師が日本語で仙八が漂流民であったことを述べ、柩《ひつぎ》は馬で曳《ひ》く霊柩車《れいきゅうしゃ》に入れられた。クラークとともに静岡学問所の教授であった中村敬太郎は、仙八の境遇に深く同情していたので、埋葬地に自分の先祖の墓がある大塚の本伝寺の墓所を提供した。

葬儀を終えて霊柩車は進み、その後から中村、クラーク、仙八の妻等が乗った人力車がつづいた。霊柩車と外国人との取り合わせに、沿道の人たちは好奇の眼をむけていた。

霊柩車と人力車の列は東京の町の中を進み、本伝寺の境内に入った。

すでにキリスト教による葬儀がすんでいたが、寺では墓地に埋葬する手順として仏式の葬儀をおこなった。柩が本堂に運び込まれ、僧が読経《どきよう》し、一同焼香した。キリスト教の信者であるクラークはそのような葬儀を好まなかったが、自著「日本滞在記」（飯田宏訳、講談社刊）に「この時だけは仏式の儀式が荘厳なものに思われた」と、記している。

それを終えて、柩は墓所に埋葬された。

その後、中村らの手で墓石が建てられ、碑面には中村の筆になる三八君墓という文字が刻まれた。仙八は終始サム・パッチと称していたが、中村たちは三八という文字を当てていた。その下に君をつけたのは、苦労の多かった仙八への敬意を表したものであった。

クラークは、開成学校の教授の任を辞し、翌年三月にアメリカにもどった。その後、フロリダで農園を経営したが、その農園を「シズオカ」と命名した。

十一

一八五二年（嘉永五年）十月、彦蔵は、亀蔵、治作とともにトマスに連れられてイギリス船「サラー・フーパー号」に乗って香港をはなれた。彦蔵十五歳、亀蔵二十四歳、治作二十九歳であった。

彦蔵は、仲間の水主《かこ》たちを清国に残してアメリカに引返すことに、後めたさを感じていた。仲間たちも全員がアメリカへ行くことを望んでいたが、トマスにはかれらの船賃を負担する金はなく、彦蔵ら三人のみが船に乗った。

仲間を裏切ったような気持は、亀蔵、治作も同様にちがいなかったが、彦蔵は、アメリカに行ったとしても帰国できるかどうかは不明で、清国に残った者たちの方が日本へ帰る手がかりをつかめるかも知れぬ、と思った。かれは、自分たちが異国をあてもなく放浪する浮草のような存在であるのを感じ、運命のままに漂い流れる以外にないのだ、と胸の中でつぶやいた。

老朽船の「サラー・フーパー号」の船脚はおそく、海が荒れると悲鳴をあげるように船はきしみ音をあげた。べた凪《な》ぎになると、船はとまり、潮流に乗って流された。

彦蔵たちは、せまい船室で口数も少くすごしたが、トマスだけは陽気で、サンフランシスコに行ったら金儲《かねもう》けをするのだと言い、彦蔵たちにも良い働き口を見つけてやる、と繰返していた。

船は、五十日間の航海の後にサンフランシスコに入港した。

港内に碇泊《ていはく》すると、トマスは、彦蔵に手荷物の番をするようにと言って亀蔵と治作を連れて上陸した。彦蔵は、そのまま船に残されるのではないかと気がかりであったが、三時間ほどしてトマスたちがもどってきた。

トマスの話によると、波止場につながれている税関の監視船「フロリック号」に、顔見知りのカーソン大尉《たいい》とウィルキンソン大尉がいるのを知り、会って話し合った。両大尉は、彦蔵たちが漂流中救出された「オークランド号」からサンフランシスコで乗り移った税関監視船「ポーク号」の士官たちで、亀蔵、治作との再会をひどく喜んでくれたという。

両大尉は、トマスからサンフランシスコに引返してきたいきさつをきくと、

「私タチハ、最大限ノ助力ヲスル」

と、約束してくれた。

「サア下船シテ、カーソン大尉トウィルキンソン大尉ノモトニ行コウ」

トマスは大きな鞄《かばん》をさげ、彦蔵たちも手荷物を手にしてそれに従った。

彦蔵たちは、トマスに連れられて「フロリック号」に行った。

長身のカーソン大尉とウィルキンソン大尉が出て来て、オー、と言うと彦蔵を抱きしめた。彦蔵は、あらためて二人の大尉が乗っていた税関監視船「ポーク号」の乗組員たちが親切にしてくれたことを思い起した。旧知の二人に会えたことで、彦蔵は安らいだ気持になった。

トマスは両大尉に、亀蔵と治作の働き口を見つけるため町に行くので、彦蔵をあずかって欲しいと言った。その言葉に彦蔵は、トマスが十五歳の自分の働き口を見つけるのがむずかしく、まず亀蔵と治作の就職先をきめようとしているのを察した。

両大尉は、即座に承諾した。

トマスは、

「ナルベク早ク戻ル」

と彦蔵に声をかけ、亀蔵と治作を連れて下船し、町の中に入っていった。

大尉たちが船長に話をつけてくれて、彦蔵は「フロリック号」の雑用ボーイとして雇われた。ただし給料はほとんどあたえられず、それでも彦蔵は、調理場での下働きや船具の整理などに一心に働いた。

早く戻ると言ったトマスはいつまでたっても姿を現わさず、かれは不安になった。大尉たちは親切であったが、彦蔵は心細く、トマスが姿を見せないか、としばしば甲板から町の方に視線を向けていた。漂流以来、一人になったのははじめてで、異国に取り残された心もとなさをおぼえた。

十二月中旬の夜明けに、かれは、船が異様な揺れ方をし甲高い人声がしているのに気づいて、寝台からとび起きた。思いがけず、船は帆をひらいて港口にむかって進んでいる。

かれは狼狽《ろうばい》し、ウィルキンソン大尉のもとに行って、船はどこに行くのか、とたずねた。

大尉は、

「モンタレイ」

と答え、船長が、昨夜港の税関長から八〇マイルはなれたモンタレイに行くよう命じられたので出港したのだ、と説明した。

彦蔵は、不安になった。船はこのままサンフランシスコに帰港せず、トマス、亀蔵、治作にも会えなくなるのではないか、と思った。

船は進み、翌日モンタレイについて滞留した。二日間碇泊後、出港してキャスリーン島にむかった。かれの不安は一層つのった。

彦蔵は、堪えきれずウィルキンソン大尉に、

「コノ船ハ、サンフランシスコニ戻ルノデショウカ」

と、たずねた。

「モチロンダ」

大尉は、彦蔵がなぜそのようなことをきくのか、といぶかしそうに答えた。

彦蔵は、その言葉にようやく落着きをとりもどした。

キャスリーン島についた「フロリック号」は三日間碇泊し、さらにサンディエゴに行き、二日後にモンタレイにもどった。

翌日はクリスマスで、船員たちは酒を飲んで騒ぎ、喧嘩《けんか》も起って、殴り合って血を流す者もいた。泥酔《でいすい》した船員の一人が大声でわめき散らしながら暴れたので、船長は、船

がめていた。

員たちにかれを抑え込ませて鉄鎖をはめさせた。彦蔵は、その騒ぎを呆気《あっけ》にとられてな

船は次の日出港し、サンフランシスコにもどった。

波止場に着船すると、それを見ていたらしいトマスがすぐに船にやってきた。

「無事デ良カッタ」

トマスは、彦蔵の手を嬉《うれ》しそうににぎった。新聞に、「フロリック号」が嵐《あらし》に遭って行方知れずになったと報道されていたという。たしかにキャスリーン島からサンディエゴにむかう途中、大時化《しけ》になってさすがの彦蔵も船酔いにかかった。

トマスの顔を見つめた彦蔵は、「フロリック号」に乗っていればどこへ連れて行かれるか不安でならず、

「コノ船カラ下リタイ」

と、言った。

トマスは、表情を曇らせた。亀蔵は月給六十ドルで測量船「ユーイング号」に、治作は七十ドルで税関監視船「アーガス号」にそれぞれコックの職を得たが、彦蔵の働き口はまだ見つからないという。

「実ハ、清国カラサンフランシスコニ帰ッテクルマデノ船賃デ、持ッテイタ金ヲホトンド使イ果タシタ。ソレ故《ユエ》、ヒコ（彦蔵）ヲ上陸サセテモ食ベサセルコトガデキナイ」

トマスは悲しげな表情をすると、職を見つけるまでもう少し船にいてくれ、と懇願するような眼で言った。

「ヨクワカリマシタ」

彦蔵はうなずき、下船してゆくトマスを見送った。

強くならなければいけない、と彦蔵は思った。運命のままにアメリカへ来たが、ここには頼るべき親も親類もいない。仲間を遠い清国に残してきた自分は、その時から一人生きぬく定めにあったのだ。頼れるのは自分だけであり、他人の助力を期待してはならない。あたえられた環境を素直に受け入れ、悩むことなく逞《たくま》しく日々を過さねばならない、と自らに強く言いきかせた。

彦蔵は、雑用ボーイとして小まめに働いた。日本では口にしたこともない牛や豚の肉も食べ、臭《にお》いのきらいであったバターもパンに塗るようになった。

年があらたまり、寒い日がつづいた。「フロリック号」はサンフランシスコ港にとどまり、入港してくる外国船の税関監視をおこなっていた。

気温がゆるみ、陸岸に春の花がみられるようになった。

その頃、カーソン大尉、ウィルキンソン大尉をはじめ士官たちと船長の間で、彦蔵の給料のことで諍《いさか》いが起るようになっていた。士官たちは、アメリカ人よりもよく働く彦蔵がほとんど無給であるのは不当であり、働きに応じた報酬を払うべきだと主張した。

が、船長は、それに応じる風はなかった。

士官がさらに要求すると、船長は、彦蔵が仕事はするがかたことの英語しか話せず、食べさせてやるだけでもありがたいと思え、と言った。

これをきいた両大尉は激怒し、使いの者を出してトマスを「フロリック号」に呼び寄せた。大尉たちは、すぐに彦蔵を陸に連れて行けとすすめ、トマスが、働き口が見つからず自分には彦蔵を養う経済的な余裕がないと答えると、生活費は自分たちが責任を持つ、と言った。

その言葉に、トマスは納得し、彦蔵は船長や乗組員たちに挨拶《あいさつ》して下船した。

トマスは、治作の雇われている税関監視船「アーガス号」が近くに碇泊し、船長のピーズ大尉と顔見知りであるので行ってみよう、と言った。長い間はなれたままになっている同郷の治作に会えるのを喜んだ彦蔵は、トマスについて「アーガス号」に行った。

姿を現わした治作は、食事が良いらしく頬がふっくらとしていて、嬉しそうに近づいてくると、アメリカ人のように両手を大きくひろげ、彦蔵の手をかたくにぎった。ピーズ船長も出てきて、彦蔵に握手し、機嫌よくトマスと会話を交した。

トマスの話をうなずいてきいていたピーズは、

「ヒコノ職ハ、私ガ見ツケル。ソレマデ私ノ船ニイナサイ」

と、言った。

さらにトマスにむかって、さしあたり月給五十ドルで「アーガス号」の伍長《ごちょう》として働いてみないか、と言った。働き口を見つけられなかったトマスは、はからずも自分の職を得たことを喜び、ピーズに何度も感謝の言葉を述べた。

三日後、約束通りピーズ船長が、彦蔵に月給二十五ドルで大きい下宿屋での仕事を探してくれた。が、その下宿屋では中国人のコックが彦蔵に理由もなく意地悪くあたり、彦蔵は堪えていたが、それを知ったピーズは、母娘《おやこ》で経営している下宿屋での働き口を世話してくれた。

そこは小さい下宿屋であったが、数人の泊り客はいずれも上品な人たちであった。仕事も楽で、しかも月給は三十ドルであり、彦蔵は快適な気分で一心に働いた。

一カ月ほどして、トマスが来て「アーガス号」にいる治作に会いにこないか、と誘った。

彦蔵は、女主人から外出許可をもらい、トマスとともに「アーガス号」に行った。ピーズ船長は、サンフランシスコの税関長に呼ばれて出掛けていて、彦蔵は、トマス、治作とデッキに出て雑談をしながらピーズの帰りを待った。暑い日であったが、潮風は涼しかった。治作は新しい勤め口の様子をたずね、彦蔵は、すべてに満足している、と答えた。

しばらくすると、ピーズがもどってきた。一人の若い男を連れていた。

その男の姿を眼にした彦蔵は、愕然《がくぜん》とした。黒い髪を後ろに束ねているが、日本の着物を着ている。それに脇差《わきざし》を腰におび、大きな風呂敷《ふろしき》包みをさげていた。

治作も驚き、おびえた眼を彦蔵にむけると、

「清国で仲間を置き去りにして、自分たちだけがアメリカに来たのがいけなかったのだ。おそらく仲間たちは国に帰り、おれたちがアメリカへ行ったことをお役所に訴えたにちがいない。刀をおびているところをみると、あの男は役人で、処罰するためおれたちを連れもどしに来たのだ」

と、ふるえをおびた声で言った。

治作は思慮分別のある男で、恐らくその通りにちがいない、と思い、彦蔵は体をかたくした。

ピーズ船長が近寄ってくると、男をふり返り、

「モウ一人、日本ノ漂流民ヲ連レテ来タ。タヒチカラコノ港ニ果物ヲ運ンデ来タアメリカ船ガ、漂流船ノコノ男ヲ保護シタノダ」

と、言った。

男は、上陸して税関長のサンダースのもとに連れてゆかれたが、手まね身ぶりで漂流していた日本人であることがわかったが、それ以上の事情は不明であった。サンダース税関長は、「アーガス号」に日本人漂流民の治作がコックとして働いているのを知って

いて、ピーズ船長を呼び寄せた。そして、男を「アーガス号」に連れて行って治作に会わせ、英語を少し話せる治作を通訳にして遭難の模様をきき出すよう命じたのだという。男が日本の漂流民であるのを知った彦蔵は恐れの感情も消え、治作の顔にも安堵《あんど》の色がうかんでいた。

ピーズ船長は、

「トラ（治作）ダケデナク、ヒコ（彦蔵）モイルトハ好都合ダ。トマスモ日本語ガワカル。三人デコノ男カラ遭難ノ事情ヲ詳シクキイテクレ」

と、言った。

彦蔵は、思いがけず日本人に会えたことがなつかしく、治作とともに男に近づいた。男は、彦蔵たちをかたい表情で見つめると、腰を折って深く頭をさげた。彦蔵は、男が髪を短くし洋服、靴をつけている自分たちをアメリカ人だと思っているのを感じた。

治作が日本語で話しかけると、男は眼をみはり、治作の顔を見つめた。男の顔には、まだ治作が日本人ではなく、巧みに日本語を口にするアメリカ人だという表情がうかんでいた。

それを察した治作が、自分と彦蔵の名を告げ、破船してアメリカ船に救出され、清国からサンフランシスコにもどって働いていることを説明した。

男の顔に驚きの色がうかび、急に膝《ひざ》をつくと手を合わせ、額を甲板に押しつけると、

「お助け下さい、お助け下さい」

と、繰返した。

治作が男の傍らにしゃがみ、

「なにを恐れているのだ。こわがることはない。この船の船長が、あなたの遭難の事情を知りたがっていて、それで日本人のおれたちの所に連れてきただけなのだ」

と言い、彦蔵も、

「船長をはじめこの船の方たちは皆親切で、心優しい人ばかりです」

と、言葉を添えた。

男は、ようやく安心したらしく、体を起した。

トマスにうながされ、彦蔵と治作は男を連れてトマスの船室に行った。彦蔵たちは床に男と向い合って坐《すわ》り、トマスは椅子《いす》に腰をおろした。

治作の問いに、男は難破漂流するまでのいきさつを話しはじめた。

男は勇之助二十二歳で、越後《えちご》国岩船郡板貝村（新潟県岩船郡山北町板貝）に生れた。十九歳で、寝屋村（山北町寝屋）の善太郎の持船「八幡丸《やはた》」七百石積みの水主《かこ》となった。昨年の四月に「八幡丸」はエトロフ島に行って多量の塩鱒《しおます》を積み、松前に寄港して九月一日に出帆、新潟へむかった。十二名乗組みであった。

「八幡丸」の船頭熊次郎は、出羽《でわ》の国（山形県、秋田県）の港に船を寄港させる予定であった。米を少量しか積んでいなかったので、松前よりはるかに米の安い出羽で買い入れようとしたのである。

三日間は好天で、「八幡丸」は津軽海峡をはなれたが、全くのべた凪《な》ぎがつづき、強い潮に流されて津軽海峡を東にむかい、外洋に出てしまった。

四日目の午後になるとにわかに北西風が吹きつけ、それは激しさを増して大暴風雨となった。高々とした波が船に激突し、舵《かじ》は失われ、船尾が打ちくだかれた。風に押され潮流に乗った「八幡丸」は東にむかってはやい速度で流された。波浪が船に打ち込み、水主たちは必死になって排水につとめたが、熊次郎は覆没が確実と判断し、帆柱を切り倒した。

天候は恢復《かいふく》したが、舵も帆柱も失って坊主《ぼうず》船となった「八幡丸」は、潮の流れにしたがって漂流するままになった。九日目に少量の米が尽き、食料は塩鱒のみになった。水主たちは、雨水をためて少しずつ飲み、塩鱒を海水で洗って口に入れたが、塩分が残っていて激しい渇きにおそわれた。

漂流しはじめてから二カ月がすぎ、乗組みの者たちは悲惨な餓《う》えと渇きにさらされ、十一月二十八日に最初の死者が出た。舵取りの勝之助で、痩《や》せこけた遺体を水葬し、つづいて十二月五日に酉之助が息を引きとった。

新しい年を迎え、船に乗っていた船主の善太郎が朝冷たくなっていた。かれは、新潟、松前間を往き来する回船三艘を持っている男であった。二月二日に船頭熊次郎、十二日に辰之助、二十六日に次郎吉の死がつづいた。三月に入ると岩次郎、炊《かしき》の市兵衛が死亡、四月には勇次郎、惣吉、五月二日に岩吉が息絶え、遂《つい》に勇之助一人となった。

塩鱒のみを食べつづけていたかれの咽喉《のど》は脹《は》れあがり、唇もふくれていた。かれは雨水をため、ランビキで海水から真水をとっていたが、水も飲みこめぬほどになっていた。

五月十四日、かれは銛《もり》を作って近寄ってきたイルカを捕え、力をふりしぼって船に引き揚げた。かれは肉を口に入れたが、咽喉が脹れて呑《の》み込むことができなかった。

六月十七日、かれの意識は薄れ、突っ伏していた。かすかに小舟が船べりに接する音がし、次には自分の顔をのぞく異国の男たちの顔を眼にした。かれの体は抱きあげられてボートに移され、帆船に収容された。アメリカの貨物船「エマ・パッカー号」であった。

勇之助の言葉を彦蔵は、日本語まじりの英語で机の前の椅子に坐ったトマスに伝えた。トマスは、それを記録していた。

死者のつづく悲惨な話を勇之助がしている間、彦蔵は、しばしば涙をぬぐった。治作の頰にも涙が流れ、トマスは何度も洟《はな》をかんでいた。

勇之助が話し終え、彦蔵たちはしばらくの間黙っていた。勇之助はあきらかに死の寸前に奇蹟《きせき》的にも救出されたのだ。

ピーズ船長が入ってきて、顔をあげたトマスは、

「コンナ恐シイ話ヲ、キイタコトハアリマセン」

と、涙声で言い、書いたものをピーズに渡した。ピーズは、紙に記された文字をかたい表情で見つめ、読み終ると深く息をついた。

「本当ニ恐シイ話ダ。地獄ダ」

ピーズは眼に涙をうかべてつぶやくように言うと、坐っている勇之助に近づき、肩を優しくたたいた。

勇之助の漂流のいきさつをサンダース税関長に報告するよう命じられていたピーズは、英会話のできる彦蔵とトマスに一緒について来てくれ、と言った。彦蔵とトマスは承諾し、風呂敷包みをさげた勇之助とともにピーズについて下船した。

税関に行く途中、洋服屋を眼にした彦蔵は、ピーズの許しを得て店に入った。清国にいた時から着つづけてきた粗末な洋服は所々すり切れていて、税関長に会いに行くのにそのような身なりをしているのは恥しく、みじめな気もした。かれは、紺羅紗《らしゃ》のフロックコート、チョッキ、ズボンを選び、三十二ドルを払って買った。分に過ぎた買い物であったが、初めて働いた金で買ったことが嬉《うれ》しかった。早速、それらを身につけ、鏡にうつしてみた。そこには見ちがえるような自分の姿があった。

税関は、波止場の近くに立つ三階建の石づくりの建物で、そこに入ったピーズは階段

をあがり、分厚いドアを押した。大きな机の前に髭《ひげ》をはやした五十年輩の肩幅の広い男が坐っていて、立ってくると椅子に坐るよううながした。税関長のサンダースであった。サンダースは、ピーズの渡した記録に視線を落した。白いエプロンをした若い女が茶を運んできて、静かにドアの外に出ていった。

顔をあげたサンダースは、しばらくの間黙っていたが、勇之助に顔をむけると、

「現在、体ノ状態ハ？」

と、痛々しそうな眼をしてたずねた。

彦蔵が通訳すると、勇之助は頭を深くさげ、

「お蔭様《かげさま》で、達者になりました」

と、答えた。

サンダースは、ピーズの渡した記録に視線を走らせながら、さまざまな質問を勇之助にした。意味のつかめぬ英語が多く、彦蔵はトマスの助けをかりて、勇之助に質問の大意をつたえ、勇之助の答えをサンダースに通訳した。

サンダースが、勇之助の手にした風呂敷包みの中身を問い、テーブルの上に風呂敷包みがひろげられた。金、銀、銅の日本の硬貨三枚があって、サンダースとピーズは物珍しそうに手にとって裏返したりしていた。船名を記した標識板、ちりめんの掛け布などがあり、ことにサンダースとピーズが関心をしめしたのは箱におさめられた船磁石（羅

針盤）であった。

かれらの顔には興味深げな表情がうかび、低い言葉を交しながら時折り勇之助に眼をむけていた。

ピーズとサンダースが、事務的な話をはじめた。ピーズは、勇之助の衣服と生活費を公費で支給して欲しい、と要請し、サンダースは、

「漂流民ハ、手厚ク保護シナケレバナラヌ」

と言って、勇之助を「アーガス号」で保護するよう指示した。

一同辞去するため立ち上ると、サンダースが彦蔵を指さしてピーズになにか言った。

二人の話をきいていたトマスが、彦蔵にむかって、

「税関長は、ヒコを自分の家に住まわせたい、と言っている」

と、たどたどしい日本語で言い、つづいて、

「学校ニ入レテ教育ヲ受ケサセタイソウダ」

と、英語で言った。

「素晴シイ申出ダ」

ピーズが眼を輝やかせ、彦蔵にお受けするように熱心にすすめた。

思いがけぬ話に彦蔵は戸惑いながらも、勤めている下宿屋の女主人がひまをくれるなら喜んで、と答えた。女主人のことは私にまかせろ、とピーズは微笑しながら言った。

税関の外に出た彦蔵は、ピーズたちと別れて下宿屋にもどった。

かれは、女主人にサンダースからの申出を話し、職を辞したいと告げた。女主人は表情を曇らせ、仕事熱心な彦蔵を離したくないので、月給を四十五ドルにするから家にいて欲しい、と言った。

彦蔵は好意を謝しながらも、月給のことではなく、教育を受けたいからなのだ、と説明した。女主人は諒解《りようかい》し、あらためてこれまでの彦蔵の勤務状態をほめた。

下宿屋を辞職した彦蔵は、六月十五日から税関に勤務するようになった。その日は、ピーズ船長とトマスがやってきて、トマスが仕事の内容を教えてくれた。税関長サンダースの身のまわりの世話と、新聞、手紙の整理などで、トマスは勤務上の注意をし、ピーズとともに去っていった。

サンダースは、ブラナムという資本家と私営の銀行も経営していて、彦蔵にその銀行を見せた後、夕方、美しい花壇にかこまれた自分の家に連れて行った。彦蔵は、その家に住み込むことになった。

かれは、朝、サンダースと馬車に乗って税関に行き、一日の勤めを終えると家にもどり、食事をとり、快適な寝台で眠りについた。これまでとはかけはなれた生活で、彦蔵は自分が急に紳士になったような気がし、毎日が楽しく満足だった。

漂流民としてただ一人生き残った勇之助の話が人々の間に伝わったらしく、サンフランシスコ・タイムズに大きな記事になった。記者は、ピーズ船長から取材していて、その記事は、「エマ・パッカー号」が最近タヒチから当港へ向けて航行中、北緯二十八度五十分、西経百五十八度四十分の海上で外国の難破船と遭遇、一名が救助された、という文章ではじまっていた。

ピーズが船長をする「アーガス号」の「コック（治作）は以前に難破船から救助された日本人の一人だったので、かれの通訳によって疑問点はすぐに解かれた。監視船に乗り組んでいるトマスという名の水夫も日本語が少し分かったので、二人の協力によって次のような経緯が明らかになった」

として、難破漂流し、乗組みの十二人のうち勇之助だけが生き残った経過が詳細に説明されていた。死亡した船主の善太郎は Jin-tha-ro、船頭の熊次郎は Koo-ma-gi-ro と書かれていた。

救助された勇之助については「見るものすべてにとても驚嘆しているが、生まれつき知性は豊かであるらしい。長い間つらい目にあった痛手から完全に回復して、今はすっかり健康である」と、現在の状況も記されていた。

彦蔵については「上記のコック（治作）以外にも、三年ほど前に難破船から救助された遭難者の一人である十五歳位（正確には十六歳）の日本人のボーイ」がピーズの周辺にいる、と書かれていた。勇之助の所持品にもふれていて、羅針盤は「きわめて精巧な道具で、普通の羅針盤とちがって目盛りは二十四本しかない。そのうち十二本の目盛りに印が付けてある」と、むすばれていた。

彦蔵は、その新聞を税関の者に読んでもらい、自分のことも紹介されているのに面映《おもは》ゆさを感じた。

十二

七月中旬、主人のサンダースが、東部にある妻の住む本邸に連れてゆくと言い、彦蔵は商船に乗ってサンフランシスコをはなれ、ニューヨークに行った。港には無数の蒸気船、帆船が碇泊《ていはく》し、海ぎわに三階から五階建の建物がびっしりと並んでいた。

波止場の前に二頭立ての馬車が客待ちをしていて、彦蔵はサンダースとともにそれに乗って市街に入った。広い道はすべて石畳みで多くの男女が往き交い、両側には高い建物が隙間《すきま》なく城壁のように並んでいる。サンダースは、視線を走らす彦蔵にニューヨークがアメリカ随一の商業都市で、八十万人の人間が住んでいる、と説明した。

馬車が、五階建の石づくりの建物の前でとまった。メトロポリタンホテルであった。内部に入った彦蔵は、その美麗さに驚嘆した。床には柔かい絨緞《じゅうたん》が敷き詰められ、柱は大理石で、天井からは豪華なシャンデリアが吊《つ》りさげられている。

サンダースは、カウンターのある帳場に行って宿泊の手続きをし、旅行鞄《りょこうかばん》を持ってくれた黒人の案内で五階の部屋に入った。

部屋には寝室、浴室、厠《かわや》があって、壁には大きな鏡がかけられていた。ガラスのはめられた窓には、紗《しゃ》に似た花模様の薄い布（カーテン）が垂れ、霞《かすみ》をへだてて花見をしているような感じであった。

サンダースは、家族の住む邸《やしき》が南西二〇〇マイルのボルチモアにあり、明晩帰宅することをテレグラフ（電報）で報《しら》せると言い、彦蔵を連れて部屋を出ると階段をおり、地下の一室に入った。

サンダースは紙片になにかを書き、黒い服を着た男に渡した。うなずいた男は、部屋の壁ぎわに置かれた機械の前に坐り、紙片に視線を走らせながらなにかを打つように指を小刻みに動かしはじめた。カチャカチャという音が部屋の中にひびいていた。

その部屋を出たサンダースは、階段をあがりながら、二十分もすると電報の返事がくる、と言った。そんなに早く返事がくるはずはなく、サンダースが自分をからかっているのだと思い、黙って笑っていた。

二十分ほどして、帳場の人が来て紙片をサンダースに渡した。それを眼にしたサンダースは、声をあげて読んだ。

「ニューヨークニ安着ヲ喜ンデイマス。家族ハ全員無事デ、家ノ掃除モシ、明日ハボルチモア駅デ待ツ」

彦蔵は、呆気《あつけ》にとられた。電報の紙が鳥よりはるかに速く飛ぶはずがなく、半信半疑であった。

日が傾き、部屋が薄暗くなった。黒人のボーイが入ってきて壁ぎわにある燈火台《とうかだい》に近づくと、三個の穴がある銅管の栓をひねった。気体のふき出る音がして、マッチの炎を近づけて点火した。それは蠟燭《ろうそく》の灯よりはるかに明るく、窓から道を見おろすと、街路燈のガス灯が両側につらなっていて昼間のように明るかった。

広い食堂に行くとそこにも多くのガス灯が輝いていて、彦蔵はサンダースと食事をとった。

翌日、馬車に乗ってニューヨークの駅に行った。蒸気車に乗るのだという。

駅につくと煙突のある機関車を先頭に多くの客車が鎖で連結されていて、彦蔵はサンダースとその一つに入った。内部は中央が通路になっていて両側に座席が並び、サンダースと坐《すわ》った。

やがて煙を噴き出す音が連続し、車が動き出した。ゆっくりとした動きであったが、次第に速度をあげ、田畠《たはた》で耕作をしている人などが飛ぶ鳥のように後方にかすめ去る。車はゆれたが、読書できぬほどではなかった。

蒸気車は、停車することを繰返し、正午頃にまたも停った。近くに煉瓦《れんが》づくりの家があって食物を商っていた。彦蔵はサンダースと降り、パンと肉を買い、昼食をとった。あたりは、樹木もない広大な平原であった。

一時間ほどして蒸気車は発車し、進みつづけた。サンダースは窓ぎわにもたれて眠っていた。

やがて蒸気車は、ボルチモア駅についた。下車すると、サンダースが言った通り駅前に義弟が馬車をとめて待っていて、彦蔵はサンダースが自分をからかったのではないのを知った。なぜ電報紙に書いた文字が鳥よりはるかに速く飛ぶのか、かれにはわからなかったが、アメリカには恐るべき機械があるのを感じた。

彦蔵は、サンダースと馬車に乗り邸にむかった。鉄製の門を入ると広い敷地があり、樹木が生い繁《しげ》っている。花壇につつまれた二階建の石づくりの建物が見え、馬車は玄関の前にとまった。

家の中から多くの雇人とともにサンダースの夫人が出てきた。すでにサンダースから彦蔵のことを手紙で知っていたらしく、夫人は好意にみちた眼で彦蔵を招じ入れてくれた。

邸で日を過すようになった彦蔵は、サンダースの私生活を知った。

サンダースには子供がなく、夫人と二人だけで暮していたが、三年前に故郷のボルチモアをはなれて商業で活況を呈するサンフランシスコに行き、ブラナムと共同出資の銀行を興《おこ》した。経営は順調で、その能力を買われて政府から税関長の就任を要請され、銀行の経営をするかたわら税関長を兼任した。

かれが帰郷したのは、ロシアに商用で出掛けるためであった。かれは、氷が暑気払いになり、さらに高熱を発した病人の解熱《げねつ》にも使用されることに注目し、ロシアから氷の独占輸入権を得るためロシアに行こうとしたのである。その商いをするためには、多忙をきわめる税関長の職を辞すことが先決で、かれはボルチモアにもどり、政府機関のある西南方一八〇キロのワシントンに行き、政府に辞任の願書を提出するとともにロシア行きの旅券を手にしようとしたのである。

「ヒコ。ワシントンニ連レテ行ク」

サンダースは、彦蔵に言った。

ワシントンは、日本で言えば将軍のいる江戸で、その名をきいていた彦蔵は胸をおどらせた。サンダースの雇人になったことで、サンフランシスコにいる治作、亀蔵よりも多くのことを経験し、自分の世界が大きく開かれているのを感じた。サンダースは旅装をととのえ、彦蔵も衣類その他を鞄におさめた。

二日後、彦蔵はサンダースと馬車に乗り、ボルチモア駅に行った。

待っていると、遠くから蒸気車が煙を吐きながら近づいてきて、駅に停車した。サンダースにつづいて彦蔵は客車に入り、席に坐った。蒸気車が動き出し、速度を増した。

ふと彦蔵は、故国の日本の者たちの中でこのような乗物に乗ったのは自分が最初かも知れない、と思った。自分の知るかぎりでは、アメリカにいる日本人はサンフランシスコにいる「永力丸」の水主治作と亀蔵、それに善太郎船でただ一人生き残って救出された勇之助の三人のみである。かれらはサンフランシスコに碇泊する「アーガス号」「ユーイング号」にいて、蒸気車に乗る機会などない。故郷の本庄村浜田にもどって蒸気車の話をしたら、村人たちはどのような乗物かもわからず、茫然《ぼうぜん》とするにちがいなかった。「永力丸」に炊《かしき》として乗ったことが、蒸気車の座席に坐っていることとむすびついているのが不思議に思えた。かれは、夢を見ているような思いで沿線の風景に眼をむけていた。

沿線は地平線まで広大な畠《はたけ》が広がり、小さな山も丘陵もない。耕地の所々に、樹木が寄り集っているのが見えるだけであった。農家はあったが、数は少く、一戸で広い耕地を所有しているにちがいなかった。

蒸気車は、二時間ほどでワシントン駅についた。駅前から馬車に乗り、アーリントンホテルに行った。煉瓦づくりの六階建のホテルで、三階の部屋に入った。厠、浴室つきの美麗な部屋であった。

翌日、朝食後、サンダースは、

「コレカラ、プレジデント（president・大統領）ニ会イニ行ク」

と、言った。

「プレジデント？」

彦蔵には、耳にしたことのない言葉であった。

「我ガ国ノ首長ダ」

サンダースは答え、

「ヒコモ連レテ行ク」

と、言った。

彦蔵は、身をすくめた。首長と言うと日本では将軍で、江戸城に住んでいる。庶民が顔すら拝めぬ雲の上の高貴な存在で、そのような人の前に出るのは恐しかった。

「行キタクアリマセン」

彦蔵は、おびえた表情で言った。

「遠慮スル必要ハナイ。連レテ行ク」

サンダースは、いぶかしそうな表情で言った。

彦蔵は、仕方なくうなずいた。

鞄から上等の服を出し、それに着替え、鏡の前に立って髪を櫛《くし》でととのえた。彦蔵は、サンダースについて部屋を出ると、ホテルの前にとまっている二頭立ての馬車に乗った。

馬車は、蹄《ひづめ》の音をさせて石畳の道を進んだ。ペンシルバニア通りに入ると、四尺（一・二メートル）ほどの高さの石塀に沿って進み、鉄製の開いた門の中に入り、白い二階建の家の前でとまった。

サンダースは馬車から降り、石段をふんであがると扉の前に立ち、ノッカーを鳴らした。

黒い服を着た初老の男が扉をあけて出てきて、サンダースは名刺を差出した。それを受け取った男は、いんぎんに待っているようにと言ってドアの内部に消え、少ししてから顔を出し、

「ドウゾオ入リ下サイ」

と、うながした。

彦蔵は、サンダースの後からドアの内部に身を入れた。男は進み、高く厚いドアを開けて内部に入り、椅子《いす》をすすめてドアの外に消えた。そこは五十畳敷きほどの部屋で、奥に同じ広さの部屋があり、そこに四十年輩の男が葉巻きをくゆらしながら二人の客らしい男たちと話をしていた。

彦蔵は、不思議な思いがした。サンダースは「我ガ国ノ首長」と言い、その人物が住む所はいかめしい豪壮な城郭のような建築物と予想していたが、広いとは言え、ボルチモアのサンダースの邸とほとんど変りはない。門は鉄製ではあったが、変哲もない門で

門番もいず、馬車はそのまま敷地内に入った。首長であるからには、多数の従者を召し抱えているはずなのに、それらしい人の気配はなく、警備の兵の姿もない。

かれは、奥の部屋で客と対話している男の姿を見つめた。家の主人であることはまちがいないが、服は黒い質素なもので、到底一国の首長のようには見えない。サンダースの口にした一国の首長という言葉をききまちがえたのか、と思った。

やがて、客が腰をあげて男と握手をし、歩いてきてサンダースと彦蔵に目礼してから、玄関に通じるドアをあけて出て行った。

男が立ってきて、サンダースに奥の間に入るよううながし、彦蔵はサンダースについて進んだ。

男は、サンダースとなにか言葉を交しながら握手した。サンダースは、彦蔵を振り返ると、漂流中に救出された日本人で、サンフランシスコから連れて来たのだ、と紹介した。男の顔に驚きの表情がうかび、サンダースに質問をかさね、近づいてくると彦蔵の手をにぎった。中ぐらいの背丈のおだやかな風貌《ふうぼう》をした、見るからに好ましい人物であった。

男は椅子をすすめ、サンダースは坐ったが、彦蔵は部屋の隅に退き、立っていた。

かれが窓からポトマック川の景色をながめている間、男とサンダースは会話をつづけていた。二人は、対等の人間であるように話し合っていて、男がアメリカの首長であるとは到底思えなかった。日本では、小役人でもはるかに尊大で威厳があり、十六歳の船の炊であった自分に握手し椅子をすすめるようなことは決してしない。サンダースと男は時折り笑い声をあげ、男はそれが癖らしく膝《ひざ》をたたいていた。

用談が終ったらしく、サンダースが手招きをし、彦蔵は窓ぎわをはなれてサンダースの傍らに立った。

男が彦蔵におだやかな眼をむけながら、年少であるので政府の学校に公費で入れ、学問をまなばせれば大いに役に立つだろう、といった趣旨のことを口にした。

サンダースは、

「私ハ、自費デカレヲ学校ニ入レルツモリデス」

と言って、男の申出をことわった。

うなずいた男はサンダースについで彦蔵と握手をし、二人は外に出ると待たせてあった馬車に乗った。

馬車が門を出ると、彦蔵は、

「今、アナタガ話シテイタ人ハ、ドウイウ人ナノデスカ」

と、あらためてたずねた。どうしても首長とは信じられなかった。

「プレジデント」

と、サンダースは繰返し、アメリカの最高支配者であり、日本ならば皇帝にあたる人だと説明した。さらにその名は、フランクリン・ピアースだとも言った。

それでも彦蔵は、男がそのような最高の地位に身を置く人とは思えなかった。アメリカのような広大な国の支配者なのに威厳はなく、警備の者も従者もいない。生活も簡素でつつましい。日本ならば、役人にはお供がつき、ものものしい儀礼をつくさなければ近寄ることもできず、まして大名や将軍は、顔を見ることさえ到底不可能であった。

かれは、釈然としない思いで馬車にゆられていた。

サンダースは、ピアース大統領にサンフランシスコ税関長辞任届を提出して受理された。またロシアへの旅券交付も認可され、役所へ行って旅券を手にした。用件をすべて終えたサンダースは、彦蔵をともなって蒸気車でワシントンをはなれ、ボルチモアの邸《やしき》にもどった。

サンダースは旅仕度を進め、新しい年を迎えてからも手紙を書いたり、書類をととのえたりしていた。サンダースは彦蔵に、一緒にロシアへ連れて行きたいが、留守の間に学校へ入った方がいい、と言った。

彦蔵は、父親のように思っているサンダースと別れるのが辛《つら》く、悲しかった。

サンダースは、一月十七日にロシアへ旅するために邸を出ていった。彦蔵は、去ってゆく馬車を見つめていた。

サンダースが出発してから三日後の一月二十日、夫人の弟に連れられて彦蔵はカトリック系の学校に行き、入学手続きをして学生寮に入った。生徒は百五、六十人で、通学する者もいるし寮に入っている者もいる。校長以下教師が十五人いて、クラスごとに担任の教師がつき、彦蔵のクラスの担任はウォーターであった。

学科は、英語の書き方、読み方、天文、地理、算術、音楽で、会話と簡単な単語の文字しか知らなかった彦蔵は、茫然自失のありさまであった。それをあわれんだウォーターは、授業が終った後、彦蔵一人を教室に残して学習を親切に見てくれた。彦蔵は、ウォーターに感謝し寮の部屋にもどってからも復習にはげんだ。

生徒たちは自分よりいずれも年少であったが、かれらは一様に優しく接してくれた。日本のことは地理書にも記されていず、そのような地から来た彦蔵に好奇心をいだいて休憩時間には集ってきて話しかける。学習について適切な助言もしてくれた。

これらの生徒との接触で、彦蔵は会話が巧みになり、読み書きも少しずつ進歩した。

授業は六月末で終り、夏休みになって入寮していた生徒たちはそれぞれの家に帰り、彦蔵もサンダース邸にもどった。炎暑のきびしい日がつづいていた。

サンダース一家は、夏になると夫人の母が経営する農場に避暑に行くのが習いになっていて、彦蔵も一家とともに十二キロはなれた高原にある農場に馬車で行った。一里四方もある広い耕地があって、牛五十頭、馬二十五頭が飼われ、黒人が四十人と他に男や女が働いていた。

夫人の母は八十歳を過ぎていたが、元気そのもので農場主らしい風格があった。彦蔵が挨拶《あいさつ》すると、彼女は、

「ヨク来タ。歓迎スル」

と言って握手した。温かい柔かな手であった。

翌日、召使いが氷の浮いた白い液体の入ったコップと砂糖を持ってきて、飲むようにすすめた。

「コレハ何カ」

ときくと、召使いは窓を通して遠くに見える牛を指さし、

「牛ノ乳ダ」

と、答えた。

彦蔵は、激しく手をふって顔をしかめた。日本では獣の肉を不浄なものとして忌《い》みきらい、ましてその乳を飲むことなど論外であった。

牛乳を飲むのをこばんだので、召使いはコップを盆にのせて部屋を出ていった。

それを農場主である老婦人に告げたらしく、彼女が、すぐに盆を手にした召使いと部屋に入ってきた。

「生レタ子ハ母ノ乳ガ出ナクテモ牛ノ乳デ育ツ。牛ノ乳ハ、体ニ良イカラ飲ミナサイ」

彼女は、強い命令口調で言った。

彼女にさからうことはできず、やむなく彦蔵はコップを手にして眼を閉じ、鼻をつまんでコップをかたむけた。液体が口から咽喉《のど》を過ぎてゆく。かれは眼を開いた。意外にもおいしく、かれは飲み干した。

「ドウカネ」

老婦人が、彦蔵の顔をのぞきこむように見つめた。

「コンナオイシイモノトハ知リマセンデシタ」

彦蔵の言葉に、彼女は、

「ソレデ良イ、ソレデ良イ」

と繰返し言った。

農場に来て初めての日曜日に、老婦人をふくむ一家が教会へ行き、彦蔵もついてゆくことになった。老婦人たちが馬車に乗り、彦蔵は馬に乗るように言われた。

黒人が茶色い大柄の馬をひいて来て、彦蔵は黒人の助けを借りて恐るおそる馬にまたがった。黒人が手綱を持ち、馬が馬車の後から歩き出した。彦蔵は、いい気分になった。馬上から農場をながめるのが楽しく、ゆるやかに自分の体が上下するのも快かった。

二カ月が過ぎ、彦蔵は、一家とともに農場をはなれてボルチモアの邸にもどり、新学期のはじまった学校に再び通うようになった。

サンダースが、ロシアからもどってきた。かれの話によると、ロシア政府との間でロシアから輸入する氷のアメリカ西海岸一帯での専売権を取得し、さらにサンフランシスコ駐在のロシア海軍主計官に任命されたという。

サンダースはそれらの職務に従事するためサンフランシスコにもどらねばならず、彦蔵も連れてゆく、と言った。

秋色が濃くなり、樹々《きぎ》の葉が美しく色づいた。

サンダースの出発は十一月一日ときまり、彦蔵は退学届を出して寮からサンダースの邸にもどった。かれにとって短い学校生活であったが、英会話はもとより英文の読み書きができるようになったのは幸いだった。

サンダース夫人は、熱心なカトリックの信者であった。

出発が三日後にせまった日、彼女は彦蔵に思いがけぬことを口にした。かれがボルチモアを去る前に、洗礼を受けさせたいのだという。

十三歳で故国をはなれた彦蔵は、幕府の重要な政策の一つにキリシタン禁制があることを知らなかった。キリスト教は日本での神道、仏教と同じように、アメリカの宗教だという概念しかなかった。

彦蔵は、親切に遇してくれ、さらに月々洋銀十二枚を出して学校でまなばせてくれた夫人の申出を、素直に受け入れた。

夫人は喜び、彦蔵を馬車に乗せて教会に行った。

柔和な顔をした神父が出てきて、夫人の話をうなずいてきくと、彦蔵を箱のような周囲を閉め切った小さな部屋に導き、さまざまな質問をし、彦蔵は丁寧に答えた。

それが終ると、神父は一冊の本（聖書）をひらき、そこに記された人の名をつぎつぎに読みあげ、その中から洗礼名を選ぶように言った。彦蔵は、途方にくれた。むろんそれらは異国人の名前で、どれがよいのか判断がつきかねた。アメリカ人からはヒコという愛称で呼ばれているが、自分の名前はあくまでも彦蔵で、洗礼名など必要はない、と思った。

少し苛立《いらだ》ちの色をみせた神父は本を繰ると、ある個所を指さし、

「ジョセフ」

と言って、彦蔵の顔を見つめた。

それまで神父が読み上げた名前とは異なってひびきが柔らかく、親しみがもてた。かれは、教会の仕来《しきた》りなのだから素直にしたがうべきだと考え、

「ソレガヨロシイト思イマス」

と、答えた。

うなずいた神父は、彦蔵を祭壇の前に連れて行き、サンダース夫人も傍らに立った。神父は、聖水で洗礼をし、ジョセフという名前をさずける、とおごそかな声で言った。

彦蔵は、夫人と丁寧に礼拝し、教会を出ると馬車で邸にもどった。

夫人から洗礼を受けたという話をきいたサンダースは、

「ジョセフ・ヒコ、カ」

と、つぶやくように言った。

夕食には、洗礼を受けた祝いで夫人の手で特別な料理が出された。食事前に夫人たちは手を組んで神に祈り、彦蔵もそれにならった。かれは、家族とともに神に祈ったことで、アメリカの大地に腰を据えたような安らぎをおぼえた。

「ジョセフ・ヒコ」

かれは、胸の中でつぶやいた。

十三

十一月一日朝、彦蔵はサンダースとボルチモア駅に行き、蒸気車に乗ってニューヨークについた。

メトロポリタンホテルに投宿し、サンフランシスコ行きの船便を待った。適当な船がなく、ホテルで泊りを重ねたが、ようやく蒸気船に乗り、パナマ経由でサンフランシスコにむかった。サンフランシスコは、初めてアメリカの大地をふんだなつかしい地で、同じ「永力丸」の水主《かこ》であった治作、亀蔵、それに親しいトマスもいるはずで、そこにもどれるのが嬉《うれ》しかった。

十一月二十八日に船はサンフランシスコ港に入り、彦蔵は、上陸してサンダースの家に落着いた。

翌日、かれは、港に行ってまずトマスに会い、ついで治作、亀蔵とも会った。かれらは、彦蔵が立派な青年紳士になり、服装から動作まですっかりアメリカ人のようになった、と口々に言った。彦蔵の眼にも治作と亀蔵が、アメリカという異国の地にとけこんでいるのを感じた。

漂流船「八幡丸」でただ一人救出された勇之助は元気でいるか、とたずねると、意外な答えが返ってきた。

勇之助は、サンフランシスコの倉庫船に職を得て働いていたが、サイラス・バロースという船持ちの商人が、新聞に大きな記事となって紹介された勇之助に強い関心を寄せた。バロースは、船で中国との貿易をさかんにおこなっていたが、勇之助を日本へ送りとどけてやろうと考え、勇之助に会ってそれを伝えた。思いもかけぬ話に、勇之助は泣いて喜んだ。

十カ月前にペリーが艦隊をひきいて再び浦賀におもむき、日米和親条約を締結して、下田、箱館の二港を開港させたことをバロースは知っていた。バロースは所有している帆船「レディ・ピアス号」で香港《ホンコン》に行く予定であったので、途中、下田に寄港して勇之助を上陸させようと考えたのである。

かれは、勇之助を倉庫船から引取り、「レディ・ピアス号」に移した。

サンフランシスコ・タイムズは、早速これを記事にし、仁愛の心のあついバロースが船賃なしで勇之助を日本に送還させようとしている、と報じた。それを知った治作も亀蔵も、果して日本側が勇之助の上陸を許し、その身柄を受け入れるかどうか危ぶんだ。たとえアメリカが日本と和親条約をむすんで下田を開港させたとしても、条約を締結してすぐのことであり、突然のようにおもむく「レディ・ピアス号」を穏便に迎え入れるとは思えなかった。

四月十五日、勇之助を乗せた「レディ・ピアス号」は、サンフランシスコを出港した。船主バロース六十歳、息子のチャンブル十五歳、オランダ語に通じたベーリー、船長キャブホーヤ、水夫十三名、コック一名計十八名が乗組んでいた。船は、ハワイに寄港して石炭、水、食料を補給し、太平洋上を西進した。

六月十七日（日本暦）四ツ（午前十時）、江戸湾口から強い南風を帆に受けて湾内にはやい速度で入ってくる異国の帆船を物見の者が発見、浦賀奉行所に急報した。船は浦賀沖を通り過ぎ、ようやく停って投錨《とうびょう》した。奉行所ではただちに舟を出し、外事掛の与力佐々倉桐太郎、細倉虎五郎が通詞立石得十郎たちとともに異国船におもむいた。その船は、アメリカ商船「レディ・ピアス号」であった。

バロースは、ペーリーの通訳で船中に日本人漂流民一名がいて、来航の目的はかれを日本に送り届けるためである、と述べた。

勇之助が、船長にともなわれて甲板に出て来た。かれは、佐々倉たちの前に出ると、ひれ伏した。その姿を書役の役人が「頭も禿髪《とくはつ》ニ相成（り）、服も彼方《かなた》（アメリカ）之《の》衣服着し居候」と、記録した。

佐々倉が勇之助の素姓について質問し、その答えを書役が、「越後国（新潟県）岩船郡板貝村八幡丸善太郎水主　上杉領之者之由《よし》　勇之助　寅年《とらどし》二十三」と、書きとめた。

佐々倉がバロースに、異国船の出入港できるのは和親条約によって箱館、下田二港のみと定められているので、下田に行くよう指示した。しかし、風は強い逆風で江戸湾口にもどるのは不可能のため、そのまま碇泊《ていはく》させることになった。奉行所では、下田奉行所にアメリカ商船が下田に入港を予定していることを急飛脚で伝えた。

翌日も風雨が激しく、「レディ・ピアス号」は、その場にとどまっていた。

次の日は、雨があがって晴天になったが、南風は少しも衰えをみせず、船に激浪が押し寄せていた。バロースは、飲料水が乏しいのであたえて欲しいと申出たが、その件について江戸に伺いを立てると、条約では開港した下田、箱館以外には支給できぬ定めになっているので許可してはならぬ、と指示してきた。バロースは、かさねて水を切に所望し、奉行所では、やむなく水を二十樽《たる》あたえ、さらに鶏卵三百個、薩摩芋《さつまいも》一俵、薪《まき》百二十束を支給した。

翌二十二日は晴天でようやく順風になり、「レディ・ピアス号」は帆をひらいて江戸湾口から外洋に出て行った。

二日後の六月二十四日、「レディ・ピアス号」が、またも江戸湾内に入って来て、浦賀沖に投錨した。不審に思った与力の佐々倉らが船に出向くと、船主のバロースは、昨日、下田に近づいたが、無風になった上に潮流が速く、下田港に入れずやむなく引返してきた、と言った。

船長のキャブホーヤは、水先案内人を乗せて欲しいと懇願し、奉行はそれをいれて同心の臼井進平、土屋栄五郎と江戸、下田間の航路を熟知している水主三名を乗船させた。「レディ・ピアス号」は、翌二十五日朝五ツ（午前八時）に抜錨して江戸湾から外洋に出た。

船は順調に進んで翌朝、下田港外に達したが、べた凪《なぎ》になっていて動けず、そのため奉行所の指示で十八艘《そう》の小舟が出て、太綱をむすびつけ、港内にひき入れた。「レディ・ピアス号」が港内に投錨したのは九ツ（正午）すぎであった。

奉行所では与力の合原《ごうはら》猪三郎と通詞堀達之助らを船におもむかせた。すでに浦賀奉行所から船の来航目的の報告が寄せられていたので、合原はバロースに、はるばる漂流民を送りとどけてくれたことに奉行が感謝している旨《むね》を伝えた。

合原は、勇之助に会うことを望み、バロースが勇之助を連れてきた。勇之助はひれ伏し、額を甲板に押しつけた。合原は、勇之助に当地で身柄をまちがいなく引取るから安心するように、とおだやかな口調で言った。勇之助は、言葉もなく声をあげて泣いた。

バロースは、上陸して町を見たい、と申出た。和親条約では、アメリカ人が下田に上陸して七里四方歩くのを容認することが定められていたので、奉行所はその申出をいれた。ただし物品を買わぬことと人家に立入らぬことを条件とし、さらに夕刻、寺院で暮六ツ（午後六時）の時を告げる鐘を打ち鳴らすのを耳にしたら、ただちに船にもどるよう伝えた。

諒承《りようしよう》したバロースは、息子、船長、通訳と勇之助をともなってボートで上陸し、同心の斉藤壮之進つきそいのもとに了仙寺で休息をとり、町なかを歩いてそうそうに船にもどった。

翌二十七日、奉行所支配組頭の伊佐新次郎が通詞、書役とともに「レディ・ピアス号」におもむき、勇之助の吟味をおこなった。

勇之助は、水主として「八幡丸」に乗り、破船、漂流して十二人の乗組みの者たちが次々に死亡、遂《つい》に一人となり、アメリカ船に救出され、サンフランシスコに上陸した経過を陳述した。これは長文の吟味書にまとめられた。

勇之助は、この吟味で自分が百姓重三郎の子で、母と妹の四人で暮していたが、八歳の時に父が病死した、と述べた。家をつぐには幼なすぎるため、母の妹が聟《むこ》をとって家をつぎ、成人した勇之助は、叔母夫婦の世話になっているのが心苦しく、十九歳で家を出て「八幡丸」の水主に雇われた。

かれは伊佐新次郎に、

「一日も早く老母と妹に会いたく、なにとぞそうそうに国許《くにもと》にお返し下さるよう、御慈悲のほどひとえに御願いいたします」

と、涙を流して頼んだ。

それも書役によって吟味書に書き記された。

翌日、勇之助の身柄が船主バロースから奉行所に引渡されることになった。バロースは、

「勇之助ハ、長イ間日本ノ衣服ヲ身ニツケタイト望ンデイタ。私モソノ姿ヲ見タイノデ、ソノ折ニハ一覧サセテ欲シイ」

と英語で言い、それを通訳のベーリーがオランダ語に翻訳し、堀達之助が日本語で伊佐に伝えた。

伊佐は承諾し、勇之助を連れて下船した。

あらためて奉行所で勇之助に対する吟味が伊佐によっておこなわれ、それが終って勇之助を入浴させ、月代《さかやき》も剃《そ》って丁髷《ちょんまげ》をととのえさせた。バロースに日本人としての勇之助を見せるのに粗末であっては国の恥にもなるので、単物《ひとえもの》の着物二枚に羽織、真田帯《さなだおび》、下帯、手拭《てぬぐい》、鼻紙をあたえてそれを身につけさせた。

翌日、奉行所はバロースを了仙寺に招き、伊佐は勇之助を連れて行った。部屋へ入ってきた勇之助の姿を見たバロースは、涙ぐんで、ことのほか喜び、

「非常ニ立派ダ」

という言葉を繰返し、勇之助の顔を見つめながら手を強くにぎりしめた。

奉行所では、バロースに感謝の意をしめすため必要物を贈ろうとしたが、船内に不足品はないというので、米、小麦それぞれ十俵と硯箱《すずりばこ》、陶器、布地等を贈るにとどめた。これに対してバロースは、書籍、地図書、酒、菓子等を返礼として奉行所に提出した。

目的を果したバロースは、商用のある香港にむかうことになった。奉行所では、了仙寺でバロース、息子、船長、通訳を勇之助に会わせた。勇之助は、英語でバロースたちに涙を流しながら礼を言った。バロースも泣いて勇之助の体を抱きしめた。

翌朝、「レディ・ピアス号」は出帆し、船影が水平線下に没した。

「レディ・ピアス号」に実務接触をしたのは与力合原猪三郎であったが、応接掛は支配組頭の伊佐新次郎で、かれの手によって応接書類が江戸にいる外国奉行に提出された。

「レディ・ピアス号」が退帆して伊佐の役目は終ったが、かれは勇之助に強い関心をいだき、それが外国奉行への報告書にも記されていた。

伊佐は、勇之助を吟味中、吟味に答える勇之助の言葉づかい、態度に心から感嘆し、報告書に、

「随分《ずいぶん》才子と相見へ、尋常之船乗とは雲泥《うんでい》有《これ》レ之《あり》」

と、最大級の賛辞を記し、謙虚な人柄をほめたたえた。

ことにかれが注目したのは、勇之助がアメリカ言葉を知っていることであった。勇之助は日本文の読み書きができる上に「アメリカ文字も少々はよみ申候」と記した。

通詞の堀達之助は、むろんオランダ語は会話はもとより読み書きに熟達していたが、英語の知識は十分とは言いがたかった。伊佐が堀に、英語で勇之助に問いかけてみるよう命じ、堀がかたことの英語で質問すると勇之助は立ちどころに英語で答えた。了仙寺で堀がバロースと英語で問答を交し、バロースの言葉の意味がわかりかねていると、勇之助が言葉を添えることもあった。また、勇之助が「レディ・ピアス号」の船員と自由に会話を交しているのも、伊佐は観察していた。

伊佐は、堀を招き、勇之助を英語の通詞として役に立つかどうか、とたずねた。

堀は、

「あの様子では、少々稽古《けいこ》をさせれば早速お役に立つと存じます」

と答え、勇之助の助力によってバロースの口にする英語の意味をつかめたことを率直に認め、勇之助の英語の理解力が秀《すぐ》れている、と述べた。

当時、オランダ通詞の中で英会話に通じているのは大通詞の森山栄之助だけで、かれは、日本に漂着したインディアン系アメリカ人のラナルド・マクドナルドに本格的な英会話の伝授を受けていたのである。

それを知っていた伊佐は、勇之助を英語通詞として活用すべきだと考え、外国奉行への報告書に、

「両三年も彼地（アメリカ）に滞留」していたので「亜墨利加《あめりか》通弁」として江戸に送りましょうか「御差図」下さいと記した。

伊佐は勇之助に英語通詞になるようすすめたが、勇之助は一日も早く故郷に帰ることを切に願い、外国奉行もその心情をくんで故郷板貝村の領主上杉家に引渡し、帰郷させた。

勇之助が下田で受け入れられたことを知らぬ彦蔵は、治作、亀蔵と同じように日本側が勇之助の上陸を許可するとは思えなかった。

日本がアメリカと和親条約をむすんで箱館、下田二港を開港したということはきいているが、それは条約文に記されただけのことで、ただちに実施されているとは考えられ

なかった。乙吉ら漂流民を乗せた「モリソン号」に対して、幕府が砲火を浴びせて追い払った姿勢は、今でも変っていないと考えられた。砲撃をうけることはなくても、勇之助を受け入れるとは想像もできなかった。

恐らく勇之助は、香港で下船させられ、力松の世話にでもなっているのではないのか、と思った。

彦蔵は、サンダースがブラナムと共同出資をしている銀行の事務を手伝い、日を過していた。

その年の暮れ近く、サンダースのすすめでイギリス人が教師をしている商業学校に入り、英文の読み書きをはじめ経理の授業を受けた。

一八五五年（安政二年）の新年を迎え、それから間もなく、「レディ・ピアス号」についての小さな記事が前年十月のニューヨーク・タイムズに掲載されているのに気づいた。それを読んだ彦蔵は、驚きの眼をみはった。

同船は日本の下田に入港し、役人は船に漂流民勇之助が乗っているのに驚き、喜んで迎え入れた。役人や町民たちは、無料で勇之助を日本に送りとどけてくれた船主バロースに深く感謝し、

「使節を送るよりはこのような漂流民を送りとどける方が、日本との友好関係を深めること大である」

というバロースの談話ものせられていた。

彦蔵は、早速新聞を手に治作と亀蔵に会い、記事を読んできかせると、二人は驚き、顔を見合わせた。信じられぬことであったが、新聞が偽りを書くはずはなく、彦蔵たちは日本の対外政策が大きく変化しているのを知った。

バロースに会って詳細な話をきいてみたかったが、新聞記者は、ニューヨークでバロースに会って取材をしていて「レディ・ピアス号」はニューヨーク方面にいるらしく、その所在は不明であった。

ようやく落着きをとりもどした三人は、静かに語り合った。勇之助が上陸を許されたように、故国は自分たちも迎え入れてくれるだろう。問題はどのような方法で帰国できるかであり、それを探るためにじっくりと待つ以外にない、という結論に達した。三人の顔には、喜びの表情がうかんでいた。

帰国できる望みのあるのを知った彦蔵は、落着いて勉学にはげんだ。

サンダースの好意によって通学できるのは幸運で、まだ当分はアメリカの地にとどまることになるにちがいなく、それには自活できる力をそなえる必要がある。アメリカ人社会の中で生きてゆくには、十分に英語の読み書きに長じ、さらに商業知識も身につけねばならない。それに、もしも帰国できた折には、開国した日本でアメリカで得た知識が重要視されるはずであった。すでに十八歳になっていたかれは、自分の将来を考える思慮もそなえていた。

しかし、学生生活は、その年の十一月に中断せざるを得なくなった。サンフランシスコをはじめとした地方に金融恐慌《きょうこう》がおこり、ブラナムと共同経営していたサンダースの銀行も支払い停止におちいり、閉鎖した。

金策に奔走したサンダースは、疲れきった表情で、

「誠ニ残念ダガ、学費ヲ出セナクナッタ」

と、言った。

幸いにも、商人の息子である友人が彦蔵に同情して学費を負担してくれて、かれはその後も通学できたが、友人の父も不況の波をかぶり、三月末には退学せざるを得なかった。

彦蔵は、サンダースのもとに行って就職先を斡旋《あっせん》してほしい、と頼んだ。サンダースは友人と共同で商社を細々と経営していたが、新らたに人を雇い入れる余裕はなく、マコンダリー会社という商社に働き口を見つけてくれた。

彦蔵は、四月五日に入社し、サンダースの家から通勤した。その会社は、四名が資本を出し合って経営している大きな仲買会社で、世界各地から委託貨物が送られてきていた。支配人のもとに多くの社員がいて、活気にみちていた。かれは、事務の雑用係として一心に働いた。

秋に入った頃には仕事にもなれ、経営者の一人であるケアリーは勤勉な彦蔵が気に入ったらしく、時折り食事に連れて行ってくれるようにもなった。

英会話も不自由がなくなった治作は、税関監視船「アーガス号」をはなれ、市内のウェルズ・ファーゴ商会に入り、また亀蔵も測量船「ユーイング号」から清国との間を往復する貨物船に移っていた。その船で日本へ帰る機会をねらおうとしていたのである。

彦蔵は、しばしば治作と会い、バン・リードというアメリカ人とも親しくなった。かれは商社に勤めていたが、日本へ行って貿易の仕事をするのを夢みていて、治作や彦蔵に日本語を教えてもらっていた。

十四

一八五七年（安政四年）を迎え、彦蔵は会社の仕事にも自信をいだいて充実した日々を送っていた。

春が過ぎ気温が上昇しはじめた頃、上院議員のグウィンが彦蔵を会社に訪れてきた。サンダースが税関長をしていた頃、税関に勤めはじめた彦蔵は、グウィンと引き合わされたことがあった。

来訪をいぶかしんだ彦蔵に、グウィンは、

「私ハ、重要ナ役目ニ任ジラレテワシントンへ行ク。君モ連レテ行キタイ。必ズ君ノタメニモナル」

と、言った。

彦蔵は、

「コノ会社ニ勤メテイルコトニ満足シ、ヤメル気ハナイ。私ハ、サンダース氏ノ慈愛ノモトニ生キ、万事サンダース氏ノ意ノママニ動ク。氏ニ相談シテ欲シイ」

と、答えた。

うなずいたグウィンは去り、その後、グウィンはサンダースのもとに手紙を送り、彦蔵はサンダースからその手紙を見せてもらった。

内容は、彦蔵をワシントンに連れて行って国務省の書記として雇ってもらうように努める。それが成功すれば、アメリカについて知識を持っている彦蔵が、日本に帰った時に大いに役立つ。それにつづいて、彦蔵がアメリカの市民でないことが採用される上でいくらか困難が生ずることがあるかも知れないが、それも克服されると思う、とむすばれ、一八五七年八月三日、ウイリアム・エム・グウィンと署名されていた。

読み終った彦蔵に、サンダースは、

「ヒコ。私ハ上院議員トトモニワシントンニ行ッタ方ガイイト思ウ。新ラシイ道ガ開ケルカモ知レナイ」

と、言った。

彦蔵はうなずき、

「アナタガソノヨウニ言ウナラ、行キマス。私ハアナタノ言葉通リニ従ウ」

と、答えた。

サンダースが承諾した旨《むね》の手紙をグウィンに送り、彦蔵は、ワシントン行きの準備をした。

会社の支配人のもとにサンダースとおもむいて辞職願いを出し、治作やバン・リードら親しい友人たちに別れの挨拶《あいさつ》をした。かれらは送別会を開いてくれて、彦蔵は酒を飲み、別れを惜しんだ。

九月二十日、かれは迎えに来たグウィンとともに船に乗ってサンフランシスコをはなれた。グウィンはワシントンに自宅があり、夫人が世話をしてくれるから心配はいらない、と言った。

船は、ニューヨークにむかって進んだ。

ニューヨークについたのは十月七日で、彦蔵はグウィンとメトロポリタンホテルに入り、別々に部屋をとった。

翌朝、部屋にいかにも上流婦人といった上質の衣服を着た中年の婦人が、長身の男と訪れてきた。ワシントンから来たグウィン上院議員の夫人であった。

夫人は、

「コノ紳士ト同行シテ洋服ヲ新調シテ来ナサイ」

と、言った。

彦蔵は、

「私ハ着替エノ服モ持ッテ来テイマスカラ、ソノ必要ハアリマセン」

と、答えた。

夫人は、これから夫のグウィンに連れられて彦蔵はワシントンに行き、地位の高い人たちに会うことになるので、彦蔵の持っている服は社交界に出るのにはふさわしくない、と言い、長身の男をふりむくと、

「高級洋服屋ト靴屋ニ連レテイッテ、服、シャツ、靴ヲ新調シテ下サイ」

と、声をかけた。

それらのものを贈ってくれる好意にそむくことができず、夫人のすすめに従った。

ホテルを出た彦蔵は、男についてブロードウェイに行き、洋服屋に入って服を誂《あつら》え、ついでに靴屋に行き靴を買った。代金はあわせて七十五ドルで、男が支払ってくれた。

グウィン夫妻とワシントンへ行くことになり、彦蔵は洋服屋に行って仕立て上っていた服を受取った。

翌朝、グウィン夫妻と馬車に乗って、ニューヨーク駅に行った。彦蔵は、馬車の中で洋服と靴のことで夫妻に礼を述べた。

彦蔵はグウィン夫妻と蒸気車でニューヨークをはなれ、首府のワシントンについた。駅前に馬車が待っていて、グウィンの家に行った。樹木の繁《しげ》った広い敷地に建つ美しい二階建の家で、彦蔵はその一室をあたえられた。多くの黒人の召使いや下男が働いていた。

一週間ほどしてグウィンは、サンダースからグウィンに出した彦蔵について記した手紙を新聞に発表した。その手紙の内容は、彦蔵が十三歳のコックとして船に乗って遭難し、アメリカ船に救《たす》けられ、いったん清国に行ってからサンフランシスコにもどり、学校に入って現在は仲買会社に勤務しているというものであった。

グウィンが、なぜ新聞にその手紙を発表したのか。それは、政府の中枢《ちゆうすう》部の者たちにあらかじめ彦蔵への関心を集めさせようとしたためであった。

グウィンのねらい通り、その発表は大きな波紋となってひろがった。日本との間に和親条約がむすばれたとはいえ、かれらにとって日本は未知の国であり、日本人を眼にしたこともない。新聞に発表されたサンダースの手紙によると、ワシントンにジョセフ・ヒコという洗礼名の日本人が来ていて、しかもそれは難破漂流して救出された二十歳の男だという。

人々は興奮し、グウィンの家に来て彦蔵に面会を求め、贈物をして握手する者が絶えなかった。また、夜の宴にも彦蔵は招かれ、かれは新調の服を着、靴をはいて出向いた。人々は好奇の眼をむけ、握手してさまざまな質問をし、彦蔵は酒を飲み、にこやかに応対した。

十一月二十五日朝、グウィンは彦蔵を馬車に乗せて国務省へ連れて行った。大きな建物の中に入り、いくつかの扉をすぎると逞《たくま》しい体格をした五十年輩の男が立って出迎えてくれた。国務長官のカッス大将で、グウィンは彦蔵を紹介し、カッスは新聞に発表された手紙でよく知っていると言って、彦蔵の手をにぎった。ついで、国務次官補兼書記官長のウイリアム・ハンターの部屋に行き、同様の紹介をした。グウィンが国務省を訪れたのは、長官と次官補に彦蔵の存在を知ってもらうためで、その効果はあって二人は好意にみちた眼で彦蔵に接した。

国務省を出たグウィンは、ホワイトハウスに彦蔵を連れて行った。

あらかじめ面会申込みがしてあって、グウィンは彦蔵とともに広い執務室に案内された。四年前に大統領ピアースの私邸にサンダースとともに行ってピアースに会ったが、その簡素な生活にプレジデントという役職がどのような意味を持つのか知識はなかった。その後、大統領がアメリカの最高の地位にある政治家であるのを知り、グウィンが自分をともなってピアースについで就任したブキャナン大統領に会おうとしていることに緊張した。

がっしりした大きな机を前にして黒い服を着た大柄な七十年輩の男が坐《すわ》っていて、グウィンの姿を認めると立ち上り、近寄ってきた。片方の眼が悪く、少し首をかたむけていた。

ブキャナン大統領がグウィンと握手し、グウィンが彦蔵を紹介すると、大統領はうなずいて手を出し、彦蔵は自分の名を口にしてその手をにぎった。大きな掌《てのひら》であった。

大統領が椅子《いす》をすすめて坐り、グウィンが向い合って坐ったが、彦蔵は立っていた。

グウィンが、用件を話しはじめた。日本は開国し、アメリカは日本と今後さかんに交流し貿易もさかんになる。もしも彦蔵が国務省の書記の職につくことができれば、アメリカの政治機構の知識も得て、日本へ帰国した折にはアメリカのために大いに役立つと思われる。国務省に就職させたいので、大統領の力を借りたい、と言った。

大統領はうなずき、

「私カラ国務長官ニ話ヲシテミル。モシモ空席ガアルナラ、私ハアナタノ若イ友人ヲ喜ンデ任命スル」

と、答えた。

それで用件は終り、グウィンは大統領によろしく頼みますと言って再び握手し、彦蔵も大統領と握手してホワイトハウスを出た。

馬車に乗ってグウィンの家に帰る途中、彦蔵は、もしかするとピアースについでブキャナンと二人の大統領に会い、握手したのは日本人として珍しいのかも知れぬ、と思った。二人どころか大統領に会った日本人は初めてであることに、かれは気づいていなかった。

寒気のきびしい日がつづき、彦蔵は、グウィンの家にとどまって秘書に似た仕事をしていた。新聞を整理したり、手紙類をとじこんだり、時にはグウィンに指示されて簡単な手紙の返事を書いたりしてすごしていた。

その後、大統領からも国務省からもなんの返事もこず、年が明けてもその気配は全くなかった。グウィンはそのことについて口をつぐんでいた。

相変らず彦蔵を訪れてくる者が絶えず、それによって多くの知己を得た。

その中に特異な人物がいて、彦蔵はかれと親しくなった。ジョーン・M・ブルック大《たい》尉《い》であった。大尉は、まだあきらかにされていない清国や日本の沿岸測量をし、太平洋の海底調査をしようと企てていた。むろん政府の支援が必要で、大尉はアメリカの国益になる事業なので政府はまちがいなく協力してくれるはずだ、と言っていた。さらにかれは、それが実現段階に達した折には、彦蔵を調査団の書記に任じ、日本に帰れるよう尽力する、と約束してくれた。

思いがけぬ申出に、彦蔵は喜び、調査団に加えて欲しい、と懇請した。

彦蔵は、グウィンの家にいることに倦いていた。国務省の書記の働き口を見つけてやると言うのでワシントンに来たが、一切返事はなく絶望であることはあきらかだった。そのため、グウィンの秘書に似た仕事をしていたが、それは他愛ないもので自分が手がけるようなものには思えなかった。

それに、グウィン夫妻の生活態度にも嫌気がさしていた。グウィンは、南部に広大な農園を持っていて多数の黒人奴隷《どれい》を使い、巨額の富をたくわえていると言われていて、夫人はしばしば夜会や舞踏会をもよおし、ワシントンの社交界の代表的な存在であった。夫人は金づかいが荒く、高価な衣服や装飾品を身につけて着飾っていたが、使用人には冷たく、給料も安かった。彦蔵の手当は月額三十ドルの約束で、このまま飼い殺しにされるような気がし、他に職を得て少しでも多くの報酬を得たかった。

二月十五日にかれは、グウィンの部屋に行き、

「ヒマヲ頂キタイ」

と、申出た。

グウィンは無表情にうなずき、

「サンフランシスコニ戻ルノダネ。帰ル船賃ヲ出シテヤル」

と、あっさりと答えた。

彦蔵は、ブルック大尉の調査団に加わりたいので、サンフランシスコに行く気はなく、

ワシントンに近いボルチモアで大尉からの指示を待ちたかった。ボルチモアには終始温かく見守ってくれてきたサンダース夫妻が住む家があって、世話になることもできる。それに多くの知人友人がいて、かれらの斡旋《あっせん》で適当な働き口を見つけられるにちがいなかった。

そのことを告げると、グウィンは、

「ソレモイイダロウ。ボルチモアノ税関長ニ手紙ヲ書クカラ持ッテ行キナサイ。臨時ノ働キ口デモ見ツケテクレルダロウ」

と言い、早速、手紙を書いて渡してくれた。そこには彦蔵が賢く性格もよい青年で、勤勉実直であり、税関で臨時雇いにでも採用して欲しい、と記されていた。

翌朝出発することにし、彦蔵はこれまでの月給をいただきたいと申出た。

グウィンは承諾し、計算書を書いて渡してくれた。そこには前年の九月上旬から二月上旬までの五カ月間の給料百五十ドルからグウィン家での食費五十五ドルが差引かれ、残額九十五ドルと記されていた。さらに服と靴の新調代七十五ドルも引かれていて、彦蔵が受取ったのは二十ドルだけであった。

彦蔵は、呆気《あつけ》にとられた。サンフランシスコで仲買会社に勤めて満ち足りた生活をしていた自分を、半ば強引にワシントンまで連れてきて五カ月間働かせ、その報酬がわずか二十ドルとは。これまで多くの親切なアメリカ人の世話になってきたが、上院議員でありながらグウィンのような冷たい人間もいるのか、と思った。

彦蔵は、無言で二十ドルを受取り、グウィンの部屋を出た。

翌朝、かれはワシントン駅に行き、蒸気車に乗ってボルチモアにむかった。

ボルチモア駅で降りたかれは、税関を探しあて、税関長に会ってグウィンの手紙を渡した。

手紙を一読した税関長は、

「残念ナガラ、税関ニハ空席ガナク、要望ニハ応ジラレナイ」

と言って、手紙を返した。

税関を辞した彦蔵は、憤《いきどお》りをおぼえた。グウィンには税関長に指示する権限などなく、わずかな金しかあたえなかった彦蔵に対する後ろめたさから、なんの意味もない手紙を渡したにすぎないのだ、と思った。彦蔵は、胸の中を凩《こがらし》が吹きぬけるような空《むな》しさをおぼえた。

かれは、馬車に乗る金銭の余裕もなく、サンダースの家族の住む家に通じる長い道を重い鞄《かばん》をさげて寒風に吹かれながら歩いていった。

ようやく門を入り、なつかしい家の入口に立った。ノッカーを鳴らすとドアが開き、召使いが顔を出して彦蔵の顔を見ると、すぐに奥にもどっていった。かれは疲れて、鞄を下に置いた。

奥から足音がして、思いがけずサンダースが夫人とともに出てきた。サンダースは両手を大きくひろげて近づくと、彦蔵の体を抱いた。夫人の顔にも、喜びの色があふれていた。彦蔵は、サンダースに肩を抱かれて居間に入った。

サンダースがいるとは思わなかった彦蔵は、その驚きを口にした。サンダースは、サンフランシスコでの仕事が一段落したので、家族のもとにもどったのだという。

椅子に坐った彦蔵は、グウィンとすごした日々のことを語った。

サンダースは、憤りの色を顔にうかべて、

「彼ハソノヨウナ下ラナイ男ナノダ。軽ク約束ハスルガ、ナニモ実行シナイ」

と、吐き捨てるように言い、

「シカシ、ヒコト私ノ家デ会エルトハ、本当ニ嬉《ウレ》シイ。コノ家ヲ自分ノ家ト思ッテ、イツマデモイテ欲シイ」

と、眼に涙をうかべて言った。

彦蔵も涙ぐみ、サンダースに深く感謝した。

幼い頃死んだ父親の顔の記憶はなく、義父の吉左衛門は実子同様に可愛《かわい》がってくれたが、彦蔵は、サンダースが実の父のように思えた。サンダースは、親身になって気をつかってくれて、将来のことも考えてくれる。

夫人も温かい心の持主で、彦蔵は、少しも遠慮することなくサンダースの家で日々をすごした。

困ったのは、所持金がほとんど尽きていることであった。わずか二十ドルしかグウィンはくれず、ワシントンからボルチモアまでの旅費その他で費やして二ドルが残っているだけであった。むろん、食事はサンダース家で提供してくれていたが、金がなくては動くこともできない。

サンダースに援助を頼もうとしたが、それをすべきでないのを知っていた。サンダースは、サンフランシスコで「仕事が一段落」したのでボルチモアに帰ってきたと言っていたが、一段落とは破産の意味であるのに気づいていた。それは、低い声で交す夫妻の会話から察したことで、恐慌《きようこう》にさらされたサンダースは再起を期して小さな会社を経営したが、それも破綻《はたん》して一切を清算し、ボルチモアにもどってきたのだ。

彦蔵は、ボルチモアの知人、友人をたずねて仕事探しをしたが、ボルチモアも深刻な不況の波にさらされていて職を見つけることはできなかった。

春の気配がきざし、花壇に花が咲きみだれるようになったが、かれは悶々《もんもん》として日々をすごしていた。

ある朝、ボストンに在住しているT・C・ケアリーという未知の人からの手紙を受取った。

封を切った彦蔵は、T・C・ケアリーが、サンフランシスコで学校を退学後入社したマコンダリー会社の出資者ケアリーの父であるのを知った。その若い出資者は、彦蔵に好意をいだいてよく食事にも誘ってくれたりして、彦蔵も心から慕っていた。

文面によると、息子のケアリーは商用で清国に行っているが、手紙を父親のT・C・ケアリーに寄越し、彦蔵がどのようにしているか気がかりで、もしも金に困っているようなら自分名義で金を融通してやって欲しい、と依頼してきたという。彦蔵の所在は不明だが、父親代りのようなサンダースのもとに手紙を出せば、彦蔵にとどくはずだと思い、サンダース家に出したのだとむすばれていた。

彦蔵は、呆気にとられた。以前勤めていた会社の経営者ケアリーが、自分の身を案じて清国から父親に手紙を寄越したことが信じられない思いであった。

まさに幸運な手紙で、彦蔵はすぐにT・C・ケアリーに返事を書いた。自分の身の上についてT・C・ケアリーの息子が気にかけてくれていることと、手紙を寄越してくれたT・C・ケアリーに心から感謝している旨《むね》をしたため、お金の件については、今後、御好意に甘えることになるだろう、と書いた。彦蔵は、人の情の篤《あつ》さを思い、ほのぼのとした気持になった。

六月一日、幸運がつづき、ブルック大尉からの手紙が来た。

彦蔵は、文字を眼で追った。大尉が企画していた清国と日本の沿岸測量調査が海軍に正式認可され、彦蔵を調査団の書記に任命し、日本へ連れ帰ってやる、と記されていた。

興奮した彦蔵は、その文面を何度も読み返した。日本は開国し、漂流民の勇之助が下田に上陸を許されたように、自分も故国の土をふむことができるだろう。

かれは、全身が熱くなるような喜びにひたり、部屋の中を手紙を手に体をはずませて歩きまわった。

大尉の手紙には、調査団が編成され出発する地はサンフランシスコが予定され、それについては次の手紙で報《しら》せるが、彦蔵もサンフランシスコに来てもらうことになるだろう、と追伸に書かれていた。

サンフランシスコに行くには船賃がかかり、出発の準備のためにもまとまった金がなければならぬと考えた彦蔵は、T・C・ケアリーに手紙を出し、事情を説明して金を貸して欲しい、と頼んだ。

折返し返事が来て、そこには銀行小切手が同封されていた。手紙には必要ならばいつでも再び金を送る、と記されていた。

彦蔵は、小切手を受け取ったことを感謝している旨の返事を書いて送った。

かれは、ブルック大尉からの手紙をサンダースに見せた。サンダースは、夫人とともに、彦蔵の念願がかなえられることを喜んでくれた。

彦蔵は、いつでも出発できるよう準備をはじめたが、夕食後、サンダースが思いがけぬことを口にした。サンダースは、むろん勇之助が日本側に受け入れられたことを知っ

ていたが、

「ヒコノ場合ニハ、心配ナコトガアル」

と、暗い表情で言った。

日本ではキリシタン禁制を重要な政策の一つとしていて、開国したとはいえ、それが廃棄されたという情報は得ていない。

「妻ガ、ヒコヲカトリック教会ニ連レテ行キ、洗礼ヲ受ケサセタコトヲ、今ニナッテ後悔シテイル」

サンダースは、顔をしかめた。

彦蔵は、自分の顔から血の色がひくのを意識した。洗礼を受けた時は、日本で神道や仏教の信者になるように、アメリカで生活するにはキリスト教の信者になるのが自然だと考え、サンダース夫人のすすめにしたがった。その後、彦蔵は、日本ではキリスト教の布教が禁じられ、キリストの像をきざんだ板を足で踏むことによって信者でない証拠としているという話も耳にした。海外生活を経験した漂流民は、まずキリスト教の信者になっているかどうか、きびしく追及されるという。勇之助も下田に上陸後、その点を調べられ、踏絵も強いられたにちがいない。

自分はカトリック教会で洗礼を受け、ジョセフ・ヒコという洗礼名まであたえられている。それをかくそうと思えばかくせぬことはないだろうが、日本を訪れるアメリカ人の口からもれた場合、禁制であるだけに極刑に処せられるにちがいない。

「ソレデ考エタノダガ、アメリカニ naturalization シタ方ガイイト思ウ」

サンダースは、静かな口調で言った。

「naturalization（帰化）？」

彦蔵には、初めてきく単語であった。

「アメリカ国籍ニナルトイウコトダ。アメリカ人デアルナラバ、洗礼ヲ受ケタ身デモ、日本ヘノ入国ハ一切問題ハナイ」

彦蔵の頭は、混乱した。ジョセフ・ヒコという洗礼名をあたえられはしたが、自分はあくまでも日本で生れ育った日本人であり、実名は彦蔵で、アメリカ人などになる気はない。

「ドウカネ」

サンダースが彦蔵の顔を見つめたが、彦蔵は返事もできず口をつぐんでいた。考えもしなかったことであった。アメリカ船に救出され、アメリカの地でサンダースをはじめ多くの人の温情で生きてきたかれは、感謝の念をいだいているが、アメリカ人になるなどとは想像すらしていなかった。

かれは、落着きなく眼をしばたたいた。母の顔が、眼の前にうかんだ。もしも母が生きていてこのことを耳にしたら、母は驚き、卒倒するにちがいない。御先祖様に申訳なく、自分が日本人であるのを放棄したことを嘆いて、自ら命を断つかも知れない。

かれは椅子《いす》から急に立ち上ると、部屋の中を歩きまわった。洗礼を受けたことが、これほどの重大事になるとは思ってもいなかった。かれは、放心したように歩きつづけた。

サンダースが立ってくると、彦蔵の肩に手を置いた。

「ヒコ。世界ノ人ハ、ドコノ国ノ人モ同ジダ。国籍ハ重要ナ問題デハナイ。アメリカニ帰化シテモ、ヒコガ日本人デアルコトニ変リハナイ。ヒコガソレ程悩ムノハ、コレマデ日本ガ国ヲ閉ジテイタカラダ。シカシ、日本ハ開国シタ。今マデトハチガウ」

サンダースは、少し黙って彦蔵の横顔を見つめていたが、

「今、大事ナノハ帰国スルコトダ。ソレニハ帰化スル方ガ、万事ウマクユク。今夜一晩ヨク考エテ欲シイ」

と言い、やさしく肩をたたくと彦蔵の傍らをはなれ、静かに部屋を出ていった。

その夜、かれはベッドに身を横たえて思案した。サンダースの口にしたことを何度も反芻《はんすう》した。短い言葉ではあったが、すべてが理にかなっている。しかし、国籍が問題ではないと言ったのは、世界にひろく門を開いているアメリカの国民であるからで、それはそれで正しい考え方なのだろう。

アメリカに帰化してもヒコが日本人であることに変りはない、といった言葉が身にしみた。たしかに髪を短くととのえ洋服を着、靴をはいてアメリカ流儀の料理を毎食口に

していても、自分は日本人であることに変りはない。

支障なく帰国するには、帰化する方が万事うまくゆく、とサンダースは言った。キリシタン禁制の政策をとる日本に無事入国するには、その方法が最も無難なのだろう。サンダースは、彦蔵が見せたブルック大尉《たいい》の手紙で帰国できることを知った時から、それを実現させるためにあれこれと思案していたのだろう。その結果、彦蔵が洗礼を受けたことが重大な障害になると考え、それを回避するには帰化させるのが有効と判断したにちがいなかった。

サンダースは、慈父のごとく自分の身を心から思ってくれている。彦蔵にとって最も大切なのは、日本に帰ることだ、と言った。それは破船し漂流していた時から切に願いつづけてきたことで、ようやくその望みがかなえられようとしている。いかなる犠牲をはらっても日本へ帰りたい。

日本へ帰ろう、とかれは胸の中で叫んだ。

不意に、涙があふれ出た。日本へ帰りたい、日本へ……と、かれは身をふるわせて泣きながら叫びつづけた。

翌日、朝食を終えた彦蔵は、

「帰化シマス」

と、サンダースに言った。

「ソレガイイ。万事ウマクユク」

サンダースは何度もうなずき、前日口にした言葉を繰返した。

帰化の手続きはどのようにするのか、サンダースはすでに調べ上げていて、ボルチモアの地方裁判所へ行こう、と言った。夫人は、彦蔵に洗礼を受けさせたことが帰国の大きな障害になるのを知ってすっかりふさぎこんでいたが、彦蔵が帰化することを口にすると、安堵《あんど》したらしく表情が明るんだ。

彦蔵は、外出用の洋服に着替え、サンダースと馬車に乗った。

馬車は市街地を進み、地方裁判所の前でとまった。

内部に入ったサンダースは、書記のスパイサーと話し合った。スパイサーはうなずき、立つと書類を手にしてもどってきて、サンダースと彦蔵の前に置いた。

保証人の欄にサンダースが署名し、帰化申請者の欄に彦蔵はジョセフ・ヒコと書いた。

スパイサーが立ち、書類を手に部屋を出て行った。二人は、少し待たされた。アメリカ国籍を得たとしても、自分はあくまでも日本人であり、悲願とする帰国の手段のための帰化なのだ、と、彦蔵は胸の中で繰返しつぶやいた。

スパイサーがもどって来て、

「帰化ガ認メラレマシタ。証明書ヲオ渡シシマス。善良ナアメリカ合衆国市民トシテ生涯ヲオ過シ下サイ」

と言って、書面を彦蔵に渡した。証明書には、地方判事ジルとともにスパイサーの署名が記されていた。

スパイサーが手を差出し、彦蔵はそれをにぎり、サンダースも握手した。二人は部屋を出た。彦蔵は、余りにも簡単に手続きを終えたことに驚きながら、待たしてあった馬車にサンダースとともに乗った。

「コレデイイ。万事ウマクユク」

サンダースは、前方に眼をむけたまま再び「万事」という言葉を口にした。

邸《やしき》にもどった彦蔵は、帰化証明書を用意の鞄の中におさめた。

ブルック大尉から、彦蔵を調査団の書記に任命するという公式書類が送られてきた。冒頭に海軍大臣の命令により任命すると書かれ、七月五日発の郵船でニューヨークからサンフランシスコに行き、到着次第私のもとに出頭せよ、と記され、指揮官Ｊ・Ｍ・ブルック海軍大尉と署名されていた。

ブルック大尉の好意に、眼頭が熱くなった。その任命書は、帰国へとむすびついている。

公式書類に、ブルック大尉の私信が添えられていた。そこには、大尉が部下の士官、水兵とニューヨークからサンフランシスコにむけ先行すると記され、ニューヨークの税関吏をしている大尉の弟に彦蔵の乗船許可などの便宜をはかるよう指示してあるので、弟のもとに行くように、と書かれていた。

　彦蔵は胸をおどらせ、サンダースのもとに行くと、ブルック大尉からの任命書と私信を見せた。

　それを読んだサンダースは、

「オメデトウ」

と言って彦蔵の肩を抱き、背中をやさしくたたいた。体をはなしたサンダースの眼には、涙が光っていた。

　出発をひかえて、親しい知人、友人に挨拶《あいさつ》をしなければならなかった。彦蔵は、かれらを一人ずつ訪れ、これまでの温情に感謝し、別れの言葉を述べた。かれらは、彦蔵を晩餐《ばんさん》やお茶の会に連日のように招いて、別れを惜しんでくれた。

　七月五日にニューヨーク港を出る蒸気船に乗るには、三日夕刻の蒸気車でボルチモア駅を出発しなければならなかった。二日の夜、サンダースは別れの宴をひらき、彦蔵は夫人が特につくってくれた料理を口にし、酒を飲んだ。

　晩餐が終り、彦蔵はサンダースと向い合って坐って、煙草《たばこ》をすったりしながら語り合った。

「君ハ、明日私ノモトカラ離レテ行ク。コレダケハ言ッテオキタイ」

　サンダースは、あらたまった口調で口を開いた。

彦蔵に自分が考えていたような十分な教育を受けさせられなかったことが残念だ、と前置きし、ピアース大統領を私邸に訪問した時のことを口にした。大統領は、彦蔵を国立の学校に入れさせたいと言った。それはウェストポイント（陸軍士官学校）への入学を意味していたが、サンダースはこれを断わった。軍学校の教育は素晴しくはあるが、かたよっていて、それよりも私立学校に入れた方が広い知識が得られ、彦蔵の将来のためになると考えたからだ、とサンダースは言った。

「破産シタコトガ、君ノ学校教育ヲ中途半端《ハンパ》ナモノニサセテシマッタ。スマナイト思ッテイル」

さらにサンダースは、

「実ハ手紙ヲ書イタ。君ニ対スル私ノ思イヲ書イテアル。蒸気車ニ乗ッテカラ読ンデ欲シイ」

と、しんみりした口調で言った。

翌日は、朝からあわただしく出発の準備をした。旅行鞄《りょこうかばん》の中を点検し、行李《こうり》の中に最少限度の必要物をつめ、処分すべきものは処分した。

午後になって、彦蔵は雇人たちに挨拶してまわり、その間に、鞄と行李が馬車に積みこまれた。

ニューヨーク行きの蒸気車は午後五時発なので、三十分前に彦蔵はサンダースと馬車に乗った。夫人をはじめ家族と召使いたちが見送りに出て、彦蔵は感謝の言葉を述べ、動き出した馬車の中で手をふった。

駅に行く途中、サンダースは、

「昨夜書イタ手紙ダ」

と言って、分厚い封筒を彦蔵に渡した。

駅につくと、サンダースは、

「サヨウナラ。無事ヲ祈ル」

と言って、彦蔵の手を強くにぎった。

彦蔵の胸に熱いものが突き上げた。未知の異国の地でサンダースは、実の父以上に彦蔵の身を気づかい、教育を受けさせ生活の面倒も見てくれた。今後、恐らく二度とサンダースに会うことはなく、老父と別れるような悲しみにおそわれた。

発車時刻が近づき、彦蔵は客車に乗り、窓から顔を出した。蒸気車が動き出し、サンダースが眼に涙を光らせて一心に手をふり、彦蔵も手をふった。その姿は遠ざかり、見えなくなった。

座席に腰をおろした彦蔵は、サンダースが渡してくれた手紙の封を切った。

それは驚くほど長文のもので、五年半前にサンフランシスコで会った折のことから筆を起し、彦蔵の入学、サンダースの破産、彦蔵がグウィン上院議員に不当な扱いをうけ、ボルチモアの家にもどってきてくれた折の喜びがつづられていた。サンダースは、彦蔵に絶えず父親のような感情をいだきつづけ、それに対して彦蔵は、終始誠実、高潔、忠実で、恩義にあつく、友人のみならずあらゆる人々の信用と尊敬を得てきた、と記されていた。

最後に、彦蔵と別れるのは残念だが、彦蔵の将来のことを思うと元気づけられると書かれ、「君の繁栄と将来の幸福を心から願って」という文章でむすばれていた。

読み終えた彦蔵は、顔を伏して嗚咽《おえつ》した。手紙の文面には、サンダースが自分のことを心から思ってくれている真情があふれていて、まさに慈父であり、再びサンダースと会えぬことが悲しかった。

かれは、サンダースに子がないことを改めて思った。サンダースがサンフランシスコで税関長をしていた時、初めて会った自分を家に引きとったのは、息子のように感じたからではないのか。その後、自分に接しているうちにその思いはさらに強まり、夫人もわが子のように考えるようになったにちがいない。手紙には、実の子に対する以上の深い愛がこめられている。

かれは、手紙を手に涙を拭《ぬぐ》いつづけていた。

十五

翌朝三時にニューヨーク駅についた彦蔵は、馬車でメトロポリタンホテルに行き、部屋をとった。

朝食後、税関に行ってブルック大尉の弟に会った。

弟は、ブルック大尉の私信に書かれていた通り、すべてを承知していて、海軍からの彦蔵の旅費三百ドルを渡してくれ、さらに蒸気船「モーゼス・テイラー号」に乗るよう指示した。サンフランシスコまでの船賃は一等三百ドル、二等二百ドル、三等百五十ドルだと言い、彦蔵は二等で行くと答えた。

大尉の弟は、親切にも「モーゼス・テイラー号」の所属する太平洋郵船会社の事務所に行って社長に会い、二等料金で一等船客の乗船券を特例として交付して欲しい、と頼んだ。しかし、社長は規則を曲げるわけにはゆかぬ、と承諾しなかった。

彦蔵は、弟の好意に礼を述べ、ホテルにもどった。

「モーゼス・テイラー号」の出港は翌日であったが、独立記念日の祝日であったので六日に延期された。

その日、港に行った彦蔵は乗船した。故国への船出の第一歩だという感慨が胸にせまり、かれは動き出した船のデッキからニューヨークの町を見つめていた。

その時、

「ヒコ。ヤハリ、君カ」

という大きな声がして、船長の服を着た男が近寄り、彦蔵の手をにぎった。それは、漂流後救出されてサンフランシスコにつき乗船した税関監視船「ポーク号」の高級士官マックゴワンで、「モーゼス・テイラー号」の船長になっていた。

マックゴワンは、彦蔵のかたわらをはなれたが、船が港外に出ると、再び姿を現わし、船長室に導いた。かれは、彦蔵が二等切符を持っていることを知っていて、事務長を呼ぶと一等船室を用意するよう指示した。

マックゴワンはなつかしそうに、その後どのように歳月を送ったかをたずね、彦蔵の答えを興味深げにきいていた。船はアスピンウォールまで行き、サンフランシスコに行く乗客は地峡部を蒸気車で越えてパナマに行き、そこに待っている「ソノラ号」に乗る。

「ソノラ号ノボビー船長ハ親シイ。私モパナマニ行キ、君ニボビー氏ヲ紹介スル」

マックゴワンは、そんなことまで言ってくれた。

航海は、マックゴワンの配慮で快適だった。食事の折には、最上席の船長の食卓でとることができ、料理はよく、給仕人は心をこめて気をくばってくれた。彦蔵は、美しい船室の快いベッドで就寝し、朝食後、海に眼を向けながらデッキを散策した。

翌日の夜明けに船は、アスピンウォールへ入港した。

彦蔵は、マックゴワン船長と朝食をとり、上陸して蒸気車に乗った。地峡部を越え、パナマについた。

港には蒸気船「ソノラ号」が碇泊《ていはく》していて、マックゴワンは彦蔵を「ソノラ号」に連れて行き、ボビー船長に紹介すると、

「十分ニ便宜ヲハカッテ欲シイ」

と、頼んだ。

「ヨロシイ、万事引受ケタ。心配ハイラヌ」

ボビーは、快く承諾した。

マックゴワンは手をあげて下船し、アスピンウォール港の自分の船にもどっていった。

ボビー船長は、事務長を呼び、彦蔵を紹介して上等の船室を提供するよう指示した。

事務長は諒承《りょうしょう》し、ボーイが一等船室に彦蔵を案内してくれた。

「ソノラ号」はパナマを出港し、西進した後、北上した。食事は、船長のテーブルにつぐ事務長のテーブルでとり、料理も「モーゼス・テイラー号」と同じように良質だった。

船長も事務長も、彦蔵が日本の漂流民であることに強い関心を寄せ、体験をきこうとしてしばしば船長室に招いた。

そのうちに、船長と事務長からきいた一等船室の乗客たちが彦蔵に近づき、親しげに声をかけるようになった。彦蔵が散策のためデッキに出ると、人々が集ってきて自然に人の環《わ》ができる。夕食後、人の招きに応じて彦蔵は、かれらと酒を飲みながら過ぎ去った日々のことを語った。

かれらが知りたがったのは、日本のこと、日本人のことであった。日本については、ペリー艦隊の遠征で東洋に日本という島国が存在しているといった程度の知識しかなく、未開の地と思いこんでいるようだった。彦蔵が全国に多くの藩があって大名が領民を治め、さらに将軍がそれらの大名を統率していると述べると、日本が大統領を首長としたアメリカ合衆国と同じような政治形態をしている、と感心した。

学校は、という問いに日本では寺子屋という小規模な私立学校が全国各地にあり、日本人の半ば以上は読み書きに通じている、と説明すると、船客たちは信じがたいという顔をした。そのような文化度の高い国とは到底思えぬようであった。

彦蔵は人気がたかく、かれも快くかれらと接していた。

船は北上をつづけ、順調な航海をへて前方になつかしいサンフランシスコの町が見えてきた。「ソノラ号」が港内で錨《いかり》を投げたのは、七月二十九日であった。

上陸してサンフランシスコの町のホテルに入った彦蔵は、ブルック大尉《たいい》に命令されていた通り、近くのメア島の海軍ドックで測量調査艦の艤装《ぎそう》を監督している大尉のもとに、すぐに出頭した。

喜んで迎え入れてくれた大尉は、艤装が終了次第迎えに行くから、サンフランシスコの町で待っているように、と言った。

町にもどった彦蔵は、同じ「永力丸」の水主《かこ》であった同郷人の治作に会いに勤務先のウェルズ・ファーゴ商会に行った。治作は元気で、彦蔵がもどってきたことを喜んだが、彦蔵のくるのを待っていたらしく予想もしなかったことを話しはじめた。

二カ月近く前の六月四日、税関から、イギリスの商船「カリビアン号」が入港したが、その船にあきらかに日本人と思われる漂流民十二人が乗っているので、事実かどうかたしかめて欲しいという依頼を受けた。日本語が少しできる貿易会社スウィニー・アンド・ボー商会に勤めているバン・リードも同じ指示をうけていて、治作のもとにやってきた。

二人は、税関の役人に案内されて、半信半疑の思いで「カリビアン号」に行った。

甲板に男たちが出てきたが、治作はまぎれもなくかれらが日本人であるのを知った。うす汚れて破れたりしていたが着物を着、足袋をつけて草履をはき、さらに丁髷《ちよんまげ》を結っていた。

かれらは、膝《ひざ》に手をあてて治作とリードに深く頭をさげた。治作をアメリカ人と思っていることはあきらかだった。

治作が日本語で話しかけると、かれらは眼をみはり、驚きでしばらくは口がきけないほどであった。治作は自らの素姓を告げ、漂流民としてこの地ですごしていることを説明した。

税関では、かれらの調書を作成する必要があり、その日から治作は「カリビアン号」に通い、バン・リードの助けを借りてかれらの話を聴取し、税務官吏に英語で伝え、官吏は記録した。

漂流民たちは、尾張《おわり》国知多郡半田村（愛知県半田市半田）の七三郎を船頭とする「永栄丸」乗組みの者たちで、米、酒、酢、味噌《みそ》、みりん、材木、瓦《かわら》、荒物類をのせて前年の安政四年（一八五七）十一月二日に半田を出帆した。志州小浜（三重県鳥羽市小浜）に寄港、十三日早朝、順風を得て出船し、下田へむかったが、途中でにわかに西風が強まり、激浪にさらされるようになって舵《かじ》が破壊され、航行の自由を失った。

船は風波に翻弄《ほんろう》されて沈没の危険がせまったので、帆柱を切り倒し、刎《は》ね荷を繰返した。

坊主《ぼうず》船となった船は、東へ東へと漂い流された。米は六百六十俵も積んでいたので食物に不安はなく、飲み水は雨水をためて渇きをしのいだ。

安政五年が明け、船は、時には暴風雨に見舞われて漂流しつづけた。

破船してから五カ月後の四月七日、大海原しか見えなかった水平線上に白帆が見え、近づいてきた。「永栄丸」に気づいたイギリス商船「カリビアン号」で、船頭七三郎ら十二名は救出された。

「カリビアン号」は、清国からサンフランシスコに行く途中であった。積荷以外に五百人ほどの清国人を乗せていて混雑をきわめていたが、船長ウインチェスターは、七三郎たちのために乗組員の船室をあけてくれた。船長は親切で、洋服、帽子、靴などをあたえ、食事にも気を配り、しばしば見廻ってくれた。丁髷を切ったらとすすめたが、これは船頭の七三郎が拒否した。

船は七月十五日（日本暦六月五日）にサンフランシスコに入港、清国人全員が下船し、積荷もおろした。

かれらに会いに行った治作らに地元の新聞記者も同行していて、興味をいだいた記者によって記事になり、それはニューヨーク・タイムズにも転載された。

治作は、彦蔵にその記事を見せてくれた。

紙面に大きくあつかわれていて、治作とバン・リードが「カリビアン号」を訪れて七三郎らと対面したことが冒頭に紹介されていた。それにつづいて漂流民らの様子が詳細に記されていた。風采《ふうさい》はととのい、「大半は普通の顔立で、何人かは容貌《ようぼう》が実に立派」であり、着物、足袋、草履が珍しいものとして紹介され、丁髷が清国人の弁髪とちがっているとも記されていた。

ウインチェスター船長の談話として、「かれらは非常にきれい好きで、……船上では役に立とうとつとめ、船の帆走を手助けするために綱を引っ張ったりする時は、とても機敏に動いた」と、その印象が述べられていた。むろん七三郎たちは英語を知らず、手ぶり身ぶりで船長は七三郎らと意思を通じ合おうとしたが、その点について「質問を受けている最中に示す表情から」七三郎たちがその意味をかなりの程度つかんでいるのが察せられたという。

漂流していた「永栄丸」から収容したものは、羅針盤、陶磁器、弦楽器（三味線）、多量の書類、猫一匹。乗組みの者は、船長 CHISZAB（七三郎）三十八歳、妻帯、子供二人、両親存命。一等航海士 DHIDHO（代蔵）三十五歳、妻帯、両親存命などと記されていた。

「それらの者たちに会ってみたい」

新聞から眼をあげた彦蔵は、治作に言った。

「今は、この地にいない。カリビアン号は、かれらを乗せたままこれから北にあるランコウバイレンに金鉱掘りの清国人や異国人を乗せて出帆していった。しかし、八月中旬にはサンフランシスコにもどる、とウインチェスター船長が言っていた」

治作は、彦蔵からもどされた新聞紙をたたみながら答えた。

「まちがいなく、この港に帰ってくるだろうか」

心配になった彦蔵は、治作の顔を見つめた。

「その気づかいは要らない」

治作は、理由を説明した。

新聞にのった「永栄丸」漂流民の記事は、サンフランシスコの市民の反響を呼び、漂流民たちが切に帰国を望んでいることに同情が寄せられた。日本と条約を締結したアメリカがかれらを帰国させれば、日本との友好関係は深まり、アメリカの国情を眼にしたかれらは相互理解のために必ず役立つはずだ、という声がたかかった。市民の間に漂流民を日本に帰すため政府に訴えようという署名運動が起り、ブキャナン大統領宛《あて》の嘆願書が作成され、すでにワシントンに郵送されたという。

ウインチェスター船長もその運動の推進者の一人で、必ず「永栄丸」乗組みの者たちをサンフランシスコにもどしてくれるはずだ、と治作は断言した。

彦蔵は安心し、安宿に泊ってブルック大尉の指令を待ち、メア島の海軍ドックで艤装工事を受けている測量調査艦「クーパー号」を見に行ったりした。その船は水先案内船を改装した九十六トンの二本マストの帆走船で、海軍に所属していた。小型艦といった趣きで、艤装がさかんに進められていた。

彦蔵は、治作とバン・リードにしばしば会ったが、親しかったトマスは金鉱の町に行き、亀蔵は沿岸航海をする貨客船に乗っていて会うことができなかった。

炎暑の日がつづき、時には雷雨で町は煙った。

八月十九日、「カリビアン号」がサンフランシスコ港にもどってきた。彦蔵は、治作とともに「カリビアン号」に行き、七三郎らと会った。彦蔵は、かれらが丁髷を結っていることに、驚きとなつかしさをおぼえた。かれらはきれいに髭《ひげ》を剃《そ》っていて、肌もすがすがしかった。

彦蔵は、その後一人で「カリビアン号」に行き、「永栄丸」の漂流民たちに会うことを繰返した。サンフランシスコで会った漂流民の勇之助が、アメリカ船で下田に送られて日本側に受けいれられたことなどを話し、かれらをはげました。

「永栄丸」漂流民の送還について、サンフランシスコの有志からブキャナン大統領に送られた嘆願書の回答が来たが、それは思わしいものではなかった。送還のための船を出すことはできず、その代りにいずれかの船に乗って日本へむかう折の船賃は負担するという。

有志たちは協議をかさね、漂流民たちを救出した「カリビアン号」が香港にむかうので、かれらを乗せて香港に送りとどけることになった。彦蔵は、果してかれらが清国から日本へ帰れるかどうか危ぶんだ。

九月二十日、ブルック艦長から艤装を終えたので乗艦する準備をととのえておくようにという連絡があり、二日後に「クーパー号」がサンフランシスコに入港してきて、彦蔵は乗艦した。

その日、「永栄丸」漂流民十二名を乗せたイギリス船「カリビアン号」が出港し、彦蔵は「クーパー号」のデッキで、港口から外洋へ出てゆく「カリビアン号」を不安な思いで見送った。

その後、「カリビアン号」は、太平洋上を西進し、日本暦の安政五年十月四日に香港につき、七三郎ら漂流民は、下船した。

日本語の話せるイギリス人が世話をし、役所へ行くと、そこには庄蔵船の漂流民力松がいて、通訳にあたった。「永栄丸」の漂流民の一人である徳太郎の「談話筆記」には、「(力松は)日本を怨《うら》み居候躰《てい》のよし」とあり、「モリソン号」事件で追い払われた怨念《おんねん》を依然としていだきつづけていたのである。

「永栄丸」漂流民たちは、十月十四日にイギリス蒸気艦に乗って香港をはなれ、艦は福州に寄港後、十月二十七日に上海についた。上海でかれらは、「宝順丸」漂流民の乙吉の世話になったが、「知多漂民異談」に乙吉の生活が「我国の一万石」の大名のようだと記され、豊かに暮していることをしめしている。

十一月十一日、船は上海を出港して長崎にむかい、十四日に入港した。イギリスがこれら十二名の送還につとめたのは、日英修好通商条約がむすばれ、日本との友好関係を深めようとしたからである。

翌日、漂流民たちは上陸し、長崎奉行所に引渡された。奉行所のかれらに対する扱いは穏便で、揚り屋に入れることもせず躰性寺に収容した。かれらは生国の領主の家臣につぎつぎに引取られたが、船頭の七三郎は、帰郷寸前の翌六年七月二十五日に長崎で流行していたコレラで死亡した。

彦蔵を乗せた「クーパー号」は、太平洋上を進み、途中、海底の測量調査を繰返しながら、十一月九日、ハワイのホノルルに入港した。「クーパー号」は、船体補修と必要機材の点検で港に滞留した。

彦蔵は上陸してハワイの町を歩きまわっていたが、二十日にブルック艦長から「ハボマック号」というアメリカの捕鯨船が、日本人漂流民を乗せて入港してきたという話をきいた。

ハワイにも漂流民がいるのかと驚いた彦蔵は、ボートを出してもらい「ハボマック号」に行った。漂流民は勘太郎と喜平の二人であった。

かれらの話によると、前年（安政四年）の十二月十日に尾張国知多郡亀崎村（愛知県半田市亀崎）の「神力丸」三百石積みに乗って江戸を出帆した。船頭代理源弥以下五人乗組みであった。

尾張にもどる途中、遭難して漂流、翌年（一八五八）二月にアメリカ捕鯨船「チャーレス・フィリップ号」に救出された。その後、海上で捕鯨船「ハボマック号」に出あい、

「ハボマック号」は人手不足であったので勘太郎と喜平が移され、二人は仕事を手伝いながら、ハワイに入港してきた。ハワイを基地に捕鯨をおこなうアメリカ捕鯨船が急激に増していたので、漂流していた「神力丸」が発見されたのである。

勘太郎と喜平は、英語も流暢《りゅうちょう》な彦蔵になんとか日本へ帰れるようにして欲しい、と手を合わせて懇願した。測量調査艦「クーパー号」で帰国する彦蔵は、かれらを帰国させる方法をさぐった。

ハワイに来てから親しくなっていたハワイ王国の検事総長ベイツに、彦蔵は助力を請《こ》うた。

ベイツは「ゲテアン号」というオランダ貨客船が清国にむかう途中、日本の長崎に寄港するという話をきいていると言い、彦蔵を「ゲテアン号」に連れて行ってくれた。彦蔵が勘太郎と喜平を長崎に送りとどけて欲しいと頼むと、船長は快く承諾してくれた。

翌日、彦蔵は勘太郎らが雇われている「ハボマック号」にベイツと行き、二人の下船を船長に懇願した。誠実に働く二人に好意を持っていた船長は、彦蔵の願いをいれてくれた。

勘太郎と喜平は泣いて喜び、彦蔵とベイツに何度も頭をさげた。

二人は「ゲテアン号」に乗り、長崎にむかった。かれらが長崎についたのは、翌安政六年一月二十八日で、それぞれ生国の領主の家臣に引渡された。

ハワイの港には、捕鯨船の入港が増し、五十艘《そう》ほどの船が繋留《けいりゅう》されていた。極寒の漁場は氷にとざされて漁ができなくなり、春まで暖かいハワイで滞留するのである。

入港してきた船の一艘に、またも日本の漂流民一人が乗っているという話をきき、彦蔵は出向いていった。

船長に会い、日本人に会いに来た、と言うと、船長は、

「アア、ティムカ。彼ダ」

と、鯨油を採る釜《かま》をみがいている男を指さした。

彦蔵が近づき、

「私は日本人で彦蔵という者だ。この船に日本人がいるときいて来た。名はなんと言う」

と、たずねた。

男の眼におびえの色がうかび、膝をついた。日本語で話しかけられたものの、金ボタンのついた海軍の軍服を身につけ金筋の入った制帽をかぶった彦蔵を、日本人とは思えぬらしかった。

彦蔵は、自分も漂流した身で海軍の船で日本へ帰る途中であると説明し、ようやく男は落着いたようだった。

彦蔵は、男に捕鯨船に乗っている事情をたずね、男は膝をついたまま政吉という名を

口にし、捕鯨船に救出されるまでの経過を説明した。

政吉は淡路島の出身で、淡路と紀州（和歌山県）間の沿岸を航行する「住吉丸」六百石積みの水主《かこ》になっていた。船頭は吉三郎で、政吉ら二人の水主の三人乗りであった。紀州で蜜柑《みかん》を積み込み、伊勢にむかう途中、安政三年十月二十一日に大時化《しけ》に遭って破船、漂流した。沿岸航海の船なので食料も一定限度しか積んでいなかったため、激しい餓《う》えにさらされた。食物は完全につき、水主についで船頭が餓死し、政吉だけになった。

政吉にも死がせまったが、近くを通った捕鯨船に救出され、体も恢復《かいふく》して捕鯨の仕事に従事し、ハワイに着いたのだという。

彦蔵は、

「重ねて言うが、私は日本人だ。さ、立ちなさい」

と、声をかけた。

男は、急に手を突くと、

「お願いです。あなた様は、アメリカの船で日本へ帰る途中だとおっしゃいました。どうぞ私もあなた様の船で連れて行って下さい」

と言うと、頭を何度もさげた。

彦蔵は、男を見下ろした。淡路島は、故郷の村の海岸から見えるなじみ深い島で、そこに生れ育ったという政吉にひとしおの感慨をいだいた。

「お願いです。この通りです」

ひれ伏した政吉は、手を合わせて拝んでいる。

自分は、測量調査艦「クーパー号」に乗って日本へ帰ろうとしている。政吉をこのまま放置すれば、ハワイにとどまり、やがて春になって出漁する捕鯨船に乗り、船員となって労働に従事する。恐らく帰国の機会はなく、生涯を捕鯨船員として終えるかも知れない。

「できるかどうかわからぬが、考えてみる」

彦蔵は答え、またくるからと言って下船した。

「クーパー号」へもどる道を歩きながら、かれは思案した。「クーパー号」は小艦で、ブルック艦長をはじめ大尉《たいい》、技師、書記の彦蔵とコックをふくむ十七人の水夫計二十一名が乗り、それが定員で政吉を乗せる余地はない。

彦蔵は、体調をくずしていた。サンフランシスコからハワイにくるまで台風や暴風雨に遭って船酔いに苦しみ、ハワイについてからも激しい消化不良がつづいていた。再び艦に乗る気にはなれず、このままハワイにとどまって静養したかった。

自分の代りに政吉を乗せてもらおうか、と思った。書記に任じられているとは言え、それはブルック艦長が自分を帰国させようという好意によるもので、同じように日本へ帰りたいと切望している政吉を受けいれてくれるのではないだろうか。温情にみちたブルックが承諾してくれそうに思えた。

「クーパー号」にもどった彦蔵は、早速、ブルックに自分の考えを述べた。

静かにきいていたブルックは、

「ヨロシイ、承知シタ。ヒコト別レルノハ悲シイガ、ソノ哀レナ日本人ヲ日本へ送リ届ケテヤロウ」

と、言った。

彦蔵は、政吉を雇っている捕鯨船の船長に会い、解雇してくれるよう頼んだ。

「ティム（政吉）ハ良ク働イテクレテイテ、船員ノ人気者ダ。解雇スルノハ辛《ツラ》イガ、自分ノ国へ帰ル好機ヲ与エラレタノダカラ、私ハ反対スル気ハ少シモナイ」

船長は、快諾してくれた。

政吉は涙を流して喜び、彦蔵はかれを「クーパー号」に連れていった。ブルックは、政吉を水夫見習いとして月給十二ドルの乗組契約をしてくれた。

やがて「クーパー号」はホノルルを出港していった。

一八五九年（安政六年）の新年をハワイですごした彦蔵は、ようやく体調が復したのを感じた。

ハワイに来て、勘太郎、喜平についで政吉と三人の漂流民に出会ったことが意外であった。かれらはいずれもアメリカの捕鯨船に発見され保護されている。

彦蔵は、漂流後救出されてアメリカの帆船、蒸気船に乗る機会に恵まれたが、それらの船が大海を自由に航海しているのを知った。それと比べて日本の回船は、沿岸航行に多くの利点を備えているものの外洋航海には全く不向きで、ひとたび大時化にあって沖に押し流されるとたちまち破壊され、航行不能におちいる。

少し前までは、太平洋上を航行する外国船など全くなく、坊主船《ぼうず》となった回船はあてもなく漂い流され、船乗りたちは食糧も尽きて餓死し、船も水船になって大半が海の藻《も》屑《くず》となったのだ。

イギリスに端を発した紡績業はアメリカでもおこなわれるようになり、製造された綿布が清国に販路を得て大西洋からアフリカの喜望峰をへて送りこまれていた。そのうちに大型帆船の発達でアメリカ西海岸から太平洋を横断して直接清国へおもむくようになり、蒸気船の出現でその度合はさらに増した。彦蔵たちが発見救出された帆船「オークランド号」も、清国からサンフランシスコへの帰航途中だった。

その後、鯨の脂肪から採取される油の需要が激増していた。鯨油は紡績機の潤滑油、蠟燭《ろうそく》等の灯火に使用され、世界各国から多くの捕鯨船が出漁した。そのうちに日本近海をはじめ、太平洋上に鯨の群れが多数みられることがあきらかになり、捕鯨船がその海域に殺到した。最も多いのはアメリカの捕鯨船で、ハワイを基地に太平洋上を鯨を求めて行動した。そのため、日本の漂流船がそれらの船に発見される確率がたかまり、救出された漂流民がハワイに連れてこられるのだ。港には、漁を終えた捕鯨船が隙間《すきま》なくもやっていて、彦蔵は、三人の漂流民に相ついで出会えたのも自然だ、と思った。

三月に入って間もなく、サンフランシスコから香港行きの快速大型帆船「シー・サーペント号」が入港してきた。この船には高級船客が多く乗っていたが、その中に思いがけずバン・リードがいるのを知った。サンフランシスコで最も親しかった友人の一人であった。

リードは、「クーパー号」でサンフランシスコをはなれて日本へむかった彦蔵がハワイにいることをいぶかしみ、事情を知って「シー・サーペント号」で同行するよう強くすすめた。リードは清国経由で日本へむかう途中だという。

彦蔵の所持金は百二十ドルだけで、そのような高級船に乗ることはできなかったが、かれはリードとともに日本へ行きたかった。

思いあぐねた彦蔵は、ハワイにとどまっている間に親しくなった有力者のハンクスに旅費の件で相談した。旅費を借り、日本に帰ってから返金しようと思ったのである。

話をきいたハンクスは、「シー・サーペント号」の船長と親しいと言い、

「スベテ私ニマカセテ欲シイ」

と、船に乗るようすすめた。

彦蔵は、不安をいだきながらも三月十二日、出港する「シー・サーペント号」に乗るため波止場に行った。そこに思いがけずハンクスが待っていて、一等船客の切符を渡してくれ、金を払おうとする彦蔵を手で制し、

「船長ト諒解《リョウカイ》ズミダ。乗船シタラ読ムヨウニ……」

と言って手紙を渡した。

彦蔵は、いぶかしみながらもハンクスに感謝の言葉を述べて握手し、波止場にやってきたバン・リードと乗船した。

かれは、デッキでハンクスからの手紙の封を切り、読んでみた。文字を追うかれの眼に、涙が湧《わ》いた。内容は、ハンクスが知人たちに彦蔵が帰国の旅費に窮しているのを伝えたところ、たちまち寄付金が集り、それによって一等船客の切符を入手し、彦蔵に渡したのだという。

船が帆を展張させて動き出していた。彦蔵は、デッキから波止場を見つめた。小太りのハンクスが立っていて、彦蔵は身を乗り出し、手を激しくふった。それに気づいたハンクスも手をふっている。彦蔵の胸に、アメリカですごした日々のことがよみがえった。

慈父のごときサンダースをはじめ多くの人の温情に支えられて生き、またハワイでもハンクスの温かい心に接した。

かれは涙ぐみながら、小さくなってゆくハンクスの姿を見つめていた。

「シー・サーペント号」の船旅は、快適だった。海が激しく荒れた日もあったが、大型船であるので危険を感じることはなく、船酔いにも苦しまなかった。

彦蔵は、バン・リードと毎日一緒にいて、夜はサロンで酒を飲んだ。一等船室は清潔で、上等なベッドで就寝した。リードが日本へ行くのは、その年の六月から貿易が開始される日本で商売をするためであった。清国との貿易はさかんであったが、開国されたばかりの日本での貿易は新鮮で魅力にみちている、というのがかれの意見であった。彦蔵は、親しいリードと日本の土をふめることを、願ってもない幸運に思った。

船は順調に航海し、四月六日午後零時三十分に香港の港に入り、錨《いかり》を投げた。

下船した彦蔵は、なつかしい香港の町を歩きまわった。七年前に来た時より町は活気にみち、港には蒸気船や帆船が数多く碇泊《ていはく》していて、港湾設備もととのっていた。「シー・サーペント号」は積荷の関係で碇泊をつづけていた。

香港についてから十一日後の四月十七日、ホイットモア船長が商用で広東《カントン》に行くが、一緒に行かないか、と誘われ、同行した。

小型船に乗って広東についた船長は、イギリス領事館に行った。イギリスは清国を半ば植民地化していて、船長は便宜をはかってもらうため訪れたのである。

船長が応接室で館員と打合わせをしている間、応接室の外にいた彦蔵は庭に出ようとして出入口に歩きかけ、不意に足をとめた。館外から男が入ってきて、その顔を見た彦蔵は短い叫び声をあげた。男も口を半ば開き、立ちすくんでいる。髪を短くし、洋服を着ている。

「彦蔵」

男の口から、うめくような声がもれた。意外なことに同じ「永力丸」に乗って漂流した水主の岩吉であった。

二人は口もきけず、食い入るように見つめ合った。

「ナゼ、ココニ」

岩吉は英語で言い、すぐに気づいて日本語で、

「なぜ、こんな所に来ているのだ」

と、甲高い声で言った。

彦蔵は、驚きで眼をみはり、口早に香港に来た経過の概要を説明した。しかし、かれは、うわずった声で話しながら岩吉を正視できぬような悲しみをおぼえていた。

自分と治作、亀蔵はトマスに連れられてアメリカに行き、岩吉たち十三人の「永力丸」水主たちは、上海に碇泊していたアメリカ蒸気艦「サスケハナ号」に残された。七

年前のことで、岩吉が広東にいることは、水主たちが今でも清国にいることをしめしている。

彦蔵が話し終えると、岩吉は、

「そんなに長くアメリカにいたのか。よく清国にもどれたな」

と、呆《あき》れたように言った。

今度は、質問するのは彦蔵の方だったが、かれはきくのが恐しかった。「サスケハナ号」に残していった水主たち十三人の顔が眼の前に次々にうかんでくる。ボートで去る自分たちを見つめていた悲しげなかれらの眼の光が、思い起された。

「ほかの人たちは、どうしています」

彦蔵は、ようやく口を開いた。

不意に、岩吉の顔に動揺の色がうかび、

「仙太郎は、一人サスケハナ号に残された」

と、低い声で言った。

炊《かしき》であった仙太郎に、見習いの炊であった彦蔵はこまごまとしたことで世話になった。

「なぜ一人だけが……」

彦蔵は、岩吉の浅黒い顔を見つめた。

「例の乙吉という天竺《てんじく》の女を女房にしていた羽振りの良い男が、いただろう。奴《やつ》がおれたちを唐船に乗せて長崎へ送ってやるとか言って、サスケハナの艦長に掛け合っておれたちを船からおろしてくれた。しかし、艦長は仙太郎だけは残せと言って、一人残された。哀れな奴だ。泣いていたが、今頃、どうしているか」

岩吉は、彦蔵から視線をそらせた。

彦蔵は、茫然《ぼうぜん》とした。仲間からはなされ、ただ一人艦に残された仙太郎の悲しみが胸にせまった。言葉もほとんど通じぬアメリカの士官や水兵たちの間で、どのように日々を過したのだろう。絶望の余り、自ら命を絶ったのではあるまいか。いつもおだやかな眼をした仙太郎の顔が眼の前にうかび上った。

「ほかの方たちは」

彦蔵は、辛うじて言った。

乙吉のはからいで艦からははなれたとは言え、他の水主たちは帰国する手だてもなく、この清国のどこかで、さ迷う野良犬《のらいぬ》のように餓えにさらされながら生きているのではないのだろうか。それとも死んでしまったのか。

「唐船に乗せてやるという乙吉の言葉にしたがって、おれたちは乍浦《チーフー》という港町に行った。長崎へゆく唐船の出船地だが、いつまでたっても船の出る気配はない」

岩吉は、彦蔵に顔をむけたが、その表情はゆがんでいた。

「この国は、長い間戦さつづきで乱れに乱れている。交易などのんきなことをしているゆとりはないのだ。唐船は初めから出ることなどなく、乙吉にだまされたのだ。それでおれは、一人はなれて上海にもどった」

岩吉の眼に、拗《す》ねた光がうかんでいる。

彦蔵は、暗澹《あんたん》とした思いであった。地獄のような漂流をへてアメリカ船に救出され、サンフランシスコに上陸し、清国に送られた。水主《かこ》たちは結束していたが、まず自分と治作、亀蔵の三人がアメリカに引返し、さらに仙太郎は艦に残され、また岩吉も仲間からはなれたという。まさに四分五裂で、自分たちを統率していた船頭の万蔵が死亡したことで、結束がゆるんでしまったのか。

「なぜ、この領事館に……」

岩吉は、小ぎれいな洋服を身につけ、短かい髪には油が光っている。不自由な生活をしているとは思えなかった。

「長い間、イギリスの商館に勤めていたが、どうしてもと誘われて、この領事館の通弁役になった」

岩吉は、急に得意気な表情をして言葉をつづけた。

広東領事のオールコックが駐日総領事に任命され、商社に勤めている岩吉に目をつけた。岩吉は英語に通じるようになっていて、日本へ赴任するオールコックは岩吉を通弁役として日本へ連れて行こうとしているのだ、という。

「イギリス様のおかげで、おれは晴れて帰国できる。清太郎たち仲間とはなれたのは、賢明だったのだ。おれは上海にのがれた時に、見つけ出されぬよう伝吉と名を改めた。それで商社の者たちは、おれをダン・ケッチ、略してダンと呼び、この領事館でもダンと言われている」

岩吉は、口もとをゆるめた。

彦蔵は、炊をしていた頃、岩吉の性格をつかみかねていた。絶えずなにか考えているような眼をしていて、気が短かく独自の動きをする。仲間からただ一人はなれたというのも岩吉らしかった。いずれにしても、イギリス領事館にやとわれ、帰国の望みもかなえられるのは喜ぶべきことであった。

館員と話をしていたホイットモア船長が、用件がすんだらしく部屋から出てきた。

「ソレデハ再会ヲ楽シミニ……」

彦蔵が英語で言うと、岩吉も、

「私モソレヲ望ンデイル」

と、かなり流暢《りゆうちよう》な英語で答えた。

彦蔵は、ホイットモアと領事館の外に出た。

「彼ハ、誰ダネ」

ホイットモアが、歩きながらたずねた。

「私ト同ジ船ニ乗ッテ漂流シタ仲間ノ一人デス」

彦蔵が答えると、ホイットモアは驚いたように足をとめ、首をふりながら再び歩き出した。

「シー・サーペント号」は香港に碇泊をつづけ、彦蔵はバン・リードと船内に泊っていた。

広東から香港にもどって二週間たった頃、伝吉（ダン）が船に彦蔵をたずねてきた。オールコックが総領事として日本へむかうため広東をはなれて香港に来て、伝吉も同行してきたのだという。

「主人のオールコック様が、お前に会いたいので連れてこいと言っている。おれについてきてくれ」

伝吉は、言った。

彦蔵は承諾し、伝吉についてオールコックの泊っているホテルに行った。伝吉は、オールコックの部屋のドアをノックし、彦蔵は伝吉の後から内部に入った。

伝吉が椅子《いす》から立ってきた長身の男に、

「彦蔵ヲ連レテ来マシタ」

と告げ、彦蔵にオールコック様だといかめしい表情で言い、部屋の外に出ていった。

オールコックが近づき、よく来てくれた、と彦蔵の手をにぎり、椅子をすすめた。ダンから委細をきいているが、と前置きして、オールコックはアメリカでの生活をたずねた。彦蔵は、サンダースというアメリカ人の好意で十分とは言えぬながらも学校教育を受け、仲買会社に就職していたことなどをかいつまんで話した。

オールコックは何度もうなずき、時にはおうと声をあげた。かれの眼には、彦蔵が流暢な英語を話すことに強い関心を寄せているらしい光がうかんでいた。

彦蔵が辞そうとして腰をあげかけると、

「ドウカネ。日本総領事館ノ通訳ニナラナイカ」

と、優しい口調でオールコックは言った。

彦蔵は、初めてオールコックが自分を招いた理由を知ったが、二つの理由を口にして丁重に辞退した。

一つは、すでに伝吉が通訳として雇われていて、自分が通訳になれば伝吉の職を奪うことになり、たとえ伝吉が解雇されなくても粗略に扱われることが予想される。第二は、アメリカに滞在中心温かい多くの人たちの世話になり、政府からも親切な扱いを受け、自分は深い恩義を感じている。自分としては、帰国するまでなんの職にもつかず、日本に到着後、アメリカの外交官の指示にしたがって自らの職務をきめるべきであると考えている。

「ヨクワカッタ。君ノ考エハ正シイ」

オールコックは、気分を損ねた風もなくうなずくと、彦蔵の手をつかんだ。

彦蔵は、頭をさげ、ドアの外に出た。

五月六日、「シー・サーペント号」がアメリカに引返すというので、彦蔵は船長たちと別れの挨拶《あいさつ》を交して下船し、友人のバン・リードとともにアメリカ海軍軍需管理官スパイデンのすすめで、かれの家に世話になった。

五月十日、アメリカの蒸気艦「ポーハタン号」が入港してきて、同艦におもむいたスパイデンが朗報をもたらした。上海に、日本総領事から弁理公使に昇進したアメリカ外交官ハリスがいて、「ミシシッピー号」で近日中に日本へむかうという。ハリスは四年前の安政二年(一八五五)に初代日本総領事に任命され、翌年通訳官ヒュースケンをともなって下田につき、下田条約を締結し、ついで、江戸に出て日米通商条約の締結に成功した。しかし、ハリスは健康をそこね、休養をとるため上海に来て滞在していた。帰国を願っている彦蔵のことをきいた「ポーハタン号」の艦長は、ハリスのいる上海まで送ってやる、と約束してくれたという。

彦蔵は、艦長のもとに行って好意を謝し、ぜひ艦に乗せて欲しい、と重ねて懇請し、バン・リードの乗艦許可も得た。

五月十七日、「ポーハタン号」は出港し、彦蔵は遠ざかる香港の町を見つめた。自分はアメリカに帰化した身であり、ハリスが同行をこばむ理由はない。改めて帰化を強くすすめたサンダースの深い配慮に感謝し、「万事ウマクユク」という言葉通りだ、と思った。「ポーハタン号」は寧波《ニンポウ》に寄港後、五月二十七日に上海に入港した。港内には、アメリカ国旗をかかげた蒸気艦「ミシシッピー号」が碇泊していて、その艦に乗って悲願としてきた日本の土をふむことができると思うと、全身が熱くなった。

二日後、彦蔵は、「ポーハタン号」の士官にともなわれて、「ミシシッピー号」に行った。艦長から乗艦許可を得ることとハリスに会うためであった。

ニコルソン艦長に会ってこれまでの経過を説明し、帰国の望みをつたえると、ニコルソンは、喜んで日本へ乗せてゆくと言ってくれた。遂《つい》に日本へ帰れる手段を確実につかんだのを知った彦蔵は、胸に激しくせまるものを感じ、必死になって嗚咽《おえつ》をこらえた。

艦長は、彦蔵をハリスのいる船室に連れて行った。長く白い髭《ひげ》をたくわえた気むずかしそうな顔をした男が、大儀そうに肘《ひじ》つきの大きな椅子に坐っていた。ハリスであった。

艦長が彦蔵の経歴を簡単に紹介すると、無言でうなずいていたハリスは、手を動かして椅子に坐《すわ》るようすすめた。

彦蔵が向い合って坐ると、アメリカに何年いたか、どのような暮しをしていたのかなど、多くの質問をした。顔は無表情であったが、眼には興味を持っているらしい光がうかんでいた。

アメリカに帰化したことも話すと、ハリスは少し口をつぐみ、彦蔵を見つめ、

「ソノ証明書ヲ私ニ見セナサイ。証明書ノ写シモ持ッテクルヨウニ……」

と、言った。

部屋に白い顎鬚《あごひげ》をたくわえた長身の男が入ってきた。ニコルソン艦長が、この度神奈川領事に任命されたドールだと彦蔵に言い、彦蔵は握手した。ハリスは、彦蔵がアメリカに帰化した日本人である、とドールに説明し、自分とともに「ミシシッピー号」で日本に行くことを伝えた。

ドールは、彦蔵に時折り視線を走らせながらハリスと低い声で言葉を交していたが、彦蔵に顔をむけると、

「私ノ領事館ツキノ通訳ニナリマセンカ」

と、言った。

思いがけぬ申出に、彦蔵は返事もできずハリスに視線をむけると、ハリスは、

「君ハ適任ダ」

と、言った。

「ゼヒ通訳ニナッテ欲シイ」

ドールの言葉に、彦蔵はうなずいていた。

ハリスの部屋を辞して下艦した彦蔵は、「ポーハタン号」にもどった。嬉《うれ》しさがこみ

あげてきた。領事館つき通訳という公務員の職を得て帰国できることに、思い切り叫び声をあげたいような喜びをおぼえ、興奮してデッキの上を歩きまわった。

翌朝、かれは、帰化証明書とその写しを手に「ミシシッピー号」のハリスの部屋に行って渡した。

ハリスは、

「神奈川ニ着イタラ、奉行ニ帰化証明書ノ写シヲ見セ、君ガアメリカ市民デ日本人デナイコトヲ納得サセネバナラナイ」

と、いかめしい表情で言った。

彦蔵は、支障なく日本側に自分を受けいれてもらうには、それがよいのだ、と思った。

「ミシシッピー号」を退艦したかれは、波止場に上陸すると、A・ハード会社に泊っている神奈川領事ドールを訪れた。ドールは喜んで迎えいれ、通訳生としての給与その他の取りきめをしてくれた。報酬は思ったよりはるかに良く、彦蔵は、あらためて領事館つきの通訳に雇われたことに喜びを感じた。

A・ハード会社を出たかれは、足をとめた。会っておきたい人物がいた。それは漂流民の乙吉であった。

同じ「永力丸」乗組みであった岩吉は、伝吉（ダン）と改名しているが、伝吉の話によると、乙吉が「サスケハナ号」に乗っていた水主たち十二人を艦からはなれさせ、清国船で長崎へ帰させようとして乍浦に連れていったという。

伝吉のみは乍浦からはなれたが、残りの十一人は果してどうなったのか。むろん乙吉は知っているはずで、彦蔵は乙吉に会ってかれらの消息をききたかった。

乙吉は、イギリス商社の支配人としてオットサンと呼ばれ、その名は広く知られていて所在はすぐわかった。立派な家で、彦蔵は乙吉に迎え入れられ居間に入った。

乙吉は、彦蔵の質問に答え、十一人の水主たちが清国船に乗って長崎に行き、奉行所に引渡されたと言った。

「ただし、安太郎という人は唐船が長崎に入津《にゆうしん》する直前に病いで死亡し、また京助さんという水主も長崎で死んだ、と唐船の者にききました」

乙吉は、顔をしかめた。

彦蔵は、無言でうなずいた。二人が死亡したとしても、水主のほとんどが帰国できたことに深い安堵《あんど》をおぼえた。自分と治作、亀蔵の三人は、かれらを置き去りにしてアメリカへもどり、そのことに後ろめたさを感じていたが、かれらがすでに日本へもどっていることを知り、気分が軽くなった。

「乙吉さんは、日本へ帰る気はないのですか」

彦蔵は、ためらいがちにたずねた。

「私はいいのです。妻子もおりますし、仕事からはなれることはできません。力松も同じで、清国の土となる宿命なのです」

乙吉の顔には、淋《さび》しげな笑いの色がうかんでいた。

彦蔵は、うなずき、無言で頭をさげると家を辞去した。

六月十三日、彦蔵は、バン・リードとともに手荷物をかかえて「ポーハタン号」から「ミシシッピー号」に移乗した。リードは、日本語に通じるようになっていて、サンフランシスコで商社勤務をしていた実務経験を買われ、神奈川領事館の書記生として雇い入れられていた。彦蔵は、リードとともに日本に行き、同じ職場で働けることが嬉しかった。

翌々日、「ミシシッピー号」の機関が始動し、上海を出港した。甲板に立って前方に眼をむけて立つ彦蔵は、感慨無量であった。九年前に破船漂流し、帰国をほとんど断念していたが、悲願がかなえられ、故国へむかう艦に身を託している。体が宙に浮いているような喜びが全身にみちていた。

艦は、正しく東に針路を定めて進んでゆく。彦蔵は、リードと甲板を歩き、夜になると神奈川領事ドールの船室に招かれ、酒を飲んで歓談した。

上海を出港して二日後（安政六年五月十七日）の夜、艦は長崎港口に達し、投錨《とうびょう》した。空は厚い雲におおわれ、星の光もなく、闇《やみ》の中に黒々とした丘陵がほのかに見えるだけであった。

澄んだ夜気に、潮の香とともに樹葉の匂《にお》いがしている。それは長い間ふれることのない故国の匂いで、かれは自分の体が洗い清められるような爽《さわ》やかさを感じた。

その夜もドールに招かれて酒を飲んだ。酔いがまわるにつれて歓喜がつのり、かれは饒舌《じょうぜつ》になって涙ぐんだりした。

翌朝早く起きたかれは、甲板に出た。息をのんだ。丘陵も島も鮮やかな緑の色におおわれ、朝の陽光に光り輝やいている。アメリカや清国では見られぬ美しい風光であった。

煙突から黒煙が吐かれ、艦はゆるやかに進みはじめた。島のかたわらを過ぎ、港内に入ると、前方に長崎の町並みが見えてきた。清国の港町とちがって整然としたたたずまいで、瓦《かわら》ぶきの屋根を眼にしたかれは、不意に涙があふれるのを感じた。

艦は、町に近づくと停止し、錨《いかり》を投げた。

「素晴シイ。美シイ港町ダ」

傍らに立つリードが、感嘆の声をあげた。

港内には、ロシア国旗とイギリス国旗をそれぞれかかげた軍艦が碇泊《ていはく》している。海面には、漁船が点々と散り、海岸の道を往《ゆ》き交う人や町駕籠《まちかご》も見える。彦蔵は、駕籠の動きに故国へ帰ったことを実感した。

十六

艦が投錨して間もなく、陸岸から小舟が近づいてきて艦の舷側《げんそく》についた。甲板にあがってきた三人は、奉行所の役人と通詞のようであった。士官が応対し、役人はなにかメモをとって小舟にもどっていった。

イギリスの軍艦からボートがおろされ、「ミシシッピー号」に漕《こ》ぎ寄せてきた。乗艦してきた士官二人は挨拶のため訪れてきて、迎えた士官たちと握手を交した。イギリス艦は「サンプソン号」で駐日総領事として赴任するオールコックが乗艦し、これから神奈川へむかうという。彦蔵は、総領事館に通訳として雇い入れられた伝吉も乗っているはずだと思い、艦の甲板を見つめたが、それらしい姿は見られなかった。

艦長のニコルソンが、彦蔵に近寄ってくると、

「長崎ニハ下艦シナイヨウニ……。マタ地元民ノ誰トモ話ヲシテハナラヌ」

と、きびしい表情をして言った。

「ミシシッピー号」は、公使ハリスを神奈川に送りとどける使命をになっていて、彦蔵の身分上のことでいざこざが起きるとハリスがその処理にあたらねばならず、赴任がお

くれる恐れがあるからだ、と説明した。

彦蔵は、指示を守る、と答えた。

数艘《そう》の艀《はしけ》が近づいてきて、艦に横づけした。甲板にあがってきたのは、骨董《こっとう》、野菜、果物等を手にした商人たちであった。彦蔵は、かれらがしゃべっている日本語をだまってきいていた。長崎なまりではあるが、それは母国の言葉で、かれは胸が熱くなるのを感じながら耳をかたむけていた。

「サンプソン号」が出港し、「ミシシッピー号」はそれを追うように五月二十四日、長崎をはなれ、赤間関（下関）海峡をぬけて太平洋上を進み、下田に寄港した。そこには、ハリスの手足となって働いていた公使館書記官兼通訳官のヒュースケンがいて、ただちに乗艦してきた。ヒュースケンは、その地でハリスがくるのを待っていたのである。

艦は下田を出港、五月晦日《みそか》に江戸湾に入り、神奈川沖に錨を投げた。近くにイギリス軍艦「サンプソン号」が碇泊していた。

神奈川奉行所の役人が来艦して、型通りの質問をして去り、六月二日には、神奈川奉行を兼ねる外国奉行の酒井隠岐守《おきのかみ》忠行が、ハリス公使と神奈川領事に任命されたドールに挨拶のため来艦した。

彦蔵は、ハリスに呼ばれ、酒井と向き合って立った。ハリスは、彦蔵が日本の漂流民ではあるが、帰化してアメリカ市民となっていることを告げ、アメリカ人として扱うよう要請した。彦蔵を無言で見つめていた酒井は、通詞の通訳でその言葉をきくと、承知した、と答えた。

翌日の午後、数人の艦の士官が彦蔵のもとにやってきて、

「横浜ニ上陸シテ買物ヲシタイノデ、一緒ニツイテ来テ欲シイ」

と、言った。

彦蔵は承諾し、艦からおろされたボートにかれらと乗り、横浜村の船着所に上陸した。かれは、足もとの土を見つめた。それは故国の土であり、九年ぶりにその上に立っているのだ、と思った。靴を通して感じられる土の感触に、まちがいなく帰国できたという実感が全身にひろがった。

かれは、士官たちと連れ立って村の中に入っていった。通商条約によって貿易は明日から開始されることになっていて、それにそなえて運上所などの役所や役宅、さらに各国領事館用の建物が建てられ、広い道の両側には多くの新築された商店が軒を並べている。建築が至る所でおこなわれていて、大工たちが鋸《のこぎり》や鉋《かんな》を使い、槌《つち》の音もさかんにしていた。

彦蔵は、士官たちを連れて運上所に行き、ドルを日本貨幣と交換させ、士官たちは商店をのぞいて買物をした。彦蔵は、士官たちが買おうとしている品物を吟味し、通訳する。商人たちは、彦蔵の口にする日本語に驚きながらも、洋服を着たかれを日本人とは

思わぬようだった。彦蔵は、日本語につつまれていることに涙ぐみ、自由に話せるのが嬉しかった。

六月五日、その日は神奈川領事のドールが領事館に定められていた本覚寺におもむくことになっていた。

艦からボートがおろされ、公使ハリス、ドール、「ミシシッピー号」艦長ニコルソンと士官たち、それに通訳彦蔵、書記生バン・リードが乗り、神奈川に上陸し、役人の案内で横浜村方向に歩き、本覚寺についた。寺の賃貸契約はすんでいて、僧たちは引払ったらしく姿はなかった。

境内に松の大木があり、枝を切りはらってそこにアメリカ国旗をかかげた。奉行所の役人や足軽たちは、黙って眺めていた。

持参してきたシャンペンの栓が音を立てて抜かれ、それを注いだグラスを手に、アメリカ国歌を合唱し、彦蔵もそれに和して乾杯した。一同、本堂に入り、昼食をとった。献立は、魚、ボイルド・チキン、家鴨《あひる》のロースト、野菜、菓子と葡萄酒《ぶどうしゅ》であった。

その日から彦蔵は、ドール領事、バン・リードとともに本覚寺で起居するようになった。寺は美しい高台にあって、神奈川湾と横浜村が見渡せた。

ハリスは、公使館を麻布の善福寺に置き、イギリス総領事オールコックは高輪《たかなわ》の東禅寺に総領事館を開設した。彦蔵は、神奈川領事館の仕事をするかたわら、善福寺にもしばしば足をむけて公使館の家具の調達や日本人の料理人、掃除人などの雇入れに立ち会ったりしていた。

そのように小まめに動く彦蔵は、奉行所の役人や商人と接する機会が多く、自然にかれの存在は広く知られるようになった。日本人でありながらアメリカ国籍をもち、長い間アメリカですごし学校教育も受けたので英語に精通している。洋服も板についていて、肩をすくめたり片眼をつぶったりする動作は西洋人と寸分ちがわない。外国人からジョセフ・ヒコという外人名で呼ばれていることも、奇異に思えるようだった。彦蔵は、自分が歩いてゆくと、人々の視線が自分にむけられるのを意識していた。

六月二十二日、かれは横浜村の運上所に日本硬貨の両替にゆき、帰途についた。背後から声をかけられ、振向くと、横浜村で大きな店をかまえている顔見知りの商人だった。

足をとめた彦蔵に近寄ってきた商人が、思いがけぬことを口にした。兵庫から江戸に荷を運んできた回船の船頭が、自分の弟がアメリカから神奈川へ来ているという噂《うわさ》を耳にし、それが事実かどうかたしかめたいと言っているという。

「その船頭は、アメリカ帰りの男が紀州生れだとも播磨《はりま》生れだともきいている、と言っていましたが、あなたの生国は？」

商人は、彦蔵の顔をのぞきこむように見つめた。

「播磨です」

彦蔵は、反射的に答えた。

商人の眼が光をおび、

「船頭も播磨生れだと言っていましたが、兄さんがおるのですか」

と、たずねた。

「義兄がおります。船乗りでした」

彦蔵は、自分の表情がこわばるのを感じた。

回船の表仕《おもてし》であった義兄の宇之松が、九年たった今、船頭になっていても不思議はない。義兄かも知れぬ、という思いが胸をかすめたが、播磨生れの船乗りは数知れず、灘《なだ》の酒を積んで江戸に運ぶ回船の船頭になっている者も多い。

「どうでしょう。その兄さんという人の家に出掛けてみませんか。それとも領事館までお連れしましょうか」

商人が、彦蔵を見つめた。

彦蔵は、首を振った。いずれは故郷の本庄村浜田にもどって義父や義兄に会いたいと思っているが、故国の土をふんで一カ月もたたぬうちに、義兄と会えるなどとは余りにも不自然すぎる。自分と同じ「永力丸」に乗って漂流の憂目《うきめ》に遭った者たちも帰国したというし、他にアメリカ帰りの漂流民もいるにちがいない。それらの者の噂が、その船頭の耳に入ったのではないだろうか。

船頭には船の仕事があり、その合い間を縫って領事館まで来て弟でないことを知った時の、その男の失望は大きいはずであった。自分は忙しいとは言え、きまった仕事で拘束されているわけではなく、こちらから出向いてゆくべきだ、と思った。

「その船頭は、どこにおるのですか」

彦蔵の問いに、商人は、品川の回船問屋の差配をしている者の家にいる、と答えた。品川宿は神奈川から四里半（一八キロ）で、目と鼻の先と言える。

「参りましょう。連れて行って下さい、明日にでも……」

と、彦蔵は言った。

本覚寺にもどった彦蔵は、領事のドールのもとに行き、品川に義兄かも知れぬ男がいるので明日、暇をもらいたい、と頼んだ。

「イイトモ。ゼヒ行キナサイ。モシモ兄サンダッタラ領事館へ連レテクルガイイ」

ドールは、快く許可してくれた。

彦蔵は、使いの者に手紙を託してその日声をかけてくれた横浜村の商人の店に行かせ、明朝、二挺《ちよう》の駕籠を用意して領事館に来て欲しい、と依頼した。

翌日は快晴で、午前八時頃、約束通り商人が駕籠に乗って領事館にやってきた。商人は、昨日のうちに船頭のもとに手紙を出して家にいるよう頼んだという。

彦蔵は、商人の連れてきた駕籠に乗り、二挺の駕籠がつらなって本覚寺をはなれた。領事館つき通訳となってからも外出はもっぱら徒歩で、駕籠に乗るのは生れて初めてだった。窮屈な感じであったが、それにもなれて、右手にひろがる海をながめながらゆられていった。

やがて旅籠《はたご》や茶屋のつらなる川崎宿をすぎ、玉川を舟渡しで渡り、品川宿に入った。商人は、宿場のはずれにあるがっしりした構えの家の前で駕籠をとめさせた。

駕籠賃を払った商人は、家の格子戸《こうしど》をあけて奥に声をかけた。待っていたらしく、男が姿を見せ、恐るおそる家の外に出てきた。

商人がこの方だ、と彦蔵をさししめすと、男は足をとめ、彦蔵に視線を据えた。兄であった。義兄の宇之松であった。船頭らしい風格をそなえていたが、その風貌《ふうぼう》は少しも変りはない。

しかし、宇之松の眼にはあきらかに人まちがいであるという落胆の光がうかんでいた。かれは、商人に顔をむけて口もとをゆがめ、ばつの悪そうな表情をし、再び彦蔵に視線をもどした。宇之松が自分を義弟と気づかぬのが悲しかったが、無理はないのだと思った。義兄と別れたのは十三歳の時で、それから九年がたち、容貌も大人びて鼻下と顎《あご》に髭《ひげ》をたくわえている。それに筒袖《つつそで》の着物を着ていた自分が、今では外国人のように洋服を着、蝶《ちょう》ネクタイをしめ、黒い靴をはいている。眼の前に立つ彦蔵を、宇之松が義弟とは別人と考えるのも当然であった。

彦蔵は一礼し、口を開いた。

「お義父《とう》さんは、今どちらにおりますか」

宇之松は、口をつぐんでいる。

彦蔵は、宇之松に自分が義弟であるのを知ってもらいたいと思い、

「叔母さんはお元気ですか。隣家の作兵衛さんはかなりの高齢でしたが、まだ生きておりますか。義父と親しかった永力丸の船頭万蔵さんは、ハワイという島で病死しました」

と、口早に言った。

彦蔵は、言葉をつづけているうちに宇之松の眼が大きくひらき、自分を食い入るように見つめているのに気づいた。ようやく宇之松が自分を義弟と認めはじめているのを知った。しかし、その眼には依然として疑わしそうな光が消えず、宇之松は、彦蔵の顔や服装に視線を走らせている。

彦蔵は、疑念をとくように漂流してアメリカに長い間住み、ようやく帰国の願いがかなって神奈川に上陸し、今ではアメリカ領事館の通訳として働いている事情を語った。

「そんなことから、このように髪を切り、異国の服を着ているのです」

彦蔵は、自分の服装に眼をむけた。

こわばった宇之松の表情がゆるみ、

「すっかり変ったので見ちがえた。彦太郎か」

と、彦蔵の幼名を口にした。

彦蔵は、何度もうなずいた。

宇之松は、ようやく彦蔵を義弟と認めたらしく近づき、

「叔母さんは元気だ。隣りの作兵衛さんは今年が七回忌だ」

と、言った。

「お義父さんは、達者ですか」

彦蔵の気にかかっていたことであった。

宇之松は、視線を落すと、

「三年前の春、脳卒中で倒れ、そのままこの世を去った」

と、言った。

彦蔵は、無言でうなずいた。九年という歳月の長さが思われ、義父に孝行できなかったことに胸が痛んだ。

「村にお前と同じ船に乗って難に遭った者たちがもどり、家族たちは泣いて喜んだ。一時はそのことで村は大騒ぎだった。しかしお前は治作たちとアメリカへ行った由《よし》で、行方は知らぬという。もう死んだものと諦《あきら》めていた。それがこのように会えるとは……」

宇之松がとぎれがちの声で言うと、不意に声をあげて泣きはじめた。彦蔵も、胸に熱いものがつき上げた。宇之松は泣きつづけ、彦蔵は無言で涙をぬぐっていた。

家の主人の妻が出てきて、家に入るよううながした。

宇之松は手拭《てぬぐい》で涙をぬぐい、彦蔵、商人とともに奥の部屋に入った。主人の妻が茶菓をはこんできて、彦蔵は宇之松と静かに言葉を交した。宇之松は叔父が船頭をしていた回船の表仕をしていたが、昨年秋に叔父が病死したので、船主の依頼で船頭になったのだ、という。

「領事殿に会ってくれませんか」

話が一段落すると、彦蔵は宇之松に言った。

宇之松の顔に一瞬ためらいの色がうかんだが、

「お前が世話になっている御主人様だ。兄である私から御礼を申し上げなければなるまい」

と、言った。

彦蔵は、その言葉に宇之松が兄としての義務を感じているのを知ると同時に、一艘の回船をまかされている船頭としての思慮分別を身につけているのを感じた。

家の主人が、三挺の町駕籠《まちかご》を呼んで来てくれて、彦蔵は宇之松、商人とともに駕籠に身を入れた。

駕籠にゆられながら彦蔵は、前の駕籠に乗っている義兄と会えたことが夢のように思えた。義兄は、兵庫と江戸間を往復する回船に乗っていて、いつかは会えたかも知れないが、これほど早く会えたのは奇蹟《きせき》としか言いようがない。かれは海に眼をむけ、涙ぐんだ。

駕籠が進み、神奈川宿をすぎて本覚寺の門前でとまった。商人は、用事があると言って、そのまま駕籠に乗って横浜村の方に去った。

彦蔵は、松の木にひるがえるアメリカ国旗を宇之松にさししめし、履物を脱がなくともよいと言って、本堂にあがった。

ドール領事の執務室に行き、義兄を連れて来たと告げると、領事はすぐに立って本堂に入ってきた。領事は、

「ヨクイラッシャイマシタ。領事ノドールデス」

と、にこやかな表情で手を差出し、彦蔵は通訳した。

宇之松は、領事の大きな掌《て》に眼をむけ、彦蔵を振返ると、

「いったい何をしようというのだ」

と、おびえた眼をしてたずねた。

「アメリカでは、紹介されたら手をにぎり合う習慣があるのです。私たちがお辞儀し合うのと同じです」

彦蔵が答えると、宇之松はようやく納得し、領事の手をにぎった。

領事は、宇之松に椅子《いす》に坐《すわ》るようすすめ、彦蔵に絵入り新聞や絵、風景写真を持ってきて見せるように、と言った。承知した彦蔵は、それを持ってきて宇之松に見せ、なんであるかを説明した。宇之松は眼をみはり、清太郎ら「永力丸」の水主《かこ》たちが村に持ち帰った物のことを口にした。それは数枚の古新聞とガラス瓶で、村の者はもとより遠くの村々からも人がやってきて、見物したという。

宇之松の驚きが余りにも大きいことに領事は絵入り新聞を宇之松にあたえ、さらにポケットからドル紙幣と銀貨、銅貨を出して渡した。

「領事から兄さんへの贈り物です」

彦蔵が言うと、宇之松は顔を紅潮させて立ち上り、何度も頭を深くさげた。

上機嫌になった領事は、彦蔵に、

「兄サンニ、二、三日領事館ニ泊ルヨウニススメナサイ」

と、言った。

その旨《むね》を宇之松に告げると、宇之松は御礼の言葉を述べながらも、表情をあらためて、

「私には船頭としての仕事があり、今日中に品川へ帰らなければなりません。せっかくの御好意ですが」

と言って、頭をさげた。

その言葉を彦蔵が領事に伝えると、ドールは諒承《りようしよう》し、早目の夕食の仕度をさせた。彦蔵は、宇之松がフォークとナイフを使うのにとまどうと考え、自分の持っている箸《はし》を用意した。

食卓についた宇之松は、皿の上にのった食物の一つ一つについて執拗《しつよう》にたずね、恐るおそる口に運ぶ。無言でいることもあれば、うまいと彦蔵の顔に眼をむけることもあった。

食事を終え、彦蔵は駕籠を呼び、一葉の写真を渡した。それはサンフランシスコでバン・リードと共に撮ったものであった。宇之松は、彦蔵の顔と写真を何度も見くらべ、同じだという言葉を繰返した。

駕籠が来て、義兄は去った。

その夜、彦蔵は、自分の部屋でぼんやりと椅子に腰をおろしていた。

早くも義兄に会って、義父の吉左衛門の死を知ったことをあらためて不思議に思った。母はすでに亡《な》く、むろん宇之松とは血のつながりはない。自分のふる里は、回船の往《ゆ》き交う播磨灘の海しかなく、故国にもどりはしたが、身を寄せる所のない、孤独の身であるのを感じた。

かれは、領事館員として外国の外交官と幕府との間にことごとに激しい対立が生じていることに、重苦しい気持になっていた。

幕府は、通商条約の締結で神奈川を開港場としたが、神奈川は東海道筋にあって人の往来が激しく、そこに外国人が居留すると紛争が起る恐れがあり、南方の横浜村を居留地にしようとして奉行所や運上所を建設していた。これに対してアメリカ公使ハリスは、あくまで居留地は東海道筋におくべきだと主張し、オランダ人を長崎の出島に隔離したように横浜村に押しこめるのか、と激しく非難した。イギリス総領事オールコックもハリスに同調し、幕府の要求を無視して芝高輪の東禅寺を総領事館とし、ハリスも麻布の善福寺に公使館を設けていた。

領事のドールも全くハリスと同意見で、神奈川奉行所におもむき、外国奉行兼神奈川奉行の堀織部正《おりべのかみ》（利熈《としひろ》）に抗議し、彦蔵が通訳の任にあたった。

堀は、落着いた口調で幕府の意向を説明した。国内には開国に反対し外国人を一掃すべきだと唱える過激な攘夷《じょうい》論者が多く、人のひんぱんに往来する東海道筋では外国人を保護するのがきわめて困難だ、と述べた。さらに堀は、神奈川の海は浅く、それと比べて横浜村の海は深い。港町としての好条件をそなえている横浜村にこそ居留地を置くのが、外国人にも有利だと強調した。

ドールは、

「条約ニハ、神奈川ヲ外国人居留地トスル、ト明記サレテイルノヲ、オ忘レカ」

と、追及した。

堀は落着いた口調で、

「たしかに神奈川を開港場としましたが、横浜村は神奈川内の一名称であり、決して条約違反ではありません。横浜村に居留地を置くのがすべてにとって好ましいのです」

と、答えた。

ドールは、筋道立った堀の言葉に答えに窮し、

「コノ問題ニツイテハ、研究スルコトニシマショウ」

と言って、席を立った。

奉行という幕府の高官に身近に接するのは初めてで、彦蔵は緊張していた。堀は、通訳する彦蔵に顔をむけることもせずドール領事と向き合って将几《しょうぎ》に坐っていた。おかしがたい威厳があり、表情に感情らしいものはあらわれない。アメリカの大統領ピアース、ブキャナンの人なつっこい態度とは対照的であったが、彦蔵は堀に畏《い》敬《けい》の念をいだいた。

アメリカは、多くの蒸気艦船、銃砲を保有し、強大な武力をそなえている。むろん堀はそれを熟知していて、日本がアメリカとは比ぶべくもない弱小国であるのを感じているはずであった。しかし堀は、大国の権勢を十分に意識しているドールに、少しも臆《おく》する風もなく自分の意見を筋道正しく述べた。その論調に頭脳の冴《さ》えを感じ、通訳しながら堀の横顔を感嘆して見つめていた。ドールが堀の話に屈して反論できなかったのも、

当然であった。

それから間もなく彦蔵は、現実に堀の判断が正しかったのを知った。

アメリカの有力商社の支配人ホールは、ハリス、ドールの勧告にしたがって神奈川に商館を建設する予定であったが、地理的条件を調査した末、横浜村に土地を入手し商館の建築に着手した。ドールはそれを中止させようとしたが、ホールは、港湾施設が神奈川より横浜村の方がはるかにまさっていると言って、その要求を一蹴《いっしゅう》した。

それがきっかけで、ジァーディン・マジソン会社が横浜村の一号岸壁に、デント商会が四、五号海岸通りに事務所を開き、ぞくぞくと商館の開設がつづいた。

ドールは消沈し、そのありさまに彦蔵は小気味良さを感じた。実利を重んじる商人は、純粋に横浜村が港町としての条件を十分にそなえているのを感じ、その地に移り住んで貿易をはじめている。それを公使も領事も阻止することはできないのだ。

そのような商社の動きによって神奈川に住む外国人は激減し、ハリスとオールコックが頑《かたく》なに公使館、領事館を置き、わずかに宣教師がとどまっているだけであった。東海道筋の神奈川に固執しているハリスとオールコックが、滑稽《こっけい》に思えた。

彦蔵は、仕事がない折には好んで横浜村に足をむけた。外国人の店舗が多く並び、それぞれの国の商品が陳列され、小銃や短銃も売られている。村は活気にみち、外国人の姿も多く、異国の町を歩いているような錯覚にすらとらわれた。

その横浜村で、七月二十七日に殺傷事件が起った。シベリア総督ムラビヨフを乗せたロシア艦隊が江戸湾に入り、品川沖に碇泊《ていはく》していた。艦から食料調達のため少尉《しょうい》候補生が三名の水兵をともなって上陸し、横浜村に入って食料品の買いつけをしてまわった。

暮れ六ツ（六時）に青物商の店を出た時、一人の武士が近づき、不意に斬《き》りつけた。かなりの遣い手であったらしく、水兵の一人は即死し、少尉候補生は斬られて倒れ、傷ついた二人の水兵は青物商の店に逃げ込んだ。武士は、その場を足早やに立ち去った。

横浜村は騒然となり、神奈川奉行所から役人が現場に駈《か》けつけた。そこには、八寸（二四センチ強）ほどの長さで折れた刀の先端と武家羽織、片方の草履が残されていた。死骸《しがい》と負傷者は、ロシア士官の仮宿舎に運び込まれ、日本人医師が重傷の少尉候補生の治療にあたったが、候補生はまもなく息絶えた。

奉行所からアメリカ領事館に事件のことが伝えられ、彦蔵は、ドール領事とそれぞれピストルをたずさえて横浜村の仮宿舎に急いだ。

ロシア艦から駈け付けた士官立合いのもとに奉行所役人と医師の検視がおこなわれている最中で、彦蔵は、血に染った二個の無残な死骸に身をふるわせた。傷口をしらべる医師の言葉を書役が記録していたが、少尉候補生は右肩先から左側の背にかけて長さ一尺二寸（三六センチ強）、左肩から背にかけて一尺の長さで斬られていて、さらに左の太《ふと》腿《もも》も斬り払われていた。即死した水兵は、頭、顔面と右肩、左肩が斬られ、さらに腕も付け根から斬り落されていた。

これらの傷の具合から、武士は何度も刀をふるい、そのため刀の先端が折れたのだと推定された。

夜が明け、彦蔵はドールと領事館へもどった。ドールは、神奈川のハリス公使に現場調査をしたことを手紙で報告し、横浜村のアメリカ人に厳重警戒を指示した。外国人たちの動揺は激しく、武器をととのえ、日没後外出する者はいなかった。

二人の負傷者はロシア艦船に引き取られたが、死骸はそのままロシア士官の仮宿舎に置かれていた。夏期でもあるのでそうそうに埋葬する必要があり、二十九日七ツ（午後四時）にロシア艦の海兵隊が上陸、彦蔵もドール領事と葬列に加わった。柩《ひつぎ》は、横浜村の増徳院境内に埋葬された。

翌日、ロシア艦隊のポポフ提督が副官をともなって領事館を訪れてきた。

ポポフは、事件について神奈川奉行と折衝を繰返しているが、良い通訳がいないため甚だ支障を来《きた》している、と顔をしかめた。会談は、英語を介しておこなわれていて、ロシア側の若い通訳は日本語が少ししかわからず、奉行所側の通訳も英語は巧みでなく、意思が通じないという。

「ヒコガ、イヤデナケレバ、オ役ニ立テサセマショウカ」

ドールは言って、彦蔵の顔に視線をむけた。

「別ニイヤデハアリマセン」

彦蔵が答えると、提督は大いに喜び、

「ゼヒ通訳ヲシテ欲シイ」

と、言った。

二日後、士官が迎えにきて、彦蔵はボートでロシア艦に行き、ポポフと打合わせをした後、上陸して横浜村の奉行の役宅に赴いた。

彦蔵がポポフと副官とともに大広間に案内されて椅子に坐ると、神奈川奉行の水野筑《ちく》後守《ごのかみ》（忠徳《ただのり》）と酒井隠岐守《おきのかみ》（忠行）が目付・支配調役らをしたがえて姿を現わし、向い合って坐った。

会談がはじまり、ポポフが下手人捜索の状況を質問し、彦蔵が通訳した。奉行は、八方に人を派して下手人の探索に全力をつくしているが、今もって発見できないと答えた。

「現場に下手人が残した物を押収しているので、それを御覧いただきたい」

奉行は言って、役人にそれらの物を持ってくるよう命じた。役人が奥に入ると、布に包んだものを持ってきて、テーブルの上に置いた。

布を開くと、折れた先端の刀身と羽織、片方の草履が現われた。ポポフは、それらを入念に見つめた。羽織にはおびただしい血がついていて、下手人である武士が、見とがめられるのを恐れて脱ぎ捨てたものと推定された。

ポポフは、かさねて下手人捜査に努めているかとただし、奉行は、法に照らして処刑するべく捜索に尽力している、と答えた。

これによって、この日の談判は終了した。

彦蔵が奉行の役宅から領事館にもどると、しばらくしてポポフの命令をうけた迎えの士官が来て、ボートでロシア艦に行った。再び談判が艦内でおこなわれることになっていて、彦蔵がつくと間もなく奉行の酒井が六人の役人たちと艦にやってきた。

ポポフは、下手人発見に全力をつくすようかさねて要求し、酒井は、力のかぎり努めている、と答えた。

艦では昼食を出し、彦蔵は、ポポフ提督や奉行たちと食卓をかこんで事件の処理について互いに言葉を交した。

話し合いは終り、午後三時頃、奉行と役人たちは艦を去った。

ポポフは彦蔵を誘って甲板を歩きながら、

「奉行タチハ、本気ニ下手人ヲ発見逮捕シヨウトシテイルノダロウカ。君ノ率直ナ考エヲキカセテ欲シイ」

と言って、彦蔵の横顔を見つめた。

「真剣ニ彼ラハ努力シテイルト思イマス」

彦蔵は、感じているままを口にした。

ポポフはうなずき、

「奉行タチノ話シブリハ心ガコモッテイテ、私モ君ノ意見ト同ジヨウニ考エザルヲ得ナイ」

と言い、彦蔵と腕を組むと、

「ヒコ、君ノオカゲデ奉行カラ多クノ事ヲキキ出スコトガデキタ。恩返シヲシタイガ、何カ欲シイ物ガアッタラ言ッテクレ」

と、はずんだ声で言った。

「少シオ役ニ立テタダケデスカラ、何モイリマセン」

彦蔵は答えたが、ポポフは、

「ソレハ困ル。私ハ用意スル」

と、言った。

彦蔵は、少しの間ポポフと甲板を歩き、別れの挨拶《あいさつ》をしてボートで艦をはなれた。

翌日、かれがドール領事と外出し、領事館にもどると、バン・リードが留守中にポポフ提督が訪れてきて金時計を彦蔵に渡してくれと告げて去った、と言った。リードに託したポポフの伝言は、彦蔵が尽力してくれた感謝のしるしであるという。

彦蔵は、ポポフの律義《りちぎ》さに感謝し、それを受け取った。

その後、ロシア艦隊側と幕府側で書面による折衝がつづけられ、双方で合意した結論が彦蔵の耳にも伝わってきた。

ロシア側が幕府に対して要求したのは、
一、日本の高官が、ロシア艦に来て謝罪すること。
二、神奈川奉行は、官職を辞すること。
三、下手人を逮捕して、ロシア士官、水兵の面前に於《お》いて死刑に処すこと。
四、殺害されたロシア艦士官と水兵の墓の上に堂を立て、それを永久に保存すること。
この四要求を九月一日、幕府はすべていれ、横浜村に詰めていた神奈川奉行水野筑後守と加藤壱岐守《いきのかみ》則著《のりあき》を罷免《ひめん》し、水野は軍艦奉行に、加藤は普請《ふしん》奉行にそれぞれ転出した。

これによってロシア士官、水兵の殺傷事件は落着した。すでに秋色がひろがりはじめていた。

十七

九月上旬がすぎると、清《しん》国や他の地から多くの商人や貿易業者が船でやってきて横浜村に入り、居留地は拡大した。商売は日増しに活況を呈し、商品の取引がさかんになった。

十月に入って間もなく、役人が訪れてきて奉行所に同道して欲しい、と言った。おたずねしたいことがあるという。役人は用件を口にせず、彦蔵はいぶかしみながらも奉行所におもむいた。

支配調役が、綴《と》じられた書面を手にして出てきて、彦蔵と対坐《たいざ》した。

「これは箱館奉行様から江戸への上申書の写しで、米国へ漂流の者に対する吟味一件のことが記されております」

米国へ漂流の者という言葉に、彦蔵は表情をこわばらせ、役人の顔を見つめた。

役人が表紙を繰って第一行から読みはじめたが、彦蔵は思わず短い叫び声をあげた。

「播州《ばんしゆう》（播磨国）本庄村治作　北亜米利加《あめりか》国江漂流」し、数年とどまっていたことについての吟味書、と役人は言った。

治作だ、と思った。彦蔵は、今年の六月に帰国できたが、治作と亀蔵は、そのままアメリカに残った。亀蔵は、雇われた船に乗ってサンフランシスコからはなれていたが、治作はサンフランシスコの商社に雇われていて、彦蔵はかれを残して日本へむかうことを申訳なく思い、辛《つら》かった。

箱館奉行所で、治作がどのような吟味を受けたのか、彦蔵は役人の口の動きを見守った。

「今般箱館港入津之同国《にゆうしん》（アメリカ）船江乗組罷帰候一件《まかりかえりそうろう》」という言葉が役人の口からもれた。治作さんが、アメリカ船で箱館に帰っている、とかれは胸の中でうめくようにつぶやいた。

役人はさらに書面を繰り、淀《よど》みない口調で読みつづけた。吟味書には治作の出生地と百姓七右衛門の兄であるという素姓が書かれ、三十七歳とも記されている。今年の四月十九日入牢《にゆうろう》とあるからには、その日にアメリカ船から奉行所に引渡されたことをしめしている。さらに五月三日出牢とあって、その間に奉行所の取調べを受けたことはまちがいない。

それにつづいて「永力丸」で遭難漂流し、アメリカ船に救出され、いったんは清国に送られたが、サンフランシスコにもどって在住していた経過がつづられ、亀蔵とともに彦蔵の名も記されていた。

治作が「永力丸」で行方不明になったことについて、箱館奉行所ではかれの生地を支配する姫路藩と「永力丸」を管轄《かんかつ》下におく大坂町奉行所に問合わせた結果、治作の陳述通りであることがたしかめられた。

吟味書には、「持帰り候品々」として、冠《かぶ》り物、筒袖《つつそで》衣類、もも引、沓《くつ》と書かれているが、それは帽子、上衣《うわぎ》、ズボン、靴の意で、治作がアメリカ人と同じ服装をしていたことをしめしている。

銀銭を所持しているが、箱館奉行所では、それを日本の貨幣に両替し、また「銀こっふ」も相当の額で買い上げてやりたいが、いかが、と老中に伺いを立てている。むろん「銀こっふ」は銀製のコップであった。

最後に、治作は一日も早く母と弟七右衛門の待つ故郷へ帰りたいと願っているので、故郷の村を支配する姫路藩主酒井雅楽頭《うたのかみ》の家来に引渡してやりたく、御指示を仰ぎたい、とむすばれていた。

役人が読み終えると、彦蔵は大きく息をついた。アメリカに残っていた治作の身を案じていたが、自分につづいて大海を越えて箱館についたことが嬉《うれ》しかった。思慮分別のある治作だけに、決して無理はせず箱館に行く船を見出《みいだ》し、乗船したにちがいなかった。

支配調役が、口を開いた。

彦蔵がハリス公使、ドール領事一行と神奈川に着いた時、奉行所に提出された身上書に「永力丸」の炊《かしき》として漂流し、アメリカに滞在して帰国した旨《むね》が記されていた。治作の吟味書にも「永力丸江被雇《やとわれ》」江戸へ行ってもどる途中遭難したと記されているので、同じ船に乗って遭難したものと推定されていた。

「いかがかな」

調役は、彦蔵を見つめた。

「その通りです」

彦蔵は、清国から治作、亀蔵とともにアメリカにもどり、治作は長年サンフランシスコに居住していたことを述べ、その言葉を書役が筆を走らせて記録した。

「治作と申す者のアメリカでの生活はいかがであった？」

「初めは船の調理人に雇われ、ついで商館で働いておりました。真面目《まじめ》で、アメリカ人にも評判が良く親しまれておりました」

「キリシタンであったということは？」

「そのようなことはきいたこともありません」

彦蔵は、やはりキリスト教の信者であることが入国の障害になっているのだと思い、恩人であるサンダースのすすめでアメリカに帰化したことが賢明であったのを感じた。

「御足労をおかけしました。江戸から一応貴殿に治作についておきききするよう言われましたので……」

調役は、丁重に頭をさげた。

「いいお話をおきききしました」

彦蔵も一礼し、腰をあげた。取調べが終ったらしい治作は、やがて故郷へ帰ってゆくだろう。治作の喜びが想像され、彦蔵は嬉しくてならなかった。

清国で別れた「永力丸」の仲間の大半は、唐船で長崎につき、それぞれの故郷にもどったという。清国で一人失踪《しっそう》した岩吉は、伝吉と改名し、ダンと呼ばれてイギリス公使オールコックの通訳となって帰国している。東禅寺の公使館にいるはずだが、その後、会う機会はない。

「サスケハナ号」にただ一人残されたという炊の仙太郎は、どうしたのか。また、アメリカにいる亀蔵は、むろん帰国の機会をねらっているのだろうが、果して健在なのかどうか。二人の身の上が気がかりであった。

翌日、領事館に訪問者があり、出て行った彦蔵は、大声をあげて近づき握手した。サンフランシスコからハワイまで船に乗せてくれ、そこで別れた測量調査艦「クーパー号」の艦長ブルック大尉《たいい》であった。彦蔵が帰国できたのは大尉のすすめにしたがったことがきっかけで、いわば大恩人であった。

大尉は、海の調査をつづけ日本沿岸の測量もおこなって神奈川沖に艦を碇泊《ていはく》させ、ドール領事に表敬訪問のためやってきたのだ、と言った。

彦蔵は、すぐにドールの部屋にブルックを連れて行き、自分と大尉の間柄を説明した。大尉は、ドールに測量調査の状況を話したりして歓談した。大尉は日本の風光が驚くほど美しく、海上から富士山を眼にした時は感動した、と眼を輝やかせて言ったりした。

大尉は、ドールと彦蔵を艦に招待したいと言い、ドールは快くおうけする、と答えた。

彦蔵には、気がかりなことがあった。「クーパー号」でハワイについて間もなく、ティムと呼ばれていた淡路島出身の漂流民政吉と会い、日本へ帰りたいと涙を流して頼まれた。同情した彦蔵は、ブルック大尉に自分の代りに日本へむかう「クーパー号」に政吉を乗せて行ってやって欲しいと頼み、大尉は諒承《りようしよう》して水夫見習いとして雇い入れてくれた。その政吉は、今でも「クーパー号」に乗っているのだろうか。

ブルック大尉は、ドールとの話を終え、腰をあげて握手した。

彦蔵は大尉を送って境内に出ると、

「ティム（政吉）ハ、ドウシマシタ」

と、声をかけた。

大尉は足をとめて彦蔵に眼をむけると、

「元気デイル。ソノ事デ君ニ是非トモ頼ミガアル。明日午後二時ニ奉行ニ面会申込ミヲシテイル。ティムヲ連レテ行ッテ引渡シタイノダガ、君ニ立会ッテモライタイ」

と、言った。

彦蔵はうなずき、

「モチロン、喜ンデ……」

と、答えた。

「ソレデハ、明日午後一時半ニ横浜村ノ波止場デ会オウ」

大尉は、彦蔵に握手をすると門の外に出ていった。

翌日、彦蔵はドール領事に事情を話して暇をもらい、定刻に波止場に行った。すでに

「クーパー号」のボートがついていて、波止場の前の道に水兵をともなった大尉が、浅黒い肌の男と並んで立っていた。

「政吉さん」

彦蔵は、小走りに近寄るとその手をつかんだ。

政吉の眼に涙が光っていて、彦蔵に無言で頭を何度もさげた。

彦蔵が先に立って歩き出し、政吉はしきりに涙をぬぐってついてきた。ただ一人餓死をまぬがれて故国の土をふむことができた政吉の喜びが察せられ、彦蔵も涙ぐんだ。

奉行所の門に立つ番人に来意を告げると、番人が奉行所の中に入り、すぐに顔見知りの役人が出て来て案内に立ってくれた。

一室に通され、しばらく待っていると、奉行の新見豊前守正興《ぶぜんのかみまさおき》が、支配調役らと入ってきた。彦蔵が大尉を紹介すると、新見は椅子《いす》をすすめ、彦蔵は大尉とともに腰をおろした。政吉は床に膝《ひざ》をつき、手をついて頭をさげていた。

大尉が、口を開いた。

「我々ハ、コノティムトイウ日本人ヲ引渡シニヤッテ来マシタ。彼ハ、帰国ヲ希望シテイタノデ連レテ来タ。ティムハ誠実デ、私ノ艦デ水夫トシテ非常ニ良ク働イテクレマシタ」

彦蔵は言葉を添え、ティムはアメリカ人たちの呼び名で、淡路島生れの政吉であり、荷船が破船漂流し、ただ一人生き残ってアメリカ捕鯨船に救われ、ハワイに上陸したのだ、と詳細に説明した。

それを書役が記録し、さらに支配調役がひれ伏した政吉にさまざまな質問をし、政吉は頭をさげたまま答えた。

「委細はお白洲《しらす》で吟味する」

支配調役がおだやかな口調で政吉に言い、それで質問を終えた。

彦蔵はブルック大尉に顔をむけると、

「奉行所デハ、ティムヲ引取ルト言ッテイマス。ツマリ、ティムハ帰国デキルノデス」

と、説明した。

うなずいた大尉は、床に置いた鞄《かばん》から布袋を取り出し、立つと支配調役に手渡した。中に二百三十ドル入っていると大尉は言って、その金の性質を話した。政吉は、「クーパー号」の水夫見習いとして誠実に働き、金は航海中の給与である、と言った。

大尉は、奉行の新見に眼をむけると、

「二百三十ドルヲ日本ノ通貨ニ両替シ、ティムニ渡シテヤッテ欲シイ。コノ金ハ、勤勉ナティムノ報酬デアリ、ティムガ手ニスル権利ガアル」

と、言った。

彦蔵がその言葉を通訳すると、新見は、

「たしかにその通りにいたしましょう」

と、おだやかな眼をして答えた。

「アリガトウ。私ハ貴方《アナタ》ノ配慮ヲ甚ダ嬉シク思ウ」

大尉は、口もとをゆるめた。

新見は、

「貴官が日本人をかくの如《ごと》く親切に世話をし、無事に故国へ連れ帰らせてくれたことに、心より感謝する」

と言い、それを通訳すると、大尉は、

「非常ニ良イ。私ハ嬉シイ」

と言って、何度もうなずいた。

会見は終り、彦蔵は、大尉と立ち上った。

彦蔵は、なおも手をついている政吉の傍らにしゃがんで肩に手を置くと、

「ふる里に帰れます。本当によかった」

と声をかけ、立ち上ると大尉の後から部屋を出た。

政吉とはその後会うことはなかったが、奉行所では入念な吟味がおこなわれた。生国は、淡路島の津名郡机南村（現北淡町《ほくだんちょう》）で、農民の三男として生れ、船乗りになった。安政三年（一八五六）十月十五日、政吉は、船頭吉三郎、水主《かこ》平伊とともに六百石積み

の「住吉丸」に乗って淡路島の仮屋《かりや》浦を出船した。同船は、紀州の箕島《みのしま》で蜜柑《みかん》をのせて伊勢にむかい、熊野《くまの》灘《なだ》で大時化《しけ》に遭い、舵《かじ》が破壊されて流失、沈没の危険がせまったので帆柱を切り倒した。刎《は》ね荷がおこなわれて満載した蜜柑の大半を海に投棄し、船は激しい潮流にのって東へはやい速度で流された。

内海航路を往来する「住吉丸」に乗組んだ者の食料は、寄港する港々で補給するので、積んだ米と水の量はわずかであった。かれらは、それらの米と船に残った蜜柑を少量ずつ口にしたが、それも尽きて恐しい飢餓にさらされた。まず平伊が骨と皮になって死に、ついで船頭の吉三郎が絶命した。

政吉も力つき、意識も薄れて身を横たえていたが、たまたま近くを通りかかったアメリカの捕鯨船「メニフレーショ号」に発見され、救助された。船員の介抱でようやく体調も復し、かれは船員として捕鯨の仕事に従事した。英語も少しずつ理解できるようになり、勤勉に働いたので船長以下に親しまれ、かれはティムと呼ばれた。かれは、長期間航海をつづける「メニフレーショ号」で働き、捕鯨船の基地であるハワイにつき、そこで彦蔵に出会い、測量調査艦「クーパー号」で帰国できたのである。

奉行所での吟味で疑わしきことはないとして江戸に送られ、生地を藩領とする徳島藩の江戸藩邸に引渡された。藩では、あらためて政吉が破船漂流しただ一人餓死をまぬがれた経過を審問し、捕鯨船、測量調査艦の船員として働いたことも詳細に聴取した。それらは記録され、書類が徳島に送られた。

藩士にともなわれて政吉が郷里の淡路島にもどると、すでに死亡したと諦《あきら》めていた肉親は、涙を流して喜んだ。

それから二カ月後、藩から使いの者が来て、かれは徳島へおもむいた。藩では、特異な体験をした政吉に大きな関心を寄せていた。藩には英語に通じている者がなく、日常の英会話を自由にこなせる政吉は、得がたい通弁役の資格十分だと考えられた。それに長い間捕鯨船に乗って西洋帆船についての知識も十分で、さらに捕鯨、測量の仕事にも従事したことは貴重だと判断された。

藩は政吉に士分として召抱えることを伝え、即日、苗字《みようじ》帯刀を許した。政吉がアメリカ人にティムと呼ばれていたことから姓を天毛とし、天毛政吉という名をあたえた。

政吉は、通弁役となり、さらに藩の洋式軍艦「通済丸」の船頭役（船長）としてその航行を指揮した。木場嘉七郎の次女と結婚し、一男二女の父となった。文久二年（一八六二）には横浜へ出張して、藩の指示で洋船買入れに立ち合った。

明治維新後、北海道で捕鯨船に乗ったりしていたが、明治二十五年、病いを得て六十二歳で歿《ぼつ》した。


雨は降らず晴天の日がつづき、十二月六日朝には初雪が舞ったが、それもすぐにやみ、空気は乾きっていた。

その頃、神奈川奉行所にひんぱんに人の出入りがみられ、奉行所と江戸城の間に騎馬や幕府高官の往来がしきりであった。日米通商条約の締結の話し合いの中で、日本からアメリカに使節団を派遣する案が出て、公使ハリスは大歓迎するとして賛成し、それを実現するための準備があわただしく進められていたのである。

人選が難航したが、正使に江戸詰の外国奉行兼神奈川奉行の新見豊前守正興、副使に村垣淡路守《あわじのかみ》範正、目付に小栗豊後守忠順《おぐりぶんごのかみただまさ》が任命された。一行は、アメリカ軍艦「ポーハタン号」に乗ってアメリカにむかい、幕府の蒸気船「咸臨丸《かんりんまる》」も同航することが決定した。

初めての外国への公式使節派遣なので、老中を中心に大目付、目付、勘定奉行、外国奉行が協議をかさね、その結果が神奈川奉行所につぎつぎに指令される。領事のドールのもとにもハリス公使から使いの者がしばしば訪れてきて、打合わせを繰返していた。

やがて、使節団を乗せる軍艦「ポーハタン号」が神奈川に到着し、彦蔵は、バン・リードとともにその艦に積み込む石炭の収集貯蔵につとめ、連日のように歩きまわった。

測量調査艦の「クーパー号」は、暴風雨で海岸に坐礁《ざしよう》し、損傷は大きく航行不能と判断されて競売に付されていた。艦を失ったブルック艦長をはじめ乗組員たちは、アメリカ行きの商船にでも乗って帰国する以外になかったが、遣米使節団派遣のことをきいたブルックは、アメリカ公使館を通じて幕府に申入れをした。「ポーハタン号」に同航する「咸臨丸」は、軍艦操練所で海軍伝習の教官をしていた日本人が操船することになっているが、むろん太平洋を横断するのは初めてで、ブルックが水兵たちとともに水先案内を務めたいという。

この申入れに対して、「咸臨丸」を操船する予定の日本の士官たちは、日本人だけで航海する自信がある、と言って強く反対した。

しかし、幕府は、ハリス公使のすすめもあって喜んでブルックの申入れを受けることをきめた。ブルックは測量調査艦の艦長として江戸湾とサンフランシスコ間の海域を熟知していて、水兵たちとともに水先案内をしてくれれば、これ以上望ましいことはないと判断したのである。

「咸臨丸」と「ポーハタン号」の出帆は、一月中旬と決定した。

その年は暮れ、安政七年(一八六〇)正月を迎えた。横浜村の日本人の商店では松や竹が飾られ、正月らしいのどかな雰囲気であった。

相変らず晴天の日がつづき、一月八日も朝から明るい陽光がアメリカ領事館の本覚寺をつつんでいた。

朝食後、領事のドールが、先刻、神奈川奉行所の役人が来て書状を渡して去ったと言って、それを英訳するよう彦蔵に命じた。奉行所からは絶えず遣米使節の件について依頼状、報告書が来て、その度に彦蔵が英文に直してドールにしめしていた。早朝や深夜に書面がとどけられることも多く、その書状も遣米使節に関することにちがいないと思った。

書状を開き、文字を眼で追った彦蔵は、自分の顔から血の色がひくのを意識した。イギリス公使館付の日本人通訳が、昨日夕刻、殺害されたことを報告する、という短い文面であった。

同じ「永力丸」で漂流の憂目《うきめ》に遭い、アメリカ船に救われて清国に送られた水主の岩吉の顔が眼の前に浮び上った。岩吉は、清国船で長崎へ行こうとして乍浦《チーフー》におもむいた仲間の水主たちからはなれ、上海のイギリス商館に雇われて伝吉と改名し、イギリス人からダン・ケッチまたはダンと呼ばれていた。岩吉とは広東で偶然出会い、岩吉は日本に赴任するオールコックに通訳として雇われ、オールコックとともに日本の土をふみ、総領事館（五カ月後に公使館に昇格）の高輪の東禅寺にいるはずであった。

殺害されたという日本人通訳とは、岩吉のことか。それとも、他に英語の巧みな日本人が通訳として雇われていて、その男が殺されたのか。

「何カアッタノカ」

彦蔵が顔色を変えているのに気づいたドールが、気づかわしげにたずねた。

「イギリス公使館付通訳ガ、昨夕、殺サレタソウデス。日本人ノ由《ヨシ》デス」

彦蔵が答えると、

「ダンデハナイノカ」

ドールの表情がこわばった。

伝吉のことはドールに話してあって、ドールは、伝吉がイギリス公使館に勤務しているいきさつも知っていた。

「モシカスルト……」

彦蔵はつぶやき、奉行所に行って詳しく事情をきいてみたい、と言った。

ドールにしても、たとえ日本人とは言えイギリス公使館付の通訳が殺害されたことは、外国公館全体にかかわる問題で、実情を完全につかんでおく必要があり、彦蔵の申し出をただちに承諾した。

彦蔵は、あわただしく外出着に着替え、山門を出た。路面は乾燥し、左方向に見える海は陽光にまばゆく輝やいている。彦蔵は、足をはやめて道を進んだ。

奉行所は、あわただしい空気につつまれていた。遣米使節の出発準備に取り組んでいるところに、イギリス公使館付通訳が殺害されたという報告が入り、それが管轄《かんかつ》内で起きただけに奉行所は騒然としていたのである。

前年の七月には攘夷《じょうい》派と思える武士にロシア士官と水兵が襲われて二名が死亡、一名が負傷、ついで十月にフランス領事館の雇人である清国人が、洋服を着ていたことから異国人とまちがえられたらしく斬殺《ざんさつ》されている。いずれも国際問題となって、幕府はその処理に苦しみ、今また通訳が殺され、イギリス公使オールコックの厳重な抗議にさらされるはずであった。

彦蔵は、役人にドール領事の命をうけて来たと告げ、事件の詳細な内容を教えて欲しい、と要請した。

すぐに支配調役が応対に出てきて、報告を受けている事件の内容について説明に当った。

「殺された通訳の名は」

彦蔵がたずねると、調役は書面に視線を落し、

「通称ダン。日本名伝吉と申すイギリス言葉に通じている者の由です」

と、答えた。

彦蔵は、言葉もなく調役の顔を見つめた。オールコックの通訳に雇われて喜んでいた伝吉の顔がよみがえった。危惧《きぐ》していた通り、殺されたのは伝吉で、念願かなって帰国したのに難に遭ったことが哀れであった。

調役が書面に視線を走らせながら、事件の内容について説明した。

前日の夕七ツ半（五時）頃、伝吉はイギリス公使館の東禅寺の門外に出て、路上で女児が羽根つきをしているのを見て、面白半分にそれに加わった。

道を一人の武士が歩いてきて伝吉の背後に近づくと、不意に脇差《わきざし》を素早く抜いて背に突き立て、そのままゆっくりした足取りで去った。

伝吉は、よろめきながら門内にもどろうとし、それに気づいた警備の者が走り寄って体を支えたが、伝吉は仰向けに倒れた。公使館付のイギリス人医師が駈《か》けつけて手当をしようとしたが、脇差の刃先が背中から右胸に突き出ていて、すでに絶命していた。

すぐに館員と警備の兵が門外に出て四方に散って捜索したが、夕闇《ゆうやみ》も濃くなっていて下手人は発見できなかった。目撃者の証言によると、白髪の六十年輩の武士であったという。

その夜、公使館から神奈川奉行堀利凞《としひろ》に事件が急報され、堀は深夜に従者をしたがえて公使館におもむき、書記官のユースデンに弔意を述べ、対策を協議したという。

説明を終えた調役の顔には、困惑しきった表情がうかんでいた。

彦蔵は、悄然《しょうぜん》と奉行所を出た。

なぜ、伝吉は殺されたのか。伝吉の背に脇差を突き立てたのは攘夷派の武士にちがいなく、日本人でありながら伝吉がイギリス公使館に雇われていることに憤《いきどお》りをいだいたのか。そうだとすれば、アメリカに帰化してアメリカ領事館の通訳になっている自分も、ねらわれる対象になる。

攘夷派の者たちは外国人に激しい憎悪《ぞうお》をいだき、国外に一人残らず追い払おうと強く唱えているときく。アメリカでは日本人漂流民を手厚く扱い、彦蔵などは学校教育も受けさせてもらい、なに不自由もない生活をすることができた。余りにも対照的で、攘夷を唱える日本人の視野のせまさが愚しかった。彦蔵は、伝吉の命をうばった武士に激しい憤りをいだいた。

領事館にもどった彦蔵は、ドールに伝吉の死を報告した。

「コノ国ハ、狂ッテイマス」

彦蔵は、深く息をついた。ドールが日本人を野蛮で無智《むち》な人種と思っているような気がして、恥しかった。

ドールは、イギリス公使オールコック宛《あて》に弔文を書いて送った。

伝吉殺害について、さまざまな情報がアメリカ公使館や奉行所などから伝えられた。

事件の起った翌朝、イギリス公使オールコックは、外国事務担当の老中脇坂安宅《やすおり》に書簡を送って厳重抗議し、下手人逮捕を強く要求した。これに対して脇坂は、その筋々に逮捕を厳命しているという返書を送ったが、現在のところ全く手がかりはないという。

彦蔵は、伝吉の死を嘆き悲しんでいたが、そのうちに思いもよらぬ話が伝わってきた。

事件の起る一週間ほど前、神奈川奉行の溝口讃岐守《さぬきのかみ》直清がイギリス公使館に出向いて、書記官のユースデンと面談した。溝口の来訪目的は、伝吉についてであった。

伝吉は、初めの頃はつつましく通訳の仕事に従事していたが、次第に傲慢《ごうまん》な振る舞いをするようになった。イギリス公使館の館員たちはオールコックをはじめ幕府側に対して強圧的な姿勢をとり、訪れてくる幕府の高級役人にも終始尊大な態度をとっていて、その気風がいつの間にか伝吉にも感染していた。伝吉は、元水主の日本人であるとはいえ今ではれっきとした公使館付通訳で、自分の背後にはイギリスの強大な権勢がひかえているという意識を強くいだき、外見もイギリス人であることに徹して流行の洋服を着て腰には新しいピストルをおび、煙草《たばこ》も葉巻をくゆらせていた。

イギリス公使館には、幕府から派遣された幕兵と郡山、西尾の両藩兵計二百が警備にあたっていたが、伝吉はことさらかれらを見下すような態度をとり、それに憤慨した兵たちとしばしばいざこざを起すようにもなった。

その度に伝吉は兵たちに、

「おれは、イギリス公使館付通弁だ」

と、威嚇《いかく》するように言い、兵たちは公使館側の反応を恐れて口をつぐむのが常であった。

館外でも、伝吉の行為は人の眼をひいていた。庶民は乗馬できぬ習いになっていたが、伝吉は得意気に西洋馬をひき出して町なかをまわり、時には走らせることもある。大名の家来と道で出会っても蔑《さげす》むような態度をとり、そのため互いに荒々しい言葉を投げ合うこともあった。

かれの奔放さはさらにつのり、公使館の近くの三浦屋という茶屋の娘と強引に情交をむすび、娘を傍らにはべらせて夜おそくまで茶屋で酒を飲むことも多かった。肩をいからせて歩く伝吉に人々は顔をしかめ、かれの姿を眼にすると道の端に身を寄せる。かれに対する悪評はひろく流れていた。

神奈川奉行所では、このような伝吉が攘夷派の者にねらわれる恐れがある、と推測した。もしも襲われて殺傷されれば、イギリスとの国際問題になる。奉行所では黙視できず、奉行の溝口が、公使館に警告に出向いたのである。

溝口は、ユースデンに伝吉についての悪評を長々と述べ、事件が起る確率が高いのでそれを回避するため即座に解雇すべきである、と要請した。

この話を彦蔵は、奉行所の役人からきいたのだが、奉行所としては、わざわざ奉行の溝口が公使館に出向いて強く警告したことでもあり、伝吉の死について一応責任は果してあるという意向をいだいているようだった。

さらに彦蔵は、親しい役人から伝吉の目に余る行為の数々をきき、伝吉を哀れに思った。

伝吉は失踪《しっそう》して上海のイギリス商館に雇われて身をひそめたが、そこでは冷たいあしらいを受けていたにちがいなかった。清国を半ば植民地化したイギリスは、絶大な権力をふるい、商館の者たちは荒々しく清国人をこき使っていた。伝吉は日本人であるとはいえ、商館の者たちには顔も良く似ているかれを清国人同様に冷遇していたのではないだろうか。そうした扱いに堪えてきた伝吉は、はからずもオールコックに通訳として雇われ、帰国することができた。接触する日本人たちは、かれを公使館付通訳として一目も二目も置き、それによってかれは次第に威丈高になり、奔放な振る舞いをするようになったのだろう。

領事のドールが、伝吉の死についてイギリス公使館内の空気を彦蔵に伝えてくれた。書記官のユースデンは神奈川奉行の溝口の警告をはねつけはしたが、公使のオールコックをはじめ館員たちは、日頃から伝吉の粗暴な行動に顔をしかめていたという。この点について、オールコックは自著に、

「わたしは、かねてより、なにかのかたちで危険なことが起るだろうと信じていた。……われわれが赴任した当初の数カ月間は、たとえわたしには必要でなかったとしても、かれ（伝吉）の日本語の知識はひじょうに役立った。しかしわたしは、かれのために、かれを海外におくりだそうと真剣に考えさえした。……わたしは、かれのような思慮分別がなくて気の短い男は危険だと感じた（大君の都・山口光朔訳・岩波文庫）」

と、憂慮の深さを記している。

また、「かれは生命をうばわれることにきまったというはっきりした警告をあたえられていた（同）」と、溝口奉行の警告が当を得ていたことも認め、「かれは、短気で、高

慢で、荒々しかった（同）」と、伝吉の性格についても正しく観察している。

伝吉が殺害されたことは、江戸市中にもひろく伝わり、伝吉の行動を知っていた者たちは、殺されて当然だと口々に言い合った。

長州藩の江戸藩邸にいた藩士桂小五郎は、かねてから伝吉のことを伝えきいていたので、萩《はぎ》藩の来島《きじま》又兵衛に送った書簡の中で、伝吉が「至って心実よろしからざる者」であり、イギリスの権勢を「笠《かさ》にきて、皇国（日本）を軽んじ候《そうろう》様などこれあり候様子」と激しく非難している。その末尾に、伝吉が殺されたことを「誠にきび（気味）のよき事」と、記している。

オールコックは、伝吉の死をやむを得ないと考えながらも、イギリスの威信をしめすため伝吉の葬儀を公使館付通訳らしい格式でおこなうよう指示した。埋葬地は麻布の光林寺として、公使館からオールコックをはじめとした館員が葬儀に参加する予定を立て、さらに幕府に神奈川奉行の溝口直清、堀利煕の会葬を要求した。

葬儀当日の十日は快晴で、伝吉の遺体をおさめた柩《ひつぎ》は光林寺に運ばれ、盛大に葬儀が営まれた。多くの僧が読経《どきよう》し、位牌《いはい》には禅了院伝翁良心居士《こじ》という戒名が記されていた。

葬儀を終え、柩は墓地に運ばれ埋葬された。歿年《ぼつねん》は、四十一歳であった。

十八

伝吉殺害事件に揺れていた神奈川奉行所は、幕閣の指示のもとに遣米使節団の出発準備に専念するようになった。

一月十四日、奉行所から彦蔵に、「咸臨丸《かんりん》」の水先案内を務めるブルック大尉《たいい》と同道でおいで願いたい、という要請があった。承諾した彦蔵は、翌日、ブルックとともに奉行所におもむいた。

奉行の竹本図書頭正雅《ずしょのかみまさつね》が応対に出て、ブルックが水先案内役を引受けてくれたことに幕府は感謝している、と述べ、彦蔵がその言葉をブルックに通訳した。ブルックは、光栄に思い喜んでいる、と答えた。

竹本は、感謝のしるしとしてこれを贈る、と言って台にのせた白木の盆を家臣に持ってこさせた。盆の上には、白鞘《しろさや》の小刀と刺繡《ししゅう》の入った五枚の絹布がのせられていた。ブルックは、眼を輝やかせ、感謝の言葉を繰返して受け取った。

「咸臨丸」の出帆は、四日後と内定していたので、翌日、彦蔵は、艀《はしけ》で「咸臨丸」に行き、ブルックに別れの挨拶《あいさつ》をした。

その折り、「咸臨丸」の提督である軍艦奉行木村喜毅《よしたけ》、艦長勝安房《あわ》、通弁として乗組んでいる士官の中浜万次郎らに紹介された。彦蔵は、中浜が漂流民で幕府に重用されている通弁であるのを耳にしていた。

中浜は土佐の漁民で、十五歳の折りに操業中遭難し、無人島（鳥島）に漂着、半年後、アメリカ捕鯨船（船長ホイットフィールド）に救出されてハワイに上陸した。その後、アメリカのニューベッドフォードに着き、中浜の才能を愛したホイットフィールドによって学校教育を受け、英語、数学をまなび、ついで航海術、測量術を修めた。その後、捕鯨船の船員になったりしたが、弘化三年（一八四六）にハワイをへて翌年正月、琉球に上陸し、長崎に至った。

英語のみならず航海術、測量術の知識もそなえていた中浜は、土佐藩に召し抱えられ、さらに幕府に召されて英文書の翻訳、軍艦操練所教授、鯨漁御用などを務めていた。

中浜は、彦蔵のことをきき知っていて、

「私と同じように漂流の憂目《うきめ》にあった由《よし》ですが、お互いお国のために働きましょう」

と言って、彦蔵の手をかたくにぎった。

中浜は三十四歳で風格があり、十歳下の彦蔵は気圧《けお》されるものを感じた。

彦蔵は、正月十九日に「咸臨丸」が浦賀を出帆し、サンフランシスコにむかったことを耳にした。

「咸臨丸」についで三日後の一月二十二日には、遣米使節団一行七十七名を乗せたアメリカ軍艦「ポーハタン号」が横浜をはなれ、サンフランシスコにむかった。ようやく神奈川も、静けさをとりもどした。

相変らず晴れた日がつづき、二月に入ると雪が降ることが多くなったが、例年より暖かい冬で、すぐに霙《みぞれ》から雨に変った。

二月下旬、彦蔵は、ドール領事に辞任を申し出た。いつまでも領事館付通訳をしていても前途がひらけるはずはなく、自由に自分の道を切り開いてゆこうと思ったのである。一カ月前、サンフランシスコで識《し》り合ったアメリカの商人から共同で貿易の仕事をしないかという手紙が来て気持が動き、そのようなことをするためにも、領事館の雇いという任からはなれた方がいい、と考えたのである。

ドールは驚いて強くひきとめたが、彦蔵が、必要な折りにはいつでも無報酬で領事館の通訳の仕事をすることを約束したので、申出をいれてくれた。

かれには、いつの間にか貯《たくわ》えもできていて、つつましくすごせば生活にさしつかえることはなく、領事館をはなれると横浜村に小さな家を借りて移り住んだ。

三月三日は朝から激しい雪で、風邪気味の彦蔵は家でふせっていたが、領事館から使いの者がドールの手紙をとどけにきた。開いてみると大老の井伊掃部頭直弼《かもんのかみなおすけ》が江戸で暗殺されたという急報が入ったので、ただちに領事館に来て欲しい、と記されていた。

すでに雪はやんでいて、彦蔵は、急いで領事館に行った。

ドールは顔を青ざめさせていて、ハリス公使からの急状をしめした。そこには、井伊が江戸城へ登城する折り、桜田門外に待ち伏せしていた浪人たちによって斬殺《ざんさつ》された、と記されていた。

彦蔵は、ドールに頼まれてそのまま領事館にとどまった。

公使館からつぎつぎに書状が送られてきて、幕府は、ハリス公使をはじめ外国の代表者たちに井伊の傷は軽微で生命に別条はない、と伝えてきたという。しかし、江戸からは、井伊が浪人たちの集団に首級《しゅきゅう》をあげられたという情報がしきりで、それは目撃者の証言をもとにした確報であった。幕府は、三月晦日《みそか》井伊の死を公表したが、あきらかに斬首されたことをかくすための措置であった。

ドールは、警護の藩士にかたく守られた摂政《せっしょう》の井伊が攘夷《じょうい》派の浪士たちに殺害されたことに、激しい恐怖をいだいていた。ロシア艦の士官と水兵、フランス領事館雇いの清国人、そして伝吉の殺傷事件は、外国人またはそれに準ずる者を対象とした、あきらかに攘夷派の手になるもので、かれらは、開国によって日本に入り込んできた外国人に敵意をいだき、それが殺伐な行為につながっている。開国を推しすすめた大老井伊直弼にかれらは激しい憤《いきどお》りをいだき、その生命をねらおうとしていたのだろうが、幕閣の最高位にある人物だけに警護は厳重でつけ入るすきはないはずだった。しかし、攘夷派の者たちは、意表をついて井伊を襲い、瞬時にして首を斬《き》り落したという。

彦蔵は、攘夷派の者たちの容易ならざる憎しみの深さに身のふるえるのを感じた。

用心深いアメリカ公使ハリスは、公使館外に出ることはしないというが、領事のドールも外出は極力ひかえ、やむを得ず外に出る時は、短銃を携行していた。それにならって、彦蔵も小型ピストルを所持するようになっていた。

その月の下旬、またも横浜村で外国人が殺害されたという話が伝わった。彦蔵は、詳細を知らなかったが、入港したオランダの二隻《せき》の船の船長が夕方、連れ立って横浜村の日本人商店街を歩いている時、一人の武士が背後から突然斬りつけ、二人は倒れ絶命した。目撃した者の話によると、一人のオランダ人の傍らに片腕と帽子が落ちていたという。

この事件は、外国人たちの恐怖をさらにつのらせ、日没後は路上を歩く者は絶えた。

井伊大老暗殺事件によって、年号が安政から万延《まんえん》に改められた。

神奈川奉行所では、相つぐ殺傷事件で横浜村に淀《よど》んでいる沈滞した空気を一掃するため、弁天社の例祭を開港一周年にあたる六月二日に改め、例年より華やかな大祭にするよう指示した。そのため、氏子たちは芸者たちに山車《だし》をひかせて家並の間を練り歩かせ、舞台で踊りを披露させた。外国人たちも見物し、日本人たちはかれらを歓迎した。

九月二十二日、アメリカ船「ハートフォード号」がストライブリング代将を乗せて入港してきた。ドール領事は、代将や士官たちの歓迎舞踏会を催した。アメリカ人全員が招待されて盛会だったが、これもドールが日本に居留するアメリカ人の気持を引き立たせるためのものであった。

九月二十八日朝、アメリカ軍艦「ナイアガラ号」が江戸湾に入ってきて、四ツ半（午前十一時）頃、横浜村沖に投錨《とうびょう》した。アメリカ訪問を終えた新見豊前守を正使とした遣米使節団一行がもどってきたのである。

彦蔵は、領事館の書記生バン・リードとともに艀《はしけ》で「ナイアガラ号」におもむき、新見と副使の村垣範正に会った。リードは、ドール領事の代理として無事帰着を祝う言葉を述べ、彦蔵が通訳した。

新見はリードに、アメリカの至る所で歓迎され、快適な旅であったことをドール領事に伝えて欲しい、と答えた。さらに新見は、「ナイアガラ号」の艦長と士官に乗船中の好意と配慮に謝辞を述べたいが、通訳して欲しいと彦蔵に言い、彦蔵は、新見、村垣とともに近くに立つ艦長と士官たちのもとに近寄った。新見の口にする謝辞を彦蔵が通訳して艦長たちに伝え、笑顔でそれに答える艦長の言葉を和訳した。

彦蔵たちが退艦した後、「ナイアガラ号」は、品川沖に進んで碇泊《ていはく》し、翌朝、新見たちは艦長らに別れを告げ、艀に乗って艦をはなれた。その折り、水兵たちは残らず帆桁《ほげた》にのぼり、艦長たちは甲板に並んで帽子を手に三度声を発し、祝砲十七発が発射され、砲声がいんいんと木魂《こだま》した。

その情景は神奈川と横浜村の人々の間に伝えられ、彦蔵は、水兵たちの中には別れを惜しんで涙を流した者も多かったということも耳にした。彦蔵は、この話が広く流れ、攘夷派の者たちの外国人を敵視する気持が少しでもやわらぐのを願った。

遣米使節団が帰着して三日後、奉行所から役人がやって来て、たずねたいことがあるので奉行所においでいただきたい、と丁重な口調で言った。

何用かと思いながらも、彦蔵は着替えをしてその役人と奉行所におもむいた。

一室で待っていると、支配調役が書役とともに入って来て対坐《たいざ》した。

調役は、書類を机の上に置き、

「亀五郎と申す者を御存知と思いますが……」

と、言った。

彦蔵は記憶をたどり、首をかしげた。

「御存知ありませんか」

調役は、意外なという表情をし、

「アメリカのサンフランシスコであなたと一緒にすごしていたと申しております。それから治作という者もいたと……」

と、言った。

彦蔵は、思わず短い声をあげた。

それはあきらかに亀蔵にちがいなかった。改名は常のことで、殺害された岩吉は伝吉、自分も彦太郎から彦蔵に名を改めている。亀蔵はアメリカ人からカメという愛称で呼ばれていたので亀の名を残し、亀五郎と名を変えたにちがいなかった。

「よく存じております。もとの名は亀蔵」

彦蔵は答えながらも、なぜ役人が亀蔵のことを口にしたのか、いぶかしく思った。

「やはり御存知ですか」

役人はうなずき、

「新見豊前守様御一行の御帰国になられましたアメリカ軍艦に、その者が同乗しまして、只今《ただいま》、江戸で御吟味を受けております」

と、言った。

彦蔵は、口を大きく開いた。亀蔵が帰国したという役人の言葉がにわかには信じられなかった。

役人が、書面に視線を走らせながら事情を説明した。

帰国の途についた遣米使節を乗せたアメリカ軍艦「ナイアガラ号」は、九月十日に香《ホン》港《コン》に入港して、石炭、食料、水の補給をし、その間、新見らは香港に上陸したりして日をすごした。

十八日に出港したが、前日に一人の日本人がアメリカ人の紹介状を手に清国の小舟に乗って艦にやってきて、オランダ語通訳官のホイットマンに面会を申し入れた。

ホイットマンが会うと、男は亀五郎と名乗り、かなり流暢《りゅうちょう》な英語で自分の身上話をした。

亀五郎は、芸州椋之浦《むくのうら》(広島県因島市椋浦町)の生れで、十年ほど前、船乗りとして江戸から帰航中、熊野灘で遭難、破船漂流してアメリカ商船に救《たす》けられ、サンフランシスコに上陸した。一同十七人であったが、清国に送られる途中、ハワイで船頭が病死。亀五郎は、治作、彦蔵とともにサンフランシスコにもどり、船の炊《かしき》に雇われてすごしていた。

その船で長い航海をしてサンフランシスコにもどると、すでに彦蔵は神奈川に、治作は箱館にそれぞれ帰国したことを耳にした。

ただ一人になったことを知った亀五郎は、狼狽《ろうばい》して日本へ行く船を狂ったように探しまわり、商船「ロッジル号」が商用で香港へ行くことを知って船長のノルデネルに乗せて行ってくれるよう懇願した。船長は承諾し、亀五郎は水夫に雇われて乗船し、五十日間の航海をへて香港についた。かれは、遣米使節団の乗った「ナイアガラ号」が入港したのを知り、それに乗せてもらって帰国したいと考え、ホイットマンに面会を申出たのだという。

亀五郎の話に同情したホイットマンは、正使の新見豊前守にそれを伝えた。新見が会ってみようと言ったので、ホイットマンが亀五郎を連れてゆくと、亀五郎は新見の前にひれ伏し号泣した。

家臣がおだやかな口調で問いただし、亀五郎は、涙で声をつまらせながら香港にたどりつくまでのいきさつを陳述した。

亀五郎の話に強く心を動かされた新見は、「ナイアガラ号」の艦長に亀五郎をこの場で引取りたいと申出た。これに対して艦長は、艦に乗せて日本へ連れていってはやるが、新見に亀五郎の身柄を託すことには強く反対した。アメリカの法則では、漂流民を引取る折りには、その地駐在のアメリカ領事から艦長宛《あて》の申請書の提出が必要で、適当と認められた場合のみ許される。そうした手続きをへていない亀五郎を、日本側に引渡すことはできないという。

新見は、さらに懇請したが、艦長は頑《かた》くなに拒否の姿勢をくずさなかった。

そのため両者話し合いの末、帰国後、亀五郎を艦長から駐日アメリカ公使に引渡し、その扱いは公使の判断にゆだねることに決定した。この話し合いに従って、亀五郎は艦に乗って品川に上陸後、公使館に拘留され、公使館は幕府の役人に引渡したという。

「以上のような次第で、亀五郎は只今、江戸で御吟味を受けておりますが、亀五郎の陳述にまちがいはありませんでしょうか」

役人の言葉に、

「相違ございません」

と、彦蔵は答えた。

奉行所を出た彦蔵は、体をはずませて歩いた。治作は箱館に上陸し、ただ一人サンフランシスコに残してきた亀蔵も江戸にいる。亀蔵が帰国できたのは新見の温情によるもので、四日前に会った新見の顔を思いうかべ、いつか会う機会があったら心から感謝の意を伝えよう、と思った。

おそらく亀蔵は、やがて吟味を終えてふる里の椋之浦に帰ってゆくだろう。肉親、親《しん》戚《せき》の者の驚きと喜びが思われた。

彦蔵は、明るい気分になって、外国商人や日本の商人の依頼をうけて商取引の通訳をして相応の報酬を得てすごしていた。

樹々《きぎ》が紅葉し、その色もさめて枯葉が舞うようになり、気温が低下した。空は青く澄み、磯《いそ》では牡蠣《かき》を採る多くの女の姿が見られ、海上には点々と漁船が散っていた。晴れた日がつづいていたが、例年より寒気はきびしく、十一月十五日には初雪があって横浜村は雪の白さにおおわれた。

十二月五日は、寒気がことのほかきびしく、空は青く澄んでいた。

その夜、彦蔵は領事のドールからもらった葡萄酒《ぶどうしゅ》を飲んで就寝したが、深夜、入口の戸をたたく音に眼をさまし、戸をあけた。領事館に住込んでいる日本人の下男が立っていて、急用があるので領事館に来て欲しい、と言った。

彦蔵は、いぶかしみながらも短銃を腰におび、提灯《ちょうちん》を手にした下男とともに領事館に急いだ。館には灯がともり、敷地に十名近い奉行所の役人と小者がけわしい表情をして立っていた。

ドールの部屋に行くと、ランプの灯に領事と書記生のバン・リードが坐《すわ》っているのが見えた。

「ヒュースケン殿ガ襲ワレタ。重傷ヲ負ッタ」

ヒュースケンは、麻布善福寺に設けられたアメリカ公使館付書記官兼通訳官で、オランダからアメリカに帰化し、公使ハリスの補佐役として日米通商条約の締結に尽力した。ハリスが重病におちいった時には、ハリスの代理として幕府委員と直接交渉をおこなうなど、公使館では不可欠の人物であった。

彦蔵は、絶句した。

上海《シャンハイ》からハリスとともに帰国して軍艦が下田に寄港した時、その地でハリスを待っていたヒュースケンが乗船してきて紹介されたが、その後、会ったことはない。

「ナニ故《ユエ》ニ？」

ドールが、説明した。

彦蔵には、それを口にするのがやっとだった。

七月十九日にプロシア使節オイレンブルグ伯爵《はくしゃく》が軍艦をひきいて品川沖につき、日本との条約締結を幕府に要請し、外交交渉がはじまった。

オイレンブルグは、通訳としてのみならず日本事情に精通しているヒュースケンの助力を得たいと考え、アメリカ公使館にその旨《むね》を要請し、公使ハリスは快諾した。ヒュースケンは、江戸の芝にある赤羽根接遇所を宿舎としているオイレンブルグのもとに通って、日本の通詞森山栄之助とともに通訳の任を果しながら条約締結の実務を推し進めた。その仕事は一段落し、条約文の照合も終って、オイレンブルグをはじめ側近の者たちは、ヒュースケンに深く謝意を表していた。

用心深いハリスは、館員の夜間外出をかたく禁じ、ヒュースケンにも日没までには必ず館にもどるよう指示していた。が、オイレンブルグのもとに連日のようにおもむいていたヒュースケンは、夕食をとって午後九時すぎに宿舎を出るのを習いとしていて、十二月五日夜もその時刻に接遇所を出た。

ヒュースケンは馬に乗り、三人の騎馬の役人と馬を速歩にさせてアメリカ公使館への道を進んだ。役人たちは提灯を手に、一人は先に立ち、二人は後にしたがい、脇《わき》に四人の別当が提灯をかかげて走っていた。ヒュースケンは鞭《むち》を手にしているだけで、武器はたずさえていなかった。

公使館までの中間点の道がせまくなっている個所にさしかかった時、七名の武士が突然襲いかかり、役人たちの提灯をたたき落し、別当を突きとばしてヒュースケンに斬りかかった。傷を負ったヒュースケンは馬を二、三百歩走らせて逃げたが、衰弱が甚しく別当の助けを借りて馬からおり、数歩歩いて倒れた。

馬も臀部《でんぶ》に傷を負っていたので、別当が傍らの垣根に馬をつなぎ、役人たちは民家の雨戸をはずしてそれにヒュースケンを載せ、アメリカ公使館に運び込んだ。

事件を知った久留米藩主有馬慶頼《よしのり》が藩医の山本甫丈を派遣し、またプロシア宿舎からルチウス医師、イギリス公使館からもマイバーク医師が駈《か》けつけた。腹部から腰にかけて深く斬られていて腸が切断されて露出し、医師たちはその縫合をおこない治療に当った。ヒュースケンは意識はあったが、出血大量のため眼はうつろで、脈拍は弱々しくなっていた。

かれは葡萄酒を少し欲しいと言い、それを口にすると弱々しい声で周囲の者に礼を述べ、眠りに落ちたという。

「医師ハ、ドウ言ッテイルノデスカ?」

彦蔵は、ドールの顔を見つめた。

ドールは、首を何度もふると、

「絶望ラシイ」

と、つぶやくように言った。

その時、奉行所の役人がドアをノックして部屋に入ってくると、

「ヒュースケン殿が、九ツ（午前零時）に息を引き取られた由《よし》です」

と言って、頭をさげた。

彦蔵は、その旨をドールに通訳した。

ドールは、両掌《りようて》をかたくにぎりしめて頭《こうべ》を垂れ、長い間黙っていた。

彦蔵は、ヒュースケンを愛していた公使ハリスの悲しみを思った。ハリスはヒュースケンを「愛児の如《ごと》し」と言っていて、ハリスの外交官としての生活はヒュースケンとともにあった。それを知っているドールは、ヒュースケンの死に茫然《ぼうぜん》としているのだろう。

無言でいたドールが顔をあげ、

「日本ノナラズ者メ」

と、憤《いきどお》りにみちた眼で言った。

鶏の鳴き声が、遠くからきこえていた。

彦蔵は、そのまま領事館にとどまっていた。ヒュースケンが殺害されたことについて、神奈川奉行所から役人がしばしば連絡に来て、彦蔵が通訳の任に当らねばならぬからであった。

ヒュースケンの死は外国の外交官たちに大きな衝撃をあたえ、かれらは幕府を激しく非難していたが、アメリカ公使ハリスは比較的冷静で、彦蔵は意外に思った。ハリスは、その事件は幕府と無関係だという態度をとり、条約を守る日本側の誠実と善意を確信している、と公言していた。そして、幕府に対し、ヒュースケンの両親に一万ドルの弔慰金を要求し、幕府はそれをただちに受けいれて、国際問題に発展することはなかった。

十二月八日、ヒュースケンの葬儀がもよおされ、ドール領事も会葬のためアメリカ公使館へ出向いていった。

幕府側は、ハリスをはじめ外国の外交官が葬列に加わるのは浪士に襲われる危険が大であると強く反対したが、ハリスは、愛するヒュースケンの遺体に随行すると断言し、その主張がいれられて長い葬列が組まれた。

各国公使、領事をはじめ外国軍艦の武装兵がそれぞれの国旗をかかげて進んだ。日本側からは外国奉行の新見豊前守、村垣淡路守、小栗豊後守、高井丹波守《たんばのかみ》、滝川播磨守の五奉行をはじめ役人、兵らが加わった。葬列は、公使館を発して光林寺に到着した。

柩《ひつぎ》が墓地に運ばれ、墓穴におさめられた。ジラール神父が教会の典礼にしたがって式を進め、軍楽隊が聖歌を奏した。つづいて多くの僧が読経《どきよう》をし、ハリスが会葬者に短い謝辞を述べ、それによって葬儀は終了した。

この葬儀の模様は、帰館したドール領事から彦蔵はきいた。

ドールは、面変りしたほど沈んだ表情をしていた。葬儀に参列した外国の外交関係者たちは、自分たちがいつヒュースケンと同じ運命にさらされるかわからぬ、と甚だ不安がっていたという。

イギリス公使オールコック、フランス公使ベルクールは、共に江戸の芝に公使館を置いていたが、危険が大きいと考えて江戸から横浜に退去することを予定し、外交官の恐怖感はいちじるしいようだった。

「夜間ハモトヨリ、昼間モ外ニ出ルノハ恐シイ」

ドールの顔は、青ざめていた。

十九

降雪がしばしばみられ、万延二年（一八六一）正月を迎えた。

彦蔵は、領事館から横浜村の家にもどっていたが、ヒュースケンが殺されたことに外国人商人とその家族たちが激しく動揺しているのを感じた。

ヒュースケンが殺害されて間もなく、神奈川で日本人商人が夜、路上で何者かに襲われ斬《き》り殺された。その商人は、外国商人と商取引をしていてかなりの蓄財をしていると言われていた。攘夷《じょうい》派の者にとって、外国人と接して利潤を得ている商人は国賊であり、そのため生命を奪ったのだろう。外国人たちは、商人の死に攘夷論者の自分たちに対する憎悪《ぞうお》の深さを感じていた。

一月二十九日夜、横浜村で火事騒ぎがあった。オランダの商人の馬小屋から出火、隣接する住宅と倉庫に燃え移った。失火か、放火か。その騒ぎに乗じて攘夷派の者が外国人たちを襲うのではないかと恐れた外国人たちは、だれ一人として火災現場に行く者はなく、扉をかたくしめて家にとじこもっていた。

火のまわりははやかったが、神奈川奉行所から消防組が出て延焼を食いとめ、外国艦から武装兵が上陸して附近一帯の警戒に当った。

二月十九日に元号が文久《ぶんきゅう》と改められ、それから間もなく彦蔵の家に奉行所の役人が従者をともなってやってきた。

「役所では、あなたの身を案じております」

役人は、けわしい表情をして言った。

イギリス公使館付通訳の伝吉は、言動が荒々しかったこともあるが、公使館に雇われていたことが殺害された原因と考えられる。公使館に雇われている日本人の調理人や下男たちは、着物を着、丁髷《ちょんまげ》も結っていて日本の風俗そのままでいる。それとは異なって、伝吉は断髪し洋服を着、靴をはいていて、攘夷派の者たちは、日本人でありながら西洋人と同じみなりをしていることに激しい反感をいだいたと推測される。

「あなたは、つつましい言動をしておられ、それは役所でもよく承知しております。しかし、アメリカの領事館に雇われていたこともあり、髪も衣服も西洋風で、外観は伝吉同様です」

役人は、そこで言葉を切ると、彦蔵に視線を据え、

「実は、浪人の中にあなたをつけねらい、斬り殺してやると言っている者がいるとのことです。それ故、あなたの身を案じているのです」

と、言った。

彦蔵は、役人が決しておどしているのではないことを知っていた。相つぐ外国人と伝吉の殺害事件で、自分も死の危険にさらされているのを感じていた。

役人は、事件が起るたびに外国の公使、領事から激しい抗議を受けて幕閣は困惑し、その処理に苦しんでいる、と述べた。彦蔵の身にもしものことがあれば、ヒュースケンが殺されただけに、ドール領事のみならずハリス公使も激怒し、幕府に対して鋭く追及することは疑いない。

「それで、あなたには、これだけはぜひ厳守していただきたいことがあります」

役人は、懐《ふところ》から書面を出して読み上げた。

一、馬に乗らぬこと。

一、東海道に近づかぬこと。
一、なるべく横浜村の外国人居留地外には出ないこと。
一、日没後の外出は絶対しないこと。
書面をおさめた役人は、庶民が乗らぬ馬にまたがるのは、ことに浪人たちに激しい反感をいだかせ、伝吉が殺害されたのもしばしば乗馬して町なかをまわっていたことがあげられる、と強い口調で言った。

「おわかりいただけますな」

役人が言い、彦蔵はうなずいた。

役人は、表情をやわらげると、

「まことに物騒な世の中です。十分にお気をつけ下さい」

と言うと、従者とともに去っていった。

彦蔵は、身じろぎもせず壁に眼をむけていた。自分をつけねらっている者がいる、と役人は言ったが、単なる噂《うわさ》ではなく事実なのだろう。故国の土をふむことを悲願とし、その望みがかなえられて帰国したが、平和であると思っていた日本は、死の危険にみちた地であった。

着物を着、髪ものばして丁髷を結えば、攘夷派の者たちにねらわれることはないかも知れない。しかし、長い間アメリカで過したかれは洋服になじみ、今さら着物を着、丁髷を結う気にはなれなかった。第一、自分はアメリカに帰化した身で、外観のみを改めてもその実質は変らない。英語を口にし仕種《しぐさ》も洋風になっている自分を、日本人たちは外国人とほとんどが思っていて、すでに自分は日本人ではなくアメリカ人なのだ。危険を避けるためには、役人の警告通り夜間外出をせず、横浜村の外国人居留地から一歩も外に出ぬことなのだ、と思った。

かれは、自分が凩《こがらし》の吹きすさぶ荒野に立っているような肌寒さを感じていた。

桜が散り、気温は上昇した。

五月に入ると晴れた日がつづき、時には雷雨に見舞われることもあった。海の漁はにぎわっていて、さまざまな魚介類を笊《ざる》にのせた小商人が、天秤棒《てんびんぼう》をかついで家並の間を縫って歩いていた。彦蔵は、外国商人と日本人との商取引の通訳に当ったりして、横浜村の外国人居留地を連日のように歩いていた。緑の色が鮮やかで、平穏な日々がすぎた。

五月二十四日夜、横浜村の日本人の間に動揺が起った。西北の空に縦に長い帚星《ほうきぼし》が現われ、人々は外に出て見つめた。帚星は、兵乱や大災害が起る前兆とされ、かれらは不気味な光におびえた眼をむけていた。

夜半になって帚星は北方の山に没したが、その余光が北の空を明るませ、あたかも月が山からのぼるように見えた。

翌日も次の日の夜も満天の星で、帚星は没することなく、夜空に長く尾をひいて光っていた。彦蔵も、外に出て空を見上げていた。二十八日夜になると、帚星は長く上空に横たわり、彦蔵は薄気味悪さを感じた。

翌朝、彦蔵は、居留地の空気が激しく揺れ動き、人々の声が飛び交っているのを耳にした。昨夜、江戸高輪《たかなわ》にある東禅寺にもうけられたイギリス公使館を、浪士たちが襲う事件が起ったという。

日本の商人たちは、やはり毎夜現われる帚星が、その事件の前兆であったのだ、と顔を青ざめさせて言い合っていた。

彦蔵も、顔色を変えて立ちすくんだ。これまでの外国人に危害をあたえる出来事は、いずれも路上でのことにかぎられていて、浪士たちが外国の公館を襲った例はない。しかも、幕府に常に強圧的な態度をとるイギリス公使オールコックの住む公使館であるだけに、大きな国際問題に発展することはまちがいなかった。

オールコックの安否はどうなのか。むろん浪士たちの襲撃目的はオールコックの生命を奪うことで、もしも殺されでもしたら当然イギリスは武力行動に出て、日本と戦闘状態に入ることが予想される。その場合、清国を半ば植民地化したようにイギリスは強大な兵力を投入して、武力に劣る日本をたちまちのうちに圧伏し、日本を完全に支配下におくだろう。

清国に滞在中、イギリス人の横暴さを見きした彦蔵は、その事件が容易ならざるものであるのを感じ、帚星の不気味な光芒《こうぼう》を思いうかべていた。

果してオールコックの生死はどうなのか。

当然、ドールのもとには連絡が入っているはずで、彦蔵は、家を出ると領事館に急いだ。

領事館のおかれた本覚寺には、奉行所から派遣された警備の者たちがけわしい表情をして詰めていて、物々しい雰囲気であった。彦蔵は、本堂に立っている書記生のバン・リードの姿を眼にして近づいた。

「イギリス公使館ガ襲ワレタソウダガ、公使ハ御無事カ」

彦蔵は、リードの顔を見つめた。

「危カッタ。全ク危カッタ。公使ハ助カッタ」

リードは、興奮したように言い、

「九死に一生でした」

と、妙な訛《なま》りの日本語を口にした。

リードは、かなり日本語に通じるようになっていて、領事の通訳の務めを果していた。彦蔵の質問に、リードは、事件の概要を時折日本語をまじえて説明した。かれは、日本語を知っていることをしめすため、意識してそれを英会話の中に挿入する癖があった。

前日の四ツ（午後十時）頃、東禅寺におかれたイギリス公使館に浪士たちが乱入した。後の調べで十四名であることがあきらかになった。

東禅寺には、幕府から派遣されていた二百名近い警護の者が詰めていたが、ほとんどが寝に就いていて、不意を突かれた形になった。乱入に気づいた者の、「狼藉者《ろうぜきもの》」という叫び声に警護の者たちははね起き、斬り合いがはじまった。オールコックは奥の寝室で眠っていたが、若い通訳書記生に起され、護身用の連発短銃に弾丸を装塡《そうてん》した。その部屋に腕と首に傷を負った書記官のオリファントがよろめきながら入ってきて、つづいて額を傷つけられて顔面を朱に染めた長崎駐在領事モリソンが姿を見せた。

警護の者は善戦して浪士二名を斬殺《ざんさつ》し、一名を負傷させて捕えた。重傷を負った浪士三名は、東禅寺から品川の茶屋にのがれ割腹した。東禅寺側でも警護の者と馬丁それぞれ一名が斬殺され、双方の死傷者の数は二十三名を数えた。

「公使ハ傷モ負ワナイ。幸イダッタ。シカシ、恐シイ事件ダ、恐シイ、恐シイ」

リードは、顔をしかめ何度も首をふった。

ドールは、事件発生後、麻布善福寺におかれたアメリカ公使館へ出向き、留守であった。奉行所では、馬で公使館にむかうドールに警護の者をつけ、ドールも連発短銃を携行していったという。

イギリス公使館が襲撃されたことに動転した幕府は、各国の外交公館に多数の警備の者を派遣し、アメリカ領事館も兵によってかためさせ、夜間も警戒することが決定しているという。

バン・リードは、領事のドールがアメリカ公使館のヒュースケンが殺害されてからひどく神経過敏になり、常に弾丸を装塡した短銃を身につけ、夜も枕《まくら》もとに置いて就寝している、と言った。ヒュースケンが内臓まではみ出させたような斬られ方をしたのを耳にしたドールは、日本刀の鋭利さを極度に恐れ、銃で殺される方がはるかにましだ、と身をふるわせて言うのが口癖だ、とも言った。

「私も恐しい。侍の刀は恐しい」

リードは、日本語で言った。

彦蔵は、罪人の首が日本刀で一刀のもとに斬り落されるという話を何度もきいていた。武士は絶えず剣の修練につとめ、一瞬の間に刀で肉を裂き、骨も切断するという。銃弾は局部に命中すれば即死するが、刀で斬られた場合は激しい苦悶《くもん》の末に死に至る。ドールが刀を恐れ、銃撃される方がいいと言っているのも当然だ、と思った。

リードが、真剣な眼をして早口の英語でしゃべりはじめた。襲うのは攘夷派の武士たちで、かれらは外国人に激しい憎悪をいだき、命をねらうのは決して個人的怨恨《えんこん》からではない。かれらが敵視するのは洋服で、洋服を身につけているのは外国人にかぎられ、それを着ている者をねらう。

「私モヒコモ洋服ヲ着テイル。ソレダカラ私タチハ、彼等ノ刀ノ目標ニナル。オ互イ十分ニ注意シヨウ」

リードの眼にきびしい光が浮んでいた。

彦蔵はうなずき、やがて、

「デハ、マタ会オウ」

と言ってリードと握手し、本覚寺の山門を出た。

かれは、足をはやめて横浜村の外国人居留地に通じる道を歩いた。短銃を腰におびてはいるが、武家の刀は銃弾よりもはやく体に食い込むのではあるまいか。突然、武家が現われ刀を引き抜くような恐怖感に体がこわばり、かれは半ば走るように道を進んだ。

雨は全く降らず、六月に入ると陽光が照りつけ、近在の村々では、乾ききった耕地がひび割れて、雨乞《あまご》いがおこなわれているという話が伝わってきていた。横浜村でも井戸がれがみられ、水もらいをする家が多かった。

奉行所から役人がしばしば彦蔵のもとに訪れてきて、不穏な話を口にした。神奈川方面から横浜村に浪士風の者が多数入り込んで来ていて、中には夜、小舟で岸にあがる者もいるという。

「役所では警戒を怠りませんが、不審な浪人だからと言ってなにもせぬ者を捕えるわけにはゆきません。夜間はことに物騒で、あなたをねらっているという話もしばしば耳にしておりますので、心して御注意なさるよう」

役人はきびしい表情で言うと、足早に去っていった。

彦蔵の神経は、萎縮《いしゅく》していた。ことにイギリス公使館の東禅寺に浪士が乱入した事件があってから、かれは堪えがたい恐怖感に襲われていた。路上で外国人とそれに準じる者を殺害していた浪士たちが、多くの警備の兵によってかためられていた公使館に押し入ったことに、かれらの外国人に対する憎しみの深さと大胆さを感じた。

役人の言うように、アメリカに帰化し領事館に勤務して洋風の身なりをしている自分は、断じて許しがたい国賊として、誅殺《ちゅうさつ》すべき存在だと思われているにちがいない。

役人は、外国人居留地から一歩も外へ出てはならぬと警告を繰返しているが、横浜村でもロシア人士官と水兵の殺傷事件が起っていて、決して安全な地とは言えない。おびえた彦蔵は、夜間はもとより昼間も外へ出ることをひかえるようになった。浪士が町人に身なりを変えて襲ってくることも予想され、前方から歩いてくる男の気配をさぐりながら、距離を置いてすれちがうのが常であった。

夕方になると、かれは戸をすべてかたく閉ざし、手もとに短銃をおいて息をひそめて坐《すわ》っていた。急に不安になって、銃に弾丸が装塡されているかどうかたしかめることもあった。

彦蔵はどこか遠い地へ逃げ出したかったが、攘夷《じょうい》派の武士は全国至る所にいて、どこへ行っても斬殺の対象となる。日本人でありながらジョセフ・ヒコというキリスト教の洗礼名まであたえられている自分は、断じて許しがたい存在に思えるのだろう。

夜、犬の吠《ほ》え声がすると、自分を襲う者が近づいてきているのではないかとおびえ、短銃をにぎりしめて息をひそめる。夜は眠れず、食欲は失われた。

相変らず雨はみられず、炎暑の日がつづいた。

ふと、アメリカへもどろうかという思いが、胸の中をよぎった。悲願がかなえられて帰国したが、日本は自分を死におとしいれる恐しい地になっている。アメリカには、多くの心優しい知人、友人がいて、生命の危険などない。帰化した自分はすでに本質的にアメリカ人になっていて、アメリカの地以外に生きることはできないのかも知れない。

かれは落着かず、部屋の中を歩きまわった。英語には精通していて、アメリカに行ってもなに不自由なく日を過すことができる。

自分の気持を理解してくれる身近かな者は、領事館の書記生バン・リードしかいない。かれなら自分の置かれた立場もよく承知していて、アメリカにもどろうということも無理はないと考え、適切な判断をしてくれるにちがいなかった。

彦蔵は、短銃を身につけると家を出た。暑熱が体を包みこんできて、かれは乾ききった道を歩いていった。陽炎《かげろう》が立っていて、前方を行く荷を背にくくりつけられた牛がゆらいでみえる。

領事館の本覚寺の門を入ると、境内には蟬《せみ》の鳴きしきる音がみちていた。本堂の椅子《いす》に足を投げ出して坐っているリードの姿が見え、彦蔵は本堂にあがり、リードの前に置かれた椅子に腰をおろした。

「いかがなされた。暑気あたりですか」

リードが、日本語で言った。

彦蔵は、暑気あたりという言葉をリードが口にしたのを可笑《おか》しく思いながらも、自分の顔がすっかりやつれているのを感じた。

彦蔵は、黙って境内の樹葉に眼をむけた。

リードは、自分がサンフランシスコにいた時、日本へ帰りたいと切望していたことを熟知している。願いがかなってハリス公使一行とともに軍艦「ミシシッピー号」に乗って長崎に入港した時、自分がどれほど喜んだかも知っている。それなのに、アメリカへもどろうということをどのようにリードは考えるか。

かれは、リードに顔をむけた。

「突然、コノヨウナコトヲ言ッテ驚クカモ知レマセンガ、アメリカへ戻ロウト思イマス」

彦蔵は、英語で言った。

リードは、驚いたように彦蔵の顔を見つめた。

彦蔵は、役人がしばしば訪れてきて、自分の命をねらっている者がいるという風聞がしきりで、十分に留意するようにと警告されていることを口にした。伝吉が刺殺されたように、外国の公館に仕え洋風の身なりをしている自分は攘夷派の者の憎悪《ぞうお》の対象となっていて、このまま日本にいれば日ならず殺されることは疑いない。日本では生きることはかなわず、アメリカにもどるのが望ましいと思う。

視線を伏して語る彦蔵を、リードはかたい表情をして見つめている。

「相談相手ハ貴方《アナタ》シカイナイ。貴方ノ意見ヲキキタイ」

彦蔵は、顔をあげた。

リードは、考えをめぐらすような眼をして少しの間黙っていたが、

「非常ニ難シイ問題ダ。君ガ身ノ危険ヲ感ジテイルノハ良ク理解デキル。君ガダン（伝吉）ノヨウニ殺サレナイトイウ保証ハ、何モナイ」

と言い、言いにくそうな表情をすると、

「実ハ、奉行所ノ役人カラ君ガ危険キワマリナイ立場ニ置カレテイルコトヲキイテイル。シカシ、襲ワレルトイウノハ仮定ノ問題デ、ソレヲ予《アラカジ》メ防グ方法ハ全クナイ、ト役人ハ言ッテイタ」

と、顔をしかめた。

彦蔵は、うなずいた。事態はかなり切迫していて、やはり日本にはいるべきではないのだ、と思った。

「アメリカへ戻ル」

かれは、つぶやくように言った。

リードは、無言で彦蔵の顔を見つめている。蟬《せみ》の鳴き声がしきりであった。

「貴方ノ意見ハ？」

彦蔵は、リードの顔に視線をむけた。

「非常ニ悲シイコトダガ、ソノ方ガ良イカモ知レナイ。君ハ協調性ガアリ、賢イ。アメリカニ戻レバ、再ビ以前ト同ジヨウニウマクヤッテユクダロウ」

「アリガトウ。私ノ気持ハキマッタ。アメリカへ行ク」

彦蔵は、境内の樹木に眼をむけた。

リードは立ち上って本堂の中を顔をしかめて歩きまわり、彦蔵の前で足をとめると、

「モウ少シ考エテミテハドウカ。余リ早ク結論ヲ出スノハ好マシクナイ」

と、気づかわしげな眼をして言った。

「私ノ気持ハキマッタ。アメリカへ行ク」

彦蔵は、自ら言いきかせるように答えた。

リードは、アメリカ行きの可否についてそれ以上なにも言わなかった。

かれは額や首筋に湧《わ》く汗をハンカチで拭《ふ》きながら、彦蔵と静かに話し合った。

暗殺がつづく日本の不安定な世情がいつまでもつづくわけはなく、やがて鎮静化するだろう。それを見はからって日本へもどってくればいい。彦蔵が日本で生きる道は、英語に精通していることと、アメリカの政治、社会、経済に対して知識を持っていることで、それを活用することにつきる。それは開国した日本にとって重要であると同時に、日米両国の国際関係にも貢献する。彦蔵がアメリカへもどるのは日本から逃げ出すだけではなく、再び日本へ帰ってきた折りに活躍できるなにかをつかんでくることでもある。

リードは、アメリカ海軍の倉庫監理官の職務について口にした。

横浜にアメリカ海軍の軍艦がやってくると、石炭、食糧、水、薪《まき》を補給する。それらを貯蔵している倉庫が設けられていて、海軍から委嘱されたアメリカ人が監理官という名目で各艦への補給をおこなっている。その監理官は、日本の商人からそれらの必要物を買い集めて倉庫に貯蔵しているが、言葉が通じぬために思うような買い入れができず、実務は停滞し、各艦は不満をいだいている。艦からの苦情が領事館にもしばしば寄せられていて、ドール領事はほとほと手を焼き、ハリス公使も苦慮している。

「モシモ君ガ監理官ノ資格ヲ得タラ……」

と、リードは言った。

彦蔵ならば、日本の商人から意のままに補給物資を適正な価格で買いつけて倉庫に貯蔵し、艦からの要請にも迅速に対応できるだろう。

「アメリカニ行ッテ、海軍ノ正式倉庫監理官ノ資格ヲ得テキタラドウダロウ」

リードは、彦蔵の顔を見つめた。

彦蔵も、横浜村の日本人商人が艦への補給品を納入していることを知っていた。倉庫から荷が多くの大八車で波止場に運ばれ、艀《はしけ》で軍艦に送りこまれるのも眼にしている。

「ソレハ非常ニ良イ話ダ。ヤハリ貴方ニ相談シテ良カッタ」

彦蔵の顔に、初めて明るい表情がうかんだ。

「監理官ニナレバ、海軍ノ制服ニ金筋ノ入ッタ帽子ヲカブリ、日本ノ役人トモ対等ノ立場ニ立テル」

リードは、眼に笑いの色をうかべた。

その日は夕方から珍しく雨が降り、淀《よど》んでいた暑熱もやわらいだ。

翌日は曇天で、彦蔵は再び領事館に足をむけ、リードとアメリカ行きについて話し合った。領事のドールは、麻布の公使館に行ったままであった。

彦蔵は、サンフランシスコに行ったらケアリーの助力を仰ぐつもりだと言い、リードも賛成だった。ケアリーは、彦蔵が勤めたことのあるマコンダリー会社の経営者で、彦蔵に親しく接し、帰国前、ほとんど無一文になった彦蔵にかれの父が送金してくれたのも、ケアリーの指示によるものであった。

「ケアリー氏ハ、当然日本トノ貿易ニモ関心ヲ持ッテイルハズダ。日本カラ輸出デキル商品ノ見本モ持ッテイッタライイ」

リードは、助言し、

「イツ出発スルノカ」

と、たずねた。

「ナルベク早ク」

彦蔵が答えると、リードは、領事館に届けられているアメリカ船の出入港一覧表を見て、一週間ほど後にサンフランシスコにむかう「キャリントン号」という船がある、と教えてくれた。

「ソノ船ノ船長ハ良ク知ッテイルカラ、紹介状ヲ持ッテイケバ、便宜ヲハカッテクレルハズダ」

リードは、彦蔵がその船に乗ると言うと、その場で船長宛《あて》の紹介状を書いてくれた。

二日後、彦蔵は「キャリントン号」が所属している船会社の出張事務所に行き、リードの紹介状を渡して乗船券を入手した。船は八月十三日朝に出港予定だという。

彦蔵は、あわただしく日を過した。わずかな家財を売り払い、運上所に行って日本の貨幣をドルに両替し、奉行所に出国の書類を提出した。奉行所では、攘夷派の者にねらわれていると言われている彦蔵の離日を好都合に思ったらしく、出国を妨げる気配はなかった。

かれは、ドール領事や親しくなっていた外国人、日本人の商人たちに挨拶《あいさつ》をしてまわった。

十二日は雨で、午後、かれは大きな鞄《かばん》をさげ、洋傘を手に船会社の出張事務所に行った。乗客の外国人たちが集っていて、彦蔵はかれらとボートに乗って「キァリントン号」に行き、甲板にあがった。

彦蔵は、これで自分は殺されずにすむ、と胸の中でつぶやき、深い安堵《あんど》をおぼえた。船内には英語のみが飛び交っていて、彦蔵は、その言葉になつかしさをおぼえ涙ぐんだ。アメリカの大地につつまれているような安らぎを感じていた。

二十

翌朝、かれは機関の始動する音に目をさまし、甲板に出てみた。雨はやみ、すがすがしい空気が体をつつんできた。

すでに汽船はゆるやかに進みはじめていて、横浜村の家並が徐々に後方に動いてゆく。一昨年に帰国して神奈川に上陸した時とは異なって、横浜村には多くの家々が建ち並び、ことに二階建の洋風の白いペンキを塗った建物がきわ立ってみえる。あたかもアメリカの港町のように見えた。

ようやく帰ることができた日本からはなれることに、複雑な思いがした。逃げ出すのではなく、海軍の倉庫監理官の資格を得るためにアメリカへもどるのだ、と自らに言いきかせた。アメリカに帰化しキリスト教の洗礼名も受けた自分は、今の日本では生きるのが困難で、情勢が変るまで一時アメリカに身を避けるだけなのだ、とも思った。

横浜の家並が小さくなり、その後方の緑の色におおわれた丘陵がひろがった。

ふと、帰国してそうそうに会った義兄の宇之松の顔が思い起された。義父も死んだというし、両親のない自分に血縁者は一人もいない。再びアメリカに行くにしても、別れを惜しむ者はなく、あらためて彦蔵は天涯孤独の身であるのを感じた。

海上に風を帆に受けた回船が数艘《そう》つらなって進んできて、汽船の近くを通りすぎていった。義兄も、回船の船頭として兵庫（神戸）江戸間を往復しているのだろう。

甲板に立っている自分が、不思議に思えた。十一年前に破船漂流の憂目《うきめ》に遭わなければ、その後も船乗りをつづけ、二十五歳の働きざかりの熟練した水主《かこ》になっていただろう。妻をめとり、子の父親になっているかも知れない。そのような生き方が約束されていた身が、髪を短くし洋服、靴を身につけて蒸気船の甲板に立ち、故国をはなれようとしている。漂流をきっかけに、自分の生きる世界は大きく転回したのだ。

汽船はスクリュー式で、白い航跡が尾をひいている。海鳥が群れて飛んでいた。

傍らに立って陸岸を見つめている商人風の男が、彦蔵に顔をむけると、

「日本ノ風光ハ美シイ。実ニ素晴シイ」

と、言った。

「本当ニ……」

彦蔵は、うなずいた。

商人の眼には、彦蔵を日本人とは思わぬ光が浮んでいる。船は、湾口の方にむかって進んでいった。

「キァリントン号」が二十九日間の航海をへてサンフランシスコ湾に入ったのは、九月十三日であった。西洋暦で十月十六日である。

上陸してサンフランシスコの町に入った彦蔵は、なつかしさで目頭が熱くなった。石畳みの道、木造や石造りの家々、馬車。かれは、道を往《ゆ》き交う人々に一人一人声をかけて挨拶したいような思いであった。

ホテルに行って宿泊の手続きをし、部屋に入った。ガラス窓に薄いカーテンが垂れ、水道の栓をひねると水がほとばしり出る。それらも眼になじんだもので、かれは肘《ひじ》つき椅子《いす》に背をもたせて部屋の中を見まわした。

食堂で夕食をとり、部屋にもどって酒を飲んだ。壁にとりつけられたガス灯の光にア

メリカにもどったという実感が胸の中にひろがり、満ち足りた気分だった。

翌日、ホテルを出たかれは、マコンダリー会社の経営者ケアリーに会うため会社におもむいた。そこは彦蔵が勤めていた会社であるだけに入口のドアを押して内部に入ると、視線をむけた中年の社員が、驚いたように席を立ち、

「ヒコ」

と言って近寄り、かたく手をにぎった。

他の社員たちも立ってきてそれぞれ握手し、

「良ク帰ッテキタ。元気ソウダ、立派ニナッタ」

と、口々に言った。

ケアリーに会いに来たと言うと、社員の一人が先に立ち、二階にあがった。

部屋のドアをノックして押し、

「社長、ヒコガ戻ッテキマシタ」

と、声をかけた。

部屋に入った彦蔵は、窓の近くの大きな机の前に坐《すわ》っているケアリーを眼にした。

ケアリーは、おうと声をあげ、立ってくると大きく腕をひろげて彦蔵を抱きしめ、背を軽くたたいた。彦蔵は、胸が熱くなった。

椅子に向き合って坐ったケアリーは、

「今マデドウシテイタ。詳シク話ヲシテクレ」

と、身を乗り出した。

彦蔵は、サンフランシスコからハワイをへて清国に渡り、ハリス公使とともに神奈川へ上陸した経過を話し、アメリカ領事館に通訳として雇われ、攘夷《じょうい》派の者にねらわれて身の危険を感じたのでアメリカにもどってきた、と述べた。

「サムライガ恐シイコトハ、私モキイテイル」

ケアリーは、唇を大きくゆがめて首をふった。

ロシアの士官、水兵につぐヒュースケンの殺害事件とイギリス公使館への襲撃は、サンフランシスコの新聞にも大きく報道されたという。

「バン・リード君ハ元気カ」

リードからケアリーのもとに、アメリカ領事館の書記生をしているという手紙が来たという。

「元気デス」

「彼ハサムライニ狙《ネラ》ワレルコトハナイダロウカ」

ケアリーの顔に、気づかわしげな表情がうかんだ。

「多分、大丈夫デショウ。彼ハ用心深ク、目立ッタコトハシマセンカラ……。私ガサムライニ反感ヲ持タレタノハ、日本人デアルノニ外国人ト同ジ身ナリヲシテイタカラデス」

　ケアリーは、悲しげな眼をして首をふりつづけた。

　少し口をつぐんでいた彦蔵は、

「オ願イシタイコトガアリマス」

と言って、ケアリーの顔をみつめた。

「何デモ言ッテクレ。私ニ出来ルコトナラ最大限ノ努力ヲスル」

　ケアリーは、強い口調で言った。

「バン・リード氏モ、ケアリー氏ニオ願イシタライイト言ッテイマシタガ……」

と前置きして、アメリカにもどったのは海軍の倉庫監理官の任命書を得るためだ、と彦蔵は言った。

　倉庫監理官は横浜に来航するアメリカ軍艦の補給物資の買付け貯蔵の任にあたっているが、日本語がわからぬため仕事が停滞しがちで各艦からの苦情が多い。バン・リードは彦蔵なら適任で、その職につくことができれば恵まれた定収入も得られる、と言っている、と説明した。

「リード君ハウマイ所ニ目ヲツケタ。イカニモ彼ラシイ。承知シタ。ドノヨウニスベキカ、友人タチトモ相談シテミル。多分良イ結果ガ得ラレルダロウ」

　ケアリーは、何度もうなずいた。

「ヨロシクオ願イシマス」

彦蔵は立ち上って、ケアリーと握手をし、部屋を出た。

その日から、彦蔵は親しい友人たちのもとを訪れ、日本から持ってきた扇子や千代紙細工などを土産として渡した。食事に招かれることも多く、ホテルを引き払ってかれらの家を泊り歩くようになった。

十一月十日にケアリーから連絡があって、彦蔵はマコンダリー会社に行った。向い合って椅子に坐ったケアリーは、商社を経営している友人たちと話し合った結果を口にした。

かれらは海軍長官あてに彦蔵の推薦状を送ることも考えたが、彦蔵自身がワシントンに行って直接働きかける方がいいという意見で一致したという。

ケアリーは、推薦状を友人である商社の経営者たちの連名とするが、さらに税関長をはじめサンフランシスコの有力者も推薦人になってもらうつもりだ、と言った。

「三日後マデニ推薦状ヲ作成シテオク。ソレヲ持ッテワシントンニ行キ、海軍長官ニ渡ストイイ」

彦蔵は、ケアリーの好意に感謝した。

翌々日、友人の家に泊っている彦蔵のもとに税関の関税査定所の所員が来て、お力を借りたいことがあるので所長のマッジのもとに来て欲しい、と言った。

彦蔵は承諾し、所員とともに査定所に行ってマッジに会った。

マッジは、彦蔵も乗ってきた「キァリントン号」のアメリカ人船客が日本から持ち帰った骨董品《こつとうひん》の関税査定に困惑している、と言った。その船客は、自分の帆船で日本へ行ったが、骨董品に魅せられて船を一万五千ドルで売払い、その金で日本の磁器、漆器を買いあさったのだという。

関税査定所では、そのようなものを扱うのは初めてで査定できぬが、それらの骨董品は船客の申告額よりはるかに高い価格のものではないかと疑っているという。

マッジは、所員に磁器と漆器を運ばせ、机の上に並べさせた。

彦蔵は、立ってそれらをながめた。工芸品の価値を見定める経験も知識もなかったが、それらはいずれもどこでも見かけるような変哲もない物ばかりであった。その船客は、日本のものならば骨董価値があると思い込み、買い込んだにちがいなかった。

彦蔵は、それらの価格が申告額よりはるかに安いと思ったが、

「横浜デハ、コノ程度ノ金額デショウ」

と、さりげなく言った。

「御助力ヲ感謝スル」

マッジは納得し、握手を求めた。

彦蔵は、関税査定所を辞した。

四日後の午後、マコンダリー会社から連絡があって、かれはケアリーのもとに行った。

「推薦状ヲ作成シタ。読ンデミテクレ」

ケアリーは机の上に置かれた書状を彦蔵に渡した。

彦蔵は、椅子に腰をおろし、書状を開いた。

冒頭に、

「一八六一年十一月十三日　サンフランシスコにて
　海軍長官ギデオン・ウェレス閣下へ」

と、書かれ、つづいて「われわれ一同、ジョセフ・ヒコ氏を日本の神奈川における合衆国海軍倉庫監理官の職につくのに適当な者として」推薦する、と記されていた。

彦蔵は、推薦状の文章を眼で追い、面映《おもは》ゆさと深い感謝の念をいだいた。

「彦蔵は日本生れであるが、帰化してアメリカの市民となって数年間アメリカに在住し、英語は流暢《りゅうちょう》でサンフランシスコで商業教育を受けてもいる。帰国した彦蔵はアメリカ領事館の通訳として大いに尽力したが、今回アメリカに来たのは海軍倉庫監理官の役職を出願するためで、それはアメリカ政府に対する奉仕と同時に日本の役人と対等の地位を得ることにもなる。「私たちは、ヒコ氏がすぐれた誠実な人物であるのを十分に承知しており、もしもヒコ氏が日本の役人と折衝できる地位につくことができれば、アメリカ政府に多大な貢献をするものと信じている」とむすばれていた。

推薦者として、ケアリーをはじめサンフランシスコの商社、銀行の経営者たちの名が列記されていた。

さらにサンフランシスコの税関長、輸入品検査官、海軍事務官、海軍士官、関税査定所長、主計官、造幣支局監督官の連署による書状も添えられていた。その書状には「この推薦状の提出者たちはサンフランシスコの最も地位の高い商人、銀行家たちであり、われわれのヒコ氏に対する見解は、かれらと完全に一致している」と記され、「ヒコ氏を海軍倉庫監理官に任命すれば、アメリカとしても大いに利することは疑いない」と、書かれていた。

推薦状にさらに税関長らの手紙が添えられているのは、ケアリーの深い配慮によるもので、彦蔵は感激した。ケアリーは、推薦状を手に税関長をはじめ要職にある官吏や海軍関係者を一人ずつ訪ねて趣旨を諒解《りようかい》してもらい、署名を得たにちがいなかった。

「貴方《アナタ》ノ温カイオ気持ニドノヨウニ感謝ノ言葉ヲ述ベテヨイカ、私ニハ分ラナイ。アリガトウト何度モ言ワセテモラウ」

彦蔵は、眼に涙を光らせ頭をさげた。

「喜ンデモラエテ私モ嬉《ウレ》シイ。連署シテクレタ私ノ親シイ友人タチモ、喜ンデクレルダロウ」

ケアリーは、何度もうなずいた。

その推薦状を、どのような方法で海軍長官に渡すか。それについてケアリーは、母と妹がボストンに住んでいて、妹の夫アガシズが大学教授をしている、と述べ、アガシズは交際範囲がひろく、かれの紹介状を得れば、海軍長官に会う道が開けるはずだ、と言った。

ケアリーは母の住所を記した紙片を渡し、電報で彦蔵が訪れることをあらかじめ報《しら》せておく、と約束した。

サンフランシスコについてから、彦蔵は、アメリカの南部諸州が独立して南部連合国を成立させ、合衆国側の北部軍とその年の四月以降、戦闘状態に入っているのを知った。北部は自由平等主義にもとづく産業資本が発達しているのに対して、南部は農業を主産業として奴隷《どれい》の労働力に依存していることから、経済的な利害が対立し、それが南北戦争となったのだという。

彦蔵は、サンフランシスコの友人から北部の経済力は南部のそれをはるかに越えているが、南部軍の、ことに将校は優秀で、その点では北部軍が劣っていると教えられた。最初の戦闘は、七月二十一日、首都ワシントンの南西三〇マイルの地点でおこなわれ、北部軍は惨敗《ざんぱい》したが、その後北部軍は反撃に転じ、両軍とも兵力の増強に力を入れているという。

戦争は長期化することが予想されていて、ケアリーは、そうした情勢でもあるので、彦蔵に早目にワシントンに行く方がよいとすすめてくれた。

その忠告にしたがって、彦蔵は便船を求め、パナマに行く汽船があるのを知り、それに乗った。海軍力の点では北部軍が圧倒的に優勢で、パナマまでの航行に不安はないと言われていた。

汽船は無事にパナマに入港し、彦蔵は船客たちと蒸気車で地峡部を横断し、アスピンウォールについた。港には、ニューヨーク行きの汽船「チャンピオン号」が待っていて、彦蔵は乗船した。

船はアスピンウォールを出港して北上したが、十二月十四日、セント・ドミンゴ島沖にかかった時、右舷《うげん》方向に一隻の汽船を認めた。その海域は、南部軍の武装商船が出没していて、「チャンピオン号」の船長はそれを武装商船と察知し、機関を全開させて船を北進させた。

船長の推測は的中していて、その汽船はサムナー大佐指揮の武装商船「サムター号」で、撃沈しようとして追跡してきたが、「チャンピオン号」の速力がまさっていてのがれることができた。

この出来事は、船客たちを動揺させた。戦争が起っていることは新聞報道で知っていたが、戦闘のある地から遠くへだたったサンフランシスコでは、自分たちには無縁の紛争のように感じている傾きがあった。しかし、黒煙をなびかせて追走してくる砲装備の蒸気船を眼にして、アメリカが戦時下にあるのを実感したのだ。
「チャンピオン号」の航行する海域は、すでに戦場の領域に入っていて、船長の指示で水夫が所々に立ち、海上に警戒の望遠鏡をむけていた。彦蔵も緊張感をおぼえ、海上に視線を走らせていた。

武装商船に追われてから二日後、「チャンピオン号」は、午後二時にニューヨークの港口についた。

二艘《そう》の小汽艇がやってきて舷側につき、水先案内人たちが甲板にあがってきた。かれらは新聞の束をかかえていて、船客たちに配ってまわった。船客は、むさぼるように戦争に関する記事を読んだ。

見出しには、「ポトマック河畔のわが部隊、近く行動開始か」「大会戦迫る」「南部軍兵力十万、ワシントンに進軍中」などと記され、「イギリス政府は北部軍にメイソン、スライデルの引き渡しを正式要求」という見出しの記事もあった。

このイギリス政府についての記事は、前月にイギリスの商船「トレント号」が南部の港を出港してヨーロッパへむかう途中、北部軍の軍艦に停船を命じられ、臨検を受けた事件に関するものであった。「トレント号」には南部連合国の外交代表のメイソン、スライデルが乗船していて、北部軍はかれらを捕え、ボストンに連行した。イギリスは、イギリス船が臨検を受けたことを憤《いきどお》り、南部に同情的でもあったのでメイソン、スライデルの即時釈放を強く求めていたのである。

船客たちは、このイギリスの要求について問題が穏便に解決しない場合には、イギリスとの戦争に発展する、とおびえたように言っていた。

上陸した彦蔵は、ニューヨークの町がひどくざわついているのを感じ、それが戦争の影響であるのを知った。

翌々日の夕方、ケアリーの母がいるというボストンに蒸気車でむかった。ボストンについたかれは、ケアリーの母の家を訪れた。

彼女は、七十歳を越えた老女で、彦蔵を温かく迎え入れてくれた。彼女の夫は、彦蔵が帰国直前無一文に近く困惑していた時、ケアリーの指示で小切手を送ってくれたが、すでに病死していて、彦蔵は老女にそのことを話し礼を述べた。

老女は、

「明日ノ午後二時ニ食事ニ来テ下サイ。貴方ガ会イタイトイウ、アガシズ教授ヲ呼ンデオキマス」

と、言った。

翌日、その時刻に行くと、アガシズ教授とその夫人、つまりケアリーの妹もいて、共に食事をとった。

ケアリーからの紹介状を読んだ教授は、

「シーワド国務長官ト有力ナ上院議員宛《アテ》ニ手紙ヲ書キマショウ。多分オ役ニ立ツト思ウ」

と言って、食事を終えると数通の手紙を書いてくれた。

それらは開封されたままで、彦蔵は読んだが、文面の筆致がひどくくだけていることからみて、教授が長官たちときわめて親しい間柄であるのを感じた。

ボストンでの目的を果した彦蔵は、ニューヨークにもどった。その日は一八六二年一月一日であったが、ニューヨークの町には戦争の影響から新年を祝うにぎわいはみられなかった。

二日間滞在後、ワシントンに行こうとしたが、アメリカに在住中最大の恩人である慈父同様のサンダースのいるボルチモアを通りすぎる気にはなれなかった。

蒸気車でニューヨークをはなれた彦蔵は、ボルチモア駅で下車し、サンダースの邸《やしき》にむかった。

樹木にかこまれて建っている建物になつかしさで眼を輝やかせ、家の前に立ったかれは、扉についたノッカーを鳴らした。扉が開き、顔を出した黒人の召使いが眼を大きく開くと、甲高い声をあげて小走りに奥の方へ入っていった。

すぐにサンダースが姿を見せ、無言で近づいてくると彦蔵の体を抱きしめた。サンダース夫人も出てきて、サンダースにつづいて彦蔵の背に手をまわした。

「良ク帰ッテ来タ。モウ二度ト会エヌト諦《アキラ》メテイタ」

サンダースの眼から涙があふれ、頬を流れた。

彦蔵も涙ぐみ、サンダースの手をにぎった。

サンダースと別れてから三年半が経過したが、サンダースがかなり老《ふ》け込んでいるのを感じた。顔の皺《しわ》が深く、少し痩《や》せているように見える。夫人は、その頃と変りはなかった。

「家ニ泊ッテクレ。何日デモ泊リタイダケ泊ッテ欲シイ」

サンダースは、彦蔵の顔をいとおしそうに見つめながら言った。

彦蔵は感謝の言葉を口にし、温かいサンダース夫妻のもとで少し休養をとりたい、と思った。

サンダースは、別れてから後の彦蔵のことをききたがり、彦蔵は食事後のお茶の時間に詳細に語った。夫人も彦蔵の話に耳をかたむけていた。ボルチモアの新聞にも日本で攘夷《じょうい》派の武士による暗殺事件が報道されていて、彦蔵がその対象の一人にされていたという話に、夫妻は声をあげ、恐しそうに顔をゆがめた。

彦蔵は、そのような険悪さも一時期のことで、やがて鎮静化するにちがいなく、その折りには日本へもどるつもりだ、と言った。

サンダースは、彦蔵が危険な立場に身を置いていたのは自分がアメリカへの帰化をすすめ、さらに夫人がキリスト教の洗礼を受けさせたことによるのだ、と嘆いたが、彦蔵はそんなことはない、と強く否定した。

彦蔵は、サンダースにアメリカにもどってきた目的を口にした。

今後、アメリカの軍艦が横浜に来航することは年を追うごとに増すはずで、海軍の倉庫監理官の任務は一層重要になる。その官職につくことができれば十分に重責をはたす自信があり、身分も安定する。ケアリーをはじめサンフランシスコの有力者たちの推薦状をもらってあるので、それを手にワシントンにおもむく予定だ、と言った。

うなずいていたサンダースは、その推薦状を読むと、少し思案した後、

「ヒコ、私モワシントンへ行ク。上院議員ノレイサム君ヲ紹介スル。君ガ任命サレルヨウ彼ニ一肌ヌガセル」

と、言った。

サンダースが八年前に自分をピアース大統領に引き合わせたりして政界、官界に知己《ちき》が多いことを知っていた彦蔵は、サンダースの申出を喜んだ。

一月七日、彦蔵は雨の中を早朝、サンダースとともに蒸気車でボルチモアをはなれ、ワシントンにむかった。

沿線の道路の傍らに白いテントが見え、それが切れ目なく長々とつづいている。兵たちの仮泊するテントで、テントの外を雨に濡《ぬ》れて歩く兵たちの姿は、病んだ雛鳥《ひなどり》のよう

だった。

ワシントン駅につき、馬車でウイラードホテルに行ったが、ホテルは将校たちで満員に哀れなものに見えた。かれらは首都ワシントン守備の兵たちにちがいなかった。

サンダースは顔見知りの支配人と交渉し、支配人は、二人同部屋で申し訳ないが、と言って一室をとってくれた。

昼食をとるため食堂に行くと、制服を着た多くの将校たちが食事をしていた。かれらは戦争の話を声高に話していて騒々しく、彦蔵はサンダースと無言で食事をとった。

夕刻、彦蔵は、サンダースと馬車に乗り上院議員のレイサムの邸におもむいた。

サンダースは、彦蔵を紹介し、頼みたいことがあるが、明日再び訪れるから彦蔵の力になってやって欲しい、と言った。レイサムは承諾し、明日、夕食を共にして、その折りに話をきくことにする、とにこやかな表情で答えた。

二人は、馬車でホテルにもどった。

部屋に入ったサンダースは疲れ切った表情をしていて口数も少く、椅子《いす》に背をもたせて薄く眼を閉じている。老いたサンダースには、旅は無理だったのだと彦蔵は痛々しい思いがした。

翌朝、食堂で食事をとりながら彦蔵は、

「レイサム上院議員ニ御紹介下サリ、感謝シテイマス」

と言い、表情をあらためると、紹介してくれただけで十分で、これからは一人で任官運動をすると告げ、

「寒サモ厳シク、アナタガ風邪ヲ引クト困リマス。私ノコトハドウゾ御心配ナク、夫人ノモトニオ帰リ下サイ」

と、言った。

サンダースは、無言でフォークとナイフを動かしていたが、顔をあげると、

「私ハ、出来ルダケ君ノ役ニ立チタイ」

と、彦蔵の顔を見つめた。

彦蔵は、表情をやわらげ、

「私ハ二十六歳ニナリマシタ。大人デス。英語ハナニ不自由ナク話セマスシ、レイサム上院議員ノオ力ヲ借リテ官職ノ地位ヲ得ルコトニ努メマス」

と、言った。

サンダースは、少し視線を落すと、

「ソウカ。二十六歳カ。ソレデハ私ハ、今日ニデモ妻ノモトニ戻ロウ」

と、自分に言いきかせるように答えた。

以前ならば、彦蔵の言葉に耳をかさず、連日、彦蔵を連れて政府の高官のもとを歩きまわるはずであった。あっさりと承諾し妻のもとにもどるというサンダースに、かれの

老いを感じ、彦蔵は悲しかった。

ホテルを出た彦蔵は、その日、ワシントンの知人たちに会い、一流新聞の社長ウォレスにも会って歓談した。

午後三時すぎにホテルにもどると、すでにサンダースはボルチモアに引返して行ったらしく姿はなかった。帳場のフロントに行ってただすと、サンダースは午前中にホテルを出て馬車で駅にむかったという。

彦蔵はうなずきながら部屋にもどった。蒸気車に乗っているサンダースの老いた顔を思い描いた。

夜になって、かれはレイサム上院議員の邸におもむき、居間に通された。彦蔵は、ケアリーが渡してくれた海軍長官宛の推薦状をレイサムに見せた。

それを読んだレイサムは、

「コレハ最有力ノ推薦状ダ。ナゼナラバ、推薦状ニ署名シテイル人タチハ、サンフランシスコノ高名ナ実力者バカリダカラダ。君ガ任用サレルノハ、マズマチガイナイダロウ。明朝九時ニコノ書類ヲ持ッテ私ノ邸ニキテクレ。私モ一緒ニ海軍長官ノモトニ行ッテ、ソノ件ヲ話ス」

と、言った。

彦蔵は喜び、レイサムに感謝の言葉を述べた。

食堂に案内され、レイサム夫妻と食事をとった。夫人はしきりに日本のことを知りたがって質問し、彦蔵は丹念にそれに答えた。レイサム議員は、にこやかな表情をして夫人と彦蔵の顔をながめていた。

十時頃、彦蔵はレイサム邸を辞した。

ホテルに歩いてもどる途中、突然、姿を現わした兵に誰何《すいか》され、銃を突きつけられた。戦争で市中に戒厳令が敷かれていて、午後九時以降の通行人は、いずれも同じような検問を受けることを知った。かれは足早にホテルにもどった。

翌朝、約束の九時に彦蔵は、推薦状を手にレイサム上院議員の邸に行った。レイサムは正装して待っていて、彦蔵をうながし馬車に乗った。

レイサムは、おだやかな表情で、

「昨夜、君ノ語ッタ日本ノ話ヲ、妻ハ非常ニ面白ガッテイタ。面倒ガラズニ話シテクレテアリガトウ」

と、言った。

彦蔵は、その言葉にレイサムが妻を愛しているのを感じた。

馬車が海軍省の前につき、降りた彦蔵はレイサムの後から省内に入った。

レイサムが面会申込みをしてあったらしく、長身の士官が先に立ち、長官室のドアをノックして押し、レイサム上院議員を御案内してきました、と張りのある声で言った。

彦蔵は、広い部屋の大きな机の前に眼鏡をかけた五十年輩の紺色の服を着た男が坐《すわ》り、なにか書きものをしているのを眼にした。

男が顔をあげて立ち、レイサムに近寄った。レイサムは男と握手して彦蔵を紹介し、男は彦蔵の手をにぎった。海軍長官ギデオン・ウェレスであった。

長官が椅子をすすめ、彦蔵たちは長官と向き合って坐った。

レイサムは用件を口にし、彦蔵は立って推薦状を長官に渡した。長官は、書類を開き文字を眼で追っていたが、読み終ると、

「レイサム議員。御承知ノヨウニ、コノ戦争デ海軍ハ総力ヲアゲテ戦備ヲ整エテイマス。世界各方面ニ派遣シテアル軍艦モ本国ニ呼ビ寄セテオリ、日本ノ横浜ニ入港スル軍艦ハ少ナイ。ソウシタ事情デ東洋ノ海軍兵站《ヘイタン》部ノ人員ヲ増員スル必要ハナイ状況ニアリマス。右ノ次第デ、マコトニ残念デスガ、コノ推薦状ヲ受ケイレルコトハ出来マセン」

と言って、少し言葉をきると、

「如何《イカガ》デショウカ。国務長官ノシーワド氏ノモトニ行ッテ、コノ推薦状ヲ見セテハ……。彼ハ、日本ノ公使館ト領事館ノコトヲ管轄《カンカツ》シテイマス」

と、言った。

彦蔵は、長官の言葉を素直に理解した。アメリカでは南北に二分して戦争がおこなわれていて、それは長期化すると予想されている。北部軍の海軍長官としては全兵力をア

メリカに集結し、南部軍と対決しようとしている。神奈川の海軍倉庫監理官に、新らたに一人の男を任官させる気にはなれないのだろう。

彦蔵は、立って長官から推薦状を受け取ると、

「事情ハ良クワカリマシタ。御多忙ノトコロ、貴重ナオ時間ヲ私ノタメニオサキ下サリ、心カラ感謝イタシマス」

と言って頭をさげ、長官と握手した。

長官室を出たレイサムは、国務長官のもとに行こうと彦蔵をうながし、海軍省を出ると国務省におもむいた。

長官室に行くと、旅券が床にひろがっていて、シーワド長官は膝《ひざ》をついてそれにあわただしく署名していた。

シーワドと握手をしたレイサムは、彦蔵を紹介して推薦状を渡した。それを読み終えたシーワドに、レイサムは、海軍長官から倉庫監理官への任官の余地がないと言われたことを口にした。

「確カニ海軍長官トシテハ、ソウ言ワザルヲ得ナイデショウ。正シイ答エダト思イマス」

シーワドは何度もうなずくと、彦蔵に顔を向け、

「貴方《アナタ》ハ流暢《リユウチヨウ》ニ英語ヲ話ス。コノ度、神奈川ノ領事館ニ正式ノ通訳官ノ席ヲ一ツ創設シ

マシタノデ、通訳官ニナリマセンカ。マダ予算措置ハシテイナイノデスガ、貴方ガソノ職務ニツク気ガアルノデシタラ、スグニ予算案ヲ国会ニ提出シマス」

と、言った。

彦蔵が神奈川のアメリカ領事館の通訳生をしていたのは、あくまでも臨時雇いで、シーワド長官の口にした正式の通訳官という言葉には魅力があった。海軍の倉庫監理官に任じられることが全く絶望であるかぎり、通訳官という国務省の管轄下にある官職を得られるのは幸いであった。

彦蔵は、長官に感謝の言葉を述べ、通訳官に任じて欲しい、と頼んだ。

シーワドは、

「就任シテクレレバ、アメリカ政府トシテモ好マシイ。貴方ハ通訳官トシテマコトニ適任デ、引受ケテクレタコトヲ嬉《ウレ》シク思ウ」

と言って、彦蔵の手をにぎりしめた。

レイサム上院議員は、

「私ノ役目ハ十分ニ果セタ」

と、上機嫌であった。

長官室を出たレイサムは、これから国会議事堂へ行くと言って馬車に乗り、彦蔵は歩いてホテルへむかった。

途中、上院議員のサムナーのもとに立寄った。推薦状を作成してくれたケアリーの義兄アガシズ教授からサムナー宛《あて》の紹介状をもらっていたからで、一応挨拶《あいさつ》しておく必要があったのだ。

かれはサムナーに丁重に挨拶し、ホテルにもどった。

二十一

部屋に入って椅子に坐った彦蔵は、薄いカーテンを通して凍《い》てきった空をながめた。首都ワシントンに来て、アメリカが、自分の知っているアメリカとは別の国になっているような感じがしきりにした。四年前の九月にはなれるまでのアメリカは、社会の空気が静止したように平穏で、接する人はすべておおらかで親切であった。しかし、サンフランシスコは以前とほとんど変りはなかったものの、ニューヨーク、ボストンをへてワシントンに入ると、町の空気は甚だしくざわつき、人の眼も血走っているように落着きを失っている。むろんそれは南北戦争の影響で、新聞の紙面は戦争の記事で埋めつくされ、人々は争うようにそれをむさぼり読んでいる。おだやかな旅客が泊っていたホテルも、将校たちによって占められ、食堂に行くと食器の絶え間なく鳴る音とかれらの声高な話し声がみちていて落着かない。

倉庫監理官に任命されることを望んでアメリカに来たが、それも戦争のため拒否され、わずかに神奈川の領事館付通訳官に任じられるという約束を得たにすぎない。臨時雇いである通訳生から通訳官への昇格だけでもよしとしなければならぬのだろうが、彦蔵は、その日、海軍長官と国務長官に会ったことによって、アメリカに来た結論がすべて出たのを感じた。

日本の世情は騒然としているが、戦乱で国が二分しているアメリカの人心は、さらに激しく揺れ動いている。伝吉が暗殺されたのは、日本人でありながらイギリス公使館の通訳として西洋人の身なりをしていたことが一因だが、かれがイギリスの権威を笠《かさ》に着て威丈高な振る舞いをしていたことが最大の原因と言っていい。自分も伝吉のように命をねらわれていると奉行所から警告されたが、現実にはその気配はなかった。すべて控え目に日を過してさえいれば、そのような難に遭うことはないはずだった。

日本へ帰ろう、と思った。

南北戦争は長期化する気配が濃厚で、このままアメリカにとどまっていても自分にとってなんの益もない。毎日、英語のみにつつまれ洋食を口にしているが、日本語を耳にして箸《はし》で米飯を食べ味噌汁《みそしる》をすすりたかった。

帰国するにしても、その前にボルチモアに立寄ってサンダースに会わねばならない、と思った。老いたサンダースに会うのは、これが最後にちがいなかった。サンダースは彦蔵にとってアメリカそのものであり、かれの慈愛にみちた眼を見たかった。

二日後、かれはワシントンをはなれ、ボルチモアにむかった。

ボルチモア駅で下車してサンダースの邸《やしき》に行くと、サンダースは彦蔵の体を抱きしめた。眼に涙がにじみ出ていた。

彦蔵は、海軍長官に会ったが戦争のため倉庫監理官への任官が果せず、国務長官から神奈川領事館の通訳官に任命するという約束を得たことを告げ、

「スベテ、レイサム上院議員ノ御尽力ニヨルモノデ、感謝シテイマス」

と、言った。

「ソレデ、ヒコハ満足ナノカ」

サンダースは、気づかわしげな眼をした。

「満足デス。戦時下ナノデスカラ仕方ガアリマセン」

彦蔵が答えると、

「ソレナラ良イ。ヤガテ君ハ日本へ帰ルノダロウガ、ナルベク長ク私ノ家ニイテ欲シイ。ソレガ私ノ最大ノ喜ビダ」

と、サンダースは眼をしばたたいた。

彦蔵は、その日からサンダースの邸で過した。

老いたサンダースは、仕事からすっかり手を引き、貯《たくわ》えた金で暮していた。どこと言って体に故障はないようだったが、確実に老いが忍び寄っている。椅子《いす》にもたれて居眠りをすることが多く、歩く足もともおぼつかない。彦蔵は、サンダースの話し相手になり、腕をとって庭を散歩したりした。

半月ほどがたち、二月になった。

サンダースの友人で元商船の船長をしていたブーズから、彦蔵を自分の家へ寄越して欲しいという手紙が何度かサンダースのもとに寄せられていた。清国にしばしば船で行ったことのあるブーズは、日本に強い関心を持っていて、彦蔵から日本の話をききたいという。

「行ッテクレルカ。ブーズハ私ノ古クカラノ友人ダ」

サンダースの言葉に、行きましょう、と彦蔵は答えた。

ブーズの家は、ワシントンに近いアレグサンドリアにあって、二月六日、彦蔵はワシントンまで蒸気車で行き、待っていたブーズの馬車でかれの家に行った。

ブーズは六十歳を過ぎていたが、元船長らしく快活で、彦蔵を歓迎してくれた。清国に行ったことのある彦蔵と上海《シャンハイ》、香港《ホンコン》、広東《カントン》、マカオなどの地について話題はつきず、ブーズは船でそれらの地を訪れた折りの話をつぎつぎに口にした。

さらにブーズは日本についての質問を執拗《しつよう》にして、彦蔵はそれに丹念に答えた。ブーズは眼を輝やかせたり、時には感嘆して大きく手をひろげて肩をすくめたりした。

彦蔵は、かれとの会話がひどく愉快だった。

ブーズの家についてから三日後の日曜日に、彦蔵はかれの家族と教会へ行った。かれは掌《て》を組み、戦争が終って平和がもどることとサンダース夫妻の無病息災を祈った。

教会からの帰途、町が騒然としていて、多くの人が家から路上に出ているのを眼にした。走ってゆく者もいる。ブーズが、不安そうな眼をして立っている男に何事か、とたずねると、セントポール教会の牧師が多くの兵に拉致《らち》されたのだ、という。

その牧師は、礼拝で南部連合国の大統領のために祈り、北部の大統領についてはなにも口にしなかった。礼拝に来ていた北部軍の兵たちが、北部の大統領リンカーンのためにも祈れと要求したが、牧師はそれらの声を無視して礼拝をつづけた。そのため憤《いきどお》った兵たちが説教壇に駈《か》け上り、牧師の腕をつかんで教会からひきずり出し、いずれかに連れ去ったという。

「恐シイコトダ」

ブーズはつぶやいて歩き出し、彦蔵もその後についていった。

彦蔵は暗い気持になった。教会でそのような出来事が起ったのをきいたことはなく、すべては戦争のために人の心がすさんでいるのだ、と思った。

夕食を終え、ブーズは、友人のブライアントの家に行こうと彦蔵を誘った。ブライアントは手広く乾物商を営んでいて、彦蔵に会って日本の話をききたいと言っているという。

彦蔵は承諾し、ブーズとともにブライアントの家に行った。がっしりした造りの家で、ブライアント夫妻が喜びの色を顔にあふれさせて迎え入れてくれた。

夫人が葡萄酒《ぶどうしゅ》を運んできて、一同グラスを手に乾杯した。

その時、入口の扉が荒々しく開く音がし、足音が近づいて長身の若い陸軍中尉《ちゅうい》が部屋に入ってきた。

中尉は、彦蔵たちを見廻すと、

「突然入ッテキテ申訳アリマセンガ、私ノ行動ハ上官ノ命令ニヨルモノデス。コノ家ニイルノハ、アナタ達ダケデスカ」

と、きびしい表情でたずねた。

呆気《あっけ》にとられたブライアントが、そうだと答えると、

「ソレデハ男ノ方達ハ、私ト憲兵隊に御同道ネガイマス」

と、中尉は強い口調で言った。

ブライアントとブーズは、「ナゼカ」「意味ガワカラヌ」と口々に言ったが、中尉はせき立てるように手を激しく動かした。その態度に気圧《けお》されて、三人は家の外に出た。

家の前には、思いがけず銃を手にした二十人ほどの兵がいて、険しい眼を一斉に向け

てきた。彦蔵たち三人が中尉の後から歩いてゆくと、兵たちは無言でついてくる。靴音が不気味であった。

夜道を歩きながら、彦蔵は、なにかのまちがいだと思った。ブーズは元船長、ブライアントは商人、自分は帰化したアメリカ市民で憲兵隊に連行されるいわれなどない。身もとがわかれば人ちがいであるのがあきらかになり、中尉は無礼な行為を詫《わ》びることになるだろう。

憲兵隊の建物が近づき、中尉は三人をうながして内部に入り、一室のドアを開けた。部屋には大尉が二人いて、一人は暖炉の傍らの椅子に坐《すわ》って新聞を読み、一人は机にむかって書きものをしていて、彦蔵たちが入ってゆくと、鋭い視線を向けてきた。

中尉が直立不動の姿勢をとって敬礼し、命令に従って連行してきた、と言った。

暖炉の傍らに坐っている大尉が、三人を見廻すと、彦蔵を指さし、

「中尉、ソレガ探シテイル男ダ。二階へ連レテ行ケ」

と、甲高い声で命じた。

彦蔵は驚き、大尉の前に行くと旅券を取り出してしめし、

「アナタハ、私ヲ誰カトマチガエテイル。旅券ヲ見テ下サイ」

と、うろたえぎみに言った。

ブーズもブライアントも、彦蔵の素性を口々に説明し、怪しい者ではないと力説した。

旅券をちらりと見た大尉は、険しい眼で彦蔵を見つめると、

「ワシントンカラ、ジョセフ・ヒコヲ逮捕セヨトイウ電報ヲ受ケ取ッテイル。中尉ニツイテ二階ニアガレ」

と、鋭い声で言った。

その言葉には一切の釈明を封ずる強いひびきがあり、彦蔵は、ブーズとブライアントに視線をむけ、中尉の後について階段をあがった。

中尉は、一室のドアの前で足をとめ、鍵《かぎ》をさし込んで開けると、無言で中に入るようながした。

彦蔵が入ると、背後で鍵がしまる音がした。ランプの灯に、粗末な部屋が浮び上った。敷物もない板ばりの床には埃《ほこり》がつもり、片隅に長椅子が数個置かれ、帆布がちらばっている。隔離室らしく窓はない。暖炉もないので体が凍りつくような寒さだった。彦蔵は、茫然《ぼうぜん》とその場に立ちつくした。

人の気配がし、足音がして奥の部屋から髭《ひげ》の伸びた男が姿を現わした。

彦蔵は、ぎくりとして立ちすくんだ。四十年輩の男で、頬はこけ、顔が青白く、眼が異様に光っている。自分一人かと思っていたが、他にも拘禁されている者がいるのが意外に思えた。

「アナタハ、ナゼココニ……」

彦蔵は、辛うじてたずねた。

「ソレハ、私ノ方コソ教エテモライタイ。ナゼコノヨウナ所ニ閉ジコメラレテイルノカ、全クワカラナイ」

男の眼に、苛立《いらだ》った光が浮んでいる。

彦蔵は、呆気にとられた。自分もなぜ拘禁されたのかわからぬが、この男も同じなのか。

「私ハ二週間前ニ捕エラレ、ココニ閉ジコメラレタ。私ハゴク普通ノ善良ナ市民ダ。憲兵隊ニツカマルヨウナコトハ何モシテイナイ。ナゼコノヨウナ目ニアワセルノカ、トタズネテモ、答エテハクレヌ。家族ト面会サセテ欲シイト言ッテモ、相手ニシテクレナイ」

男の顔には、悲しげな表情がうかんでいる。

人と話すことがなかったためか、男はひどく饒舌《じょうぜつ》で、この部屋での生活がいかに惨《みじ》めであるかを手をふり肩をすくめて訴える。食事はひどく、動物に慈悲の心を持つクリスチャンなら豚にもあたえないような代物《しろもの》をあたえられ、空腹には勝てぬのでやむを得ずそれを口にしている。火の気のない部屋は、深夜になると氷室《ひむろ》のように冷えきって、それなのに毛布もなく、帆布をかき集めてくるまる。

「ドウシタラコノ部屋カラ脱ケ出セルノカ。コノママデハ、マチガイナク死ンデシマウ」

男は、悲痛な声でいった。

彦蔵は、言葉もなく立っていた。

大尉は、ワシントンから逮捕命令を受けたと言ったが、自分には思いあたることは全くない。なにかのまちがいで、やがて誤解であることがあきらかになって解放されるにちがいない。しかし、男は二週間も前に理由もわからず捕われ、その後、事情聴取もされず家族との連絡も絶たれてこの部屋に閉じこめられている。それは自分にも適用されるにちがいなく、長い間拘禁されるのだろう。

彦蔵は、階下の部屋にいた二人の大尉の顔を思いうかべた。それは、アメリカに在住中、眼にしたこともない冷ややかな非情な人間の顔で、情愛のかけらも感じられない。

彦蔵は、アメリカに対していだいていた考え方が無残にも打ちくだかれるのを感じた。これまで接してきたアメリカ人たちは、いずれも気持が温かく、東洋の小国から来た自分を包み込むように親愛の情をしめしてくれた。そこには打算というものが少しもなく、なぜこのように好意をしめしてくれるのか不思議にすら感じた。自分が再びアメリカにもどってきたのも、そのようなアメリカ人たちの中に身を置きたかったからでもあるが、憲兵大尉の顔を見た彦蔵は、アメリカの別の一面を見たような思いであった。大尉は上官の命令だという一通の電報によって自分を容赦なく捕え、人間が息もつけぬような火の気のない部屋に押し込めている。少くとも彦蔵は、生れついてから日本にいる間、大尉のような冷酷な眼をした人間を見たことはなかった。

拘禁されている男は、捕えられてから二週間放置され、家族との連絡も断たれている。アメリカは自由と平等の国だと言われているが、実態は遠くかけはなれているのではないのか。

彦蔵は、自分の置かれた立場を考えた。同室の男と同じように釈明の機会はあたえられず、この部屋で人間の食物とも思えぬようなものを口にして辛うじて餓《う》えをしのぎ、帆布にくるまって寒さをしのいで半永久的に日を過すのか。「コレデハ死ンデシマウ」と言った男の言葉が錘《おもり》のように胸に深く食い込んだ。

かれは、そのまま身じろぎもせず立っていた。男は部屋の隅の粗末な長椅子に腰をおろし、顔を伏して頭を両手でかかえている。それは絶望しきった人間の姿であった。

部屋の冷気に体がふるえ、歯が音を立てて鳴りはじめた。たしかにこのような部屋にいつづければ、遠からず死を迎える以外にない。

黒いものが、板壁にそって動いては停ることを繰返している。驚くほど大きな鼠《ねずみ》で、反対側の壁ぎわにも新らたに黒いものが湧《わ》いた。彦蔵は、男が鼠と同居しているのを知った。ランプの油がつきて灯が消えれば、闇《やみ》の中から鼠が次々に出てきて部屋は鼠の走りまわる世界になるだろう。

彦蔵は、背筋が凍りつくような恐れをおぼえた。

通路に足音がし、ドアの前でとまると、鍵をまわす音がきこえた。

ドアが開き、彦蔵は振返った。

長身の中尉が立っていて、彦蔵に視線を据えると、

「デロ」

と、鋭い声で言った。

冷気で体の感覚が失われていて足がしびれ、彦蔵はよろめいた。足をふんばり、開いたドアの外に出た。

中尉がドアの鍵をしめて通路を歩き、彦蔵は、その後について手すりをつかみながら階段を降りた。

暖炉のある部屋に入ると、ブーズとブライアントが立っていた。椅子に坐っている大尉が、彦蔵に冷ややかな眼をむけると、

「出テ行ケ」

と、吐き捨てるような口調で言った。

ブーズが近づいてきて彦蔵の腕をとると、ブライアントがあけたドアの外に連れ出した。

彦蔵は、ブーズに腕をかかえられたまま夜道を歩き、四ツ角にくるとブライアントが、

「オ休ミナサイ」

と挨拶《あいさつ》して、自分の家の方へ去っていった。

二人は無言で歩き、ブーズの家に入った。

居間の椅子に坐ると、ブーズが彦蔵のグラスに葡萄酒の瓶を傾け、自分も葡萄酒をひと口飲んだ。

ブーズが、口を開いた。彦蔵が二階に連れられていった後、ブーズとブライアントは憲兵司令官の部屋に行って執拗《しつよう》に交渉し、その結果、二万五千ドルの保釈金で彦蔵の釈放を認めさせたのだという。ただし、必要がある時にはただちに憲兵隊に出頭することを条件として……。

彦蔵は、初めて解放された理由を知り、ブーズに感謝の言葉を述べた。自分のために二人がそのような大金を用意してくれたことに、アメリカ人の心の優しさをあらためて感じたが、大尉の冷酷な眼は忘れられない、と思った。

それにしても、なぜ憲兵隊に連行されたのか釈然としなかった。

翌日、ブーズは所用があってワシントンに行く予定になっていて、彦蔵も同行を申し出た。国務長官シーワドに会って、神奈川領事館の通訳官の件がどうなっているかをたしかめたかったのである。

保釈金で釈放された彦蔵は、いつでも憲兵隊に出頭することが義務づけられていて、ブーズの家をはなれる折には届出る必要がある。そのためブーズは、ワシントンに彦蔵を連れて行く許可を得に憲兵隊に出向いていった。

彦蔵は、家を出るブーズに、

「司令官ニナゼ私ヲ捕エタノカキイテ下サイ。私ハアメリカニ来テ海軍長官、国務長官ニ会ッタダケノコトデ、憲兵隊ニ罪人扱イサレルオボエハアリマセン」

と、言った。

「私モ、理由ヲ聞ク」

ブーズは、道に出ていった。

彦蔵は落着かず、ブーズの家の居間で椅子《いす》に坐ったり歩きまわったりしていた。憲兵司令官は、もしかすると彦蔵のワシントン行きを許可せず、ブーズの家から一歩も外へ出てはならぬ、と厳命するかも知れなかった。

三十分ほどすると、ブーズがもどってきた。

「疑イハ、完全ニハレマシタ」

ブーズは外套《がいとう》をぬぎ、居間の椅子に坐った。

かれが、事情を説明した。

南部軍が首都ワシントンへの攻撃を企て、その作戦のため南部軍の高級将校が潜入して偵察をおこなっているという情報を、ワシントンの北部軍司令部が入手した。憲兵隊は、司令部の指令にもとづいて密偵を四方に放ってその将校の行方を追っていたが、密偵の一人が将校の古い写真に酷似している男がアレグサンドリアにいるという報告をもたらした。それが彦蔵で、密偵は彦蔵の尾行をつづけ、ブーズとともにブライアントの家に入るのを確認して憲兵隊に通報した。それによって憲兵隊から中尉が二十名ほどの兵をひきいてブライアント家に急行し、彦蔵を連行して拘禁したのだという。

憲兵隊では、彦蔵の旅券の内容をワシントンの司令部に伝えたが、司令部から電報で彦蔵が南部軍の将校どころか一切関係がなく、ただちに釈放せよと命じてきたという。

「ソレガ分ッタノハ今朝デ、司令官ハ保釈金ヲオ返シスル、ト、恐縮シテイタ」

ブーズは、眼に笑いの色をうかべて言った。

入口の扉のノッカーが鳴り、ブーズが居間を出ていった。

人声がしていて、やがて居間にもどってきたブーズは、

「昨夜ノ中尉デシタ。大尉ノ使者トシテヤッテキテ、過失ヲ犯シテ申訳ナイトイウ大尉ノ伝言ヲ述ベテ帰リマシタ。気分ヲ損ネタト思イマスガ、許シテヤッテ下サイ」

と、にこやかな表情で言った。

彦蔵は、詫びるなら大尉自身がくるべきだ、と思った。大尉の冷酷な表情が眼の前にうかび、あらためて腹立たしさをおぼえた。

ブーズが軽装馬車を用意し、彦蔵はかれと乗ってワシントンの街に入った。

ブーズと別れた彦蔵は、国務省に行ってシーワド長官に会った。任官のことをたずねると、シーワドは準備をすすめていると答え、昨夜の件を口にした彦蔵に、
「時節ガ時節ダケニマチガイモ起ル」
と言って、慰めてくれた。

ワシントンからもどった彦蔵は、その後ブーズの家で日をすごした。

かれは、アレグサンドリアの町がざわついているのを感じ、落着かなかった。ワシントンに行ってもどった日の翌日の夜、アレグサンドリアの新聞社が全焼した。ブーズの家に来てすぐの日曜日に南部に好意的な牧師が北部軍の兵に拉致《らち》された事件を報じたその新聞社の記事に、反感をいだいた兵たちが放火したのだ。町には、南部びいきの者も多く、それらの者と北部軍の兵が対立し、殺気立った気配がひろがっているという。

彦蔵は、そうした揺れ動く空気の中で、またも捕われるような恐れを感じていた。

その日は、霙《みぞれ》が雪に変ったが、かれはブーズとその家族に歓待してくれた礼を述べ、ブーズの馬車で送られてワシントン駅に行くと蒸気車に乗った。

窓外には霏々《ひひ》と雪が舞い、それを眺めながらかれは、あらためて日本へ帰ろうと思った。アメリカは、かれの知っているアメリカではなく、戦争のため人間の心が荒々しくなっている。日本も激動期で、暗殺が頻発しているが、自分が生きてゆくのは日本以外

にないのだ、と思った。

蒸気車がボルチモア駅についた。雪は雨に変っていて、かれは町馬車でサンダースの邸《やしき》に行った。

そこには平穏な生活があって、かれは夫妻と食事をし、茶を飲んで静かに語り合った。老いたサンダースを心配させぬように、憲兵隊に連行され拘禁されたことは口にしなかった。日曜日には、夫妻とともに馬車で教会に行き、かれはサンダース夫妻の健康と平和がもどることを神に祈った。

サンダースの家に、シーワド国務長官から彦蔵あての手紙がとどいた。封を切ると、神奈川領事館付通訳官に任命するという正式辞令が入っていた。

それをサンダースに見せると、サンダースは彦蔵の体を優しく抱き、おめでとうという言葉を何度も繰返した。その夜、夫人は特別の料理をつくって祝ってくれた。

三月九日の深夜、遠くで砲声がきこえ、それが長々とつづいた。その砲声に起きたサンダース夫妻は、おびえた眼をして庭に出ると、砲声のとどろく方向を見つめ、掌《て》を組んで胸にあて、神に祈った。彦蔵も、それにならった。

翌日、ボルチモアの町は、昨夜の砲声をきいた人たちで大騒ぎになった。砲声は、ハンプトンロードで南北両軍が激突し、また海上で南部軍の軍艦「メリマック号」が、北部軍の軍艦「カンバーランド号」と「コングレス号」を撃沈した海戦によるものだという。

彦蔵はアメリカを二分した戦争が一層激化しているのを感じた。町の人たちは、そのうちにボルチモアも戦場になるのではないか、と話し合い、サンダース夫妻もおびえきった眼をして落着かず、時折り教会に足を向けていた。

彦蔵は追い立てられるような気持になり、近々のうちに帰国の途につこうと思った。砲声をきいてから三日後の三月十二日、かれはボルチモアをはなれてワシントンにむかった。通訳官に任命してくれた国務長官のシーワドに、御礼を兼ねて帰国の挨拶をするためであった。

あらかじめ手紙で面会の申込みをしていたので、国務省に行くとすぐに長官室に通された。

彦蔵が帰国の挨拶をすると、シーワドは、

「ソウカ、日本へ帰ルカ」

と言って、しばらく思案するように黙っていたが、顔を彦蔵にむけると、

「帰国前ニ、我ガアメリカ合衆国ノタイクン（大君）ニ会ワセテヤロウ」

と、言った。

アメリカ人が徳川将軍を大君と呼んでいるのを彦蔵は知っていて、アメリカの大君とは大統領を意味するのを感じた。

シーワドは、

「少シ待ッテイテクレ」

と言って、長官室を出ていった。

慈父とも言うべきサンダースがピアース大統領に、グウィン上院議員がブキャナン大統領に会わせてくれたが、いずれの折りも高位の政治家に会ったという気持しかなかった。しかし、日本に帰り、さらにアメリカへ再びやって来た彦蔵は、大統領が広大なアメリカの統率者で、日本の諸大名を支配する徳川将軍と同格であるのを知った。大名に謁《えつ》するのは各藩の上級武士にかぎられ、それら大名の上に立つ将軍は、庶民にとってはるか雲の上の存在だった。

そうした将軍と同格とも言うべき大統領二人に過去に会ったのは奇蹟《きせき》で、今またシーワドは、大統領に会わせてやるという。かれは、身のふるえるような緊張感をおぼえた。

大統領はリンカーンと言い、弁護士であったが、共和党の上院議員として大統領選に出馬し、当選して就任した。人情家と言われていて人々の評判は高く、信頼と敬意を集めている。

彦蔵は、落着かず椅子に坐《すわ》っていた。

十五分ほどして、シーワドが長官室にもどってくると、

「ヒコ君、行コウ。大統領ニ会ウ約束ヲトリツケタ」

と言い、長官室から裏庭に出た。

シーワドは、彦蔵の腕をとって歩きながら、

「今日、私ハ閣議ニ出席シナケレバナラナイガ、君ヲ我等ノ偉大ナ指導者ニ会ワセズ帰国サセルワケニハユカナイ」

と、にこやかな表情で言った。

前方に大統領官邸が見え、シーワドは内部に入ると、執務室の扉をノックして開けた。

彦蔵は、大きな机を前にして肘掛《ひじか》け椅子に坐っている黒いフロックコートを着た男を眼にした。痩《や》せぎすの男で、頬髭《ほおひげ》をたくわえている。男は、こちらに視線を走らせたが、机の前に書類をかかえて立つ陸軍大佐の言葉を無言できいていた。

シーワドは、彦蔵に椅子に坐るようすすめ、自らも坐ってテーブルに置かれた新聞を手にして活字を眼で追っていた。

やがて、大佐が用件がすんだらしく敬礼して部屋を出てゆくと、男は立ってこちらに近づいてきた。驚くほどの長身だった。

彦蔵は、シーワドとともに立ち上った。大統領は、シーワドに親しげに声をかけて近寄り、握手した。

シーワドは、彦蔵に眼をむけて大統領に、

「私ノ友人ノヒコ君デス。日本人デス」

と言って、彦蔵を紹介した。

大統領は、大きい掌を出し、

「日本ノヨウナ遠イ地カラ良ク来マシタネ」

と言って、彦蔵の手をにぎった。優しい眼であった。

大統領が坐り、彦蔵もシーワドについで椅子に腰をおろした。

シーワドが、彦蔵の漂流のこと、アメリカに帰化したことなどを手短かに話し、大統領は驚いたように彦蔵の顔に何度も眼をむけた。

シーワドが、この度彦蔵が神奈川領事館の通訳官に任命され、日本へ近々のうちにもどることを口にした。

「君ノヨウナ人ガ領事館ニ勤務シテクレルトハ、頼モシイ。アメリカノミナラズ、日本ノタメニモ尽力シテ下サイ」

リンカーンは、大統領というより優しい農夫のような感じであった。

財政長官のチェイスにつづいてウェレス海軍長官が大統領との打合わせのために入ってきたので、彦蔵は、大統領に任官の礼を述べ、シーワドとともに執務室を出た。短い会見であったが、彦蔵はほのぼのした思いであった。

ワシントンに二日間滞在後、彦蔵はボルチモアのサンダースの邸にもどった。

大統領のリンカーンに会った話をすると、サンダースは何度もうなずいていた。サンダースの眼には、わずかではあるがいつも涙がにじみ出ている。その涙に、彦蔵はサンダースの老いの深さを感じた。

かれはサンダース夫妻と静かに日を過しながら、帰国のため邸を出てゆけば、それがサンダースとの最後の別れになるのを感じていた。それをサンダースも知っているのか、眼には少しでも長く逗留《とうりゅう》していて欲しいという、すがりつくような光が浮んでいた。

彦蔵は、その眼を見るのが辛《つら》く、一日のばしに出発をのばしていたが、三月二十六日の夜、ひそかに寝室で鞄《かばん》に旅具をおさめた。

翌朝、食事を終えた後、彦蔵は、二階の寝室に行って外套と鞄を手に階段をおりた。居間のドアを開けると、椅子に坐っていたサンダースが、口を少しあけて彦蔵に視線を据えた。

彦蔵は、床に置いた鞄の上に外套をのせ、サンダースに近づくと、手をさし出した。胸に熱いものが突き上げた。

サンダースが、体を浮かせるように立ち上った。

「日本へ戻リマス。オ世話ニナッタコトヲ感謝シマス」

彦蔵は、途切れがちの声で辛うじて言った。

サンダースの眼から涙があふれ、かれは彦蔵にもたれかかるようにして体を接すると、背に腕をまわした。力のない抱き方であった。サンダースの口から嗚咽《おえつ》がもれ、それがたかまり、体が激しくふるえはじめた。彦蔵もサンダースの柔かい体を抱き、涙を流した。

夫人が近づき、

「行クノデスカ、ヒコ」

と言って、彦蔵の腕をつかんだ。その眼からも涙が流れていた。

三人は、長い間その場に立っていた。

やがて彦蔵は、サンダースの体をはなし、

「イツマデモ健康デアルコトヲ祈リマス。日本へ行ッテモ、私ハ常ニアナタノ息子デス。マタ、アメリカニ来ルコトモアルデショウ。ソノ時ハ、アナタノ家ニ泊メサセテ下サイ」

と、言った。

サンダースは、無言で何度もうなずいた。

彦蔵は、鞄と外套を手に、

「サヨウナラ」

と言って居間のドアを押し、家の外に出た。

外套を身につけて歩き出したかれは、邸を振返った。居間の窓ガラスを通して、手をふる夫人と立ちつくしているサンダースの姿が見えた。

四月一日、彦蔵は、「ノース・スター号」に乗ってニューヨーク港をはなれた。遠ざかるニューヨークの街を見つめながら、彦蔵は、再びその町並を見ることはないような気がした。

戦闘海域にあるので、マストの上や甲板の所々に見張りの者が立ち、海上に望遠鏡をむけている。夜に入ると、船内の光が洩《も》れぬように舷窓《げんそう》がすべて閉ざされた。

船は、陸岸沿いに南へ進み、無事にアスピンウォールに入港した。彦蔵は、他の船客とともに蒸気車に乗ってパナマについた。港には、「ソノラ号」が待っていて、かれは乗船した。

そこからは一応安全海域とされていて、甲板に見張りの者が立つこともなく、船は太平洋上を北西方向に進んだ。かれは、船室で読書をしたり、甲板に出て海をながめたりしていた。

数日後にサンフランシスコにつくという日、甲板上で騒ぎが起った。

十四、五歳の少年が、二人の船員に腕をつかまれて荒々しくひきずりまわされ、少年は悲鳴に似た泣き声をあげていた。かれの首に布が巻きつけられ、それが足もとまで垂れていて、そこには泥棒という大きな文字が書かれていた。

船客たちの人垣が出来ていて、彦蔵はかれらから、少年が二等船客の息子で、一等船客の持ち物を盗んだので、船長がこらしめのため船員に少年を引きずりまわさせているのを知った。

彦蔵は、泣きわめく少年の姿を見つめた。あらためてアメリカは、自分の知っているアメリカではなくなっている、と思った。長い間在住していた間、そのような光景を眼にしたことは一度もない。戦争によって、人々の気持はささくれ立っていて、盗みを働いた少年を強くたしなめればよいだけなのに、多くの船客の前で泥棒と記した布をつけさせ、引きずりまわしている。少年の親はどのような気持でいるのだろう。

彦蔵は、見ているのが耐えきれず、甲板をはなれて船室に入った。

四月二十六日夕刻、船がサンフランシスコに入港し、彦蔵は、ホテルに泊った。

翌朝、かれはマコンダリー会社に行き、経営者のケアリーに会った。彦蔵は、ワシントンでの任官運動の経過を詳細に説明し、海軍長官から海軍倉庫監理官の職につくことは拒否されたが、国務長官に神奈川領事館付通訳官の辞令を受けたと報告した。

「ソウカ。監理官ノ任命ハダメダッタカ」

ケアリーは落胆したが、彦蔵はかれの好意に心から感謝している旨《むね》を伝えた。

彦蔵は、ケアリーにアメリカへ来た目的も果せたので、日本へもどると告げた。

「ソウカ、帰国スルカ。シカシ……」

と、ケアリーは表情を曇らせた。

南北戦争の影響を受けてアメリカの貿易量は激減し、世界各地に輸出入品や貿易関係者を乗せて往復していた貨客船が、今ではアメリカ国内の兵員、武器の輸送に従事している。日本との貿易は開国後日を追ってさかんになってきていたが、ここに至って中絶状態になり、日本に行く船は全くないという。

「清国ニムカウ船ハ、稀《マレ》ニハアルカラ、ソレニ乗ッテ清国へ行キ、日本行キノ船ヲ探ス以外ニナイダロウ」

ケアリーは、気の毒そうに言った。

彦蔵は深く息をつき、ここにも戦争の影響が重くのしかかっているのを感じた。ワシントンをはじめニューヨーク、ボルチモアと旅をしてきたかれは、サンフランシスコとちがってそれらの地が戦争一色に塗りつぶされているのを知った。たしかにアメリカは貿易どころではなく、北部軍、南部軍ともに互いに勝利をかちとろうとしてしのぎをけずっている。その内戦のために船の大半が動員されているのだろう。

日本へ行く船が皆無というからには、ケアリーの言うように清国行きの船で清国に行き、その地で日本にむかう船を探す以外にない。彦蔵はケアリーに、清国へおもむく船があったら必ず教えて欲しい、と頼んだ。

港には蒸気船や帆船の出入港がみられたが、それらはケアリーの言う通りアメリカの各地との間を往き来《ゆき》する船だけで、貿易船は眼にすることができなかった。主要な輸出品であった綿布も、棉花《めんか》の生産地が戦場になった上に働き手の農夫が兵になったりして棉花の収穫が激減し、製造は中止状態にあるという。

貿易に従事していたケアリーの会社をはじめとした商社は活気を失い、わずかに北部軍へ食糧その他を納入するにすぎなくなっていた。

彦蔵は、清国行きの船をあてもなく待ちながら日を過した。なすこともなく、ケアリーの会社に行って、戦況を報ずる新聞を読んだりしていた。

五月五日も、ケアリーの会社におもむき、新聞に眼を通したかれは、一個所に視線を据えた。そこには、日本人漂流民十一人がアメリカ船「ビクター号」に救出され、入港したことが記されていた。

記事によると、清国からサンフランシスコへ航行中の「ビクター号」が、北緯三十三度、東経百六十一度二分の洋上で、帆柱のない船が漂流しているのを発見、ボートをおろして船に乗っていた十一人を救出したという。かれらは日本人で、昨四日「ビクター号」がサンフランシスコに入港した、と記されていた。

彦蔵は、立ち上った。十二年前、「永力丸」であてもなく洋上を漂流していた時の苦難と悲哀が思い起された。自分たちは、幸いにもアメリカ船「オークランド号」に発見救助されたが、記事にみられる漂流民たちも同じようにアメリカ船によってサンフランシスコに送られてきた。かれらは死をまぬがれたことを喜んでいるのだろうが、むろん日本へ帰ることを強く望んでいるはずであった。

彦蔵は、かれらの帰国に最大限の力をつくしてやろうと思った。開国した日本はかれらを受け入れる態勢にあり、帰国できる船便を探してやるだけでよいのだ。

サンフランシスコには、対日関係を担当する領事のブルックスが常駐していて、彦蔵は、かれと顔見知りであったので助力を得ようと考えた。

かれは、ケアリーの会社をあわただしく出ると、ブルックス領事のもとに行った。

ブルックスは、すでに「ビクター号」船長クロウェルからの報告を得ていて、彦蔵がかれらを帰国させるよう尽力して欲しいと頼むと、ただちに承諾し、共に「ビクター号」へ行こう、と誘った。願ってもないことで、彦蔵はブルックスとともにボートで「ビクター号」におもむいた。

「ビクター号」は入港手続きに手間取っていて、乗客たちは下船せずにいたが、その大半は清国人であった。

クロウェル船長に会い、彦蔵は、ブルックス領事に紹介されて握手した。船長の話によると、清国人男女三百人ほどが乗っているという。

領事が、日本人漂流民のことで彦蔵とともにやってきたことを口にすると、船長は船員にかれらを連れてくるよう命じた。

やがて、船長室の入口に短い髪を後ろに束ねた男たちが、一様におびえたような眼をして姿を現わした。頬がこけて顔は青白く、中には十三、四歳の少年もまじっている。丁髷《ちょんまげ》を結っている者はなく、彦蔵は、かれらが覆没の恐れのある船上で髷を切り、神仏の御加護を祈願したことを知った。

彦蔵は椅子《いす》から腰をあげ、かれらをおびえさせぬように口もとをゆるめて近寄ると、

「あなたたちは、私を御存知か」

と、声をかけた。

思いがけず彦蔵が日本の言葉を口にしたことに、かれらは驚いたように彦蔵の顔を見つめた。しかし、髪を短くし洋服を着ている彦蔵を日本人と思う者はいないらしく、いぶかしそうな眼をしている。

船頭らしい男が、

「恐れながら、あなた様はどなた様でございますか」

と、ためらいがちにたずねた。

「播磨《はりま》の国の彦蔵です」

彦蔵の言葉に、かれらは互いに顔を見合わせた。

彦蔵は、十二年前に漂流してアメリカ船に救われたことを簡略に話し、かれらに「ビクター号」に救助されるまでの経過をたずねた。

「私は沖船頭の清五郎と申す者でございます」

彦蔵が船頭らしいと見当をつけた男が、一歩前に出ると事情を説明した。

かれらは、尾張国知多郡中洲（愛知県知多郡南知多町中洲）の大岩彦太郎の持船「永寿丸」に乗って、前年の文久元年（一八六一）十一月二十六日に江戸へむかうため故郷をはなれた。船には金四百三十七両三朱、銭四貫八百三十八文、小麦百俵を積んでいた。途中、鳥羽浦に寄港して出船したが、大暴風雨にさらされ、沈没の危険が迫ったので髷を切って神仏の御加護を祈り、帆柱も切り倒して漂流した。食料として積込んでいた米は食いつくし、切断した帆柱でつくった臼《うす》で積荷の小麦を粉にひいて水団《すいとん》にし、さらに鰯《いわし》、鮪《まぐろ》、鰤《ぶり》を釣って餓《う》えをしのいだ。

その間、荒天に何度も遭遇して死の危険にさらされたが、翌文久二年三月十五日（一八六二年四月十三日）にアメリカ船「ビクター号」に発見された。

他の水主《かこ》が口をはさみ、

「船頭は、アメリカ船に移ります時、永寿丸と運命をともにすると言いまして艀《はしけ》に乗るのを頑として承知しませんでしたが、私どもが色々口説き、ようやく艀に乗せたのです」

と、言った。

ボートから「ビクター号」に乗り移ると、かれらは多数の清国人が乗っているのに驚いた。「ビクター号」は、カリフォルニアに金鉱探しに行く清国人を南京《ナンキン》で乗せてサンフランシスコにむかっていたのである。この事情は清五郎が清国人との筆談で知ったという。清国人は、米飯や漬物を食べさせてくれ、さらに煙草《たばこ》もあたえてくれた。かれらが「ビクター号」に救出されたいきさつをきいた彦蔵は、ブルックスと話し合い、かれらを上陸させて帰国させる方法を探ることになった。

かれが清五郎にそれを伝えると、かれらは喜びの声をあげた。彦蔵は、ブルックスと「ビクター号」から下船した。

早速、ブルックスと相談して清五郎たちを収容する宿舎を用意し、二日後にかれらを上陸させてその家に連れて行った。

彦蔵は、やってきたブルックスに眼をむけると、

「このお方のお世話で、あなたたちはこの宿に入ることができたのだ。御礼を申し上げなさい」

と、清五郎たちに言った。

清五郎たちは膝《ひざ》をついて手を合わせ、何度も頭を深くさげた。

その家には水道の蛇口があって、清五郎は日記に、

「ふじのずる（藤《ふじ》の蔓《つる》）見たような鉄之物有レ之　是《これ》はかべ（壁）をつた王《わ》（伝わ）らして　ところどころにねじ（捻）り有之　此ねじりより水ふき出し」

と、驚きを記している。

かれらをどのような方法で日本へ帰してやったらよいのか。日本へはもとより清国へ行く船もなく、それは至難のわざであった。ブルックスは、適当な便船があるまで、かれらの面倒を見る、と言ってくれていた。

ところが三日後、ブルックスからその日入港してきたアメリカ船「コロライン・イー・フート号」が、貨物をのせて日本の横浜に行く予定だという連絡があった。驚いた彦蔵がブルックスのもとに行くと、ブルックスは、すでに「コロライン・イー・フート号」の船長に漂流民の乗船手続きをすませていた。

彦蔵もその船に乗って日本へもどりたかったが、ブルックスの話でそれが不可能であるのを知った。船には余分の人員を乗せる余裕がなく、ブルックスの強い要望をいれた船長が、船艙《せんそう》の一部をあけてそこに十一名の漂流民を入れることをようやく承諾したという。

彦蔵は、それでよいのだ、と思った。自分はやがて入港してくるであろう日本か清国へむかう船に乗ればよく、漂流の憂目《うきめ》にあったかれらに一日でもはやく日本の土をふませてやりたかった。

かれは、ブルックスの配慮に礼を述べ、清五郎たちの宿舎に行った。ブルックスから日本行きの船に乗せるという連絡をうけていたかれらは、喜びの色を満面にうかべて彦蔵に手を合わせた。

「コロライン・イー・フート号」は五月十四日に出帆予定であったが、風向が悪く、翌日正午にサンフランシスコを出港していった。

その後、同船は順調な航海をつづけ、六月十三日夜には月蝕《げっしょく》を眼にし、七月一日に八丈島を望んで翌日(日本暦六月六日)正午に横浜村沖についた。

沖船頭清五郎以下十一名の漂流民は、奉行所役人に引渡され、吟味を受けた。奉行所の命によって、清五郎は「永寿丸漂流記」と題する日記を提出した。かれらは三百両の金と彦蔵をはじめアメリカ人から贈られた物品を持ち帰っていたが、それらはことごとく没収された。

十一月上旬にかれらの生地を支配している尾張藩に引渡されることが決定し、その月の十九日に百両のみがかれらにもどされた。江戸築地《つきじ》の尾張藩邸に移されたかれらは、藩士に付添われて翌文久三年正月二日にようやく故郷の中洲に帰った。家族たちは泣いて喜び、村人はもとより近在の村々からも人が集ってきて、清五郎たちの漂流談やサンフランシスコでの話に耳を傾けた。

その年の四月、尾張藩は、横浜村で西洋型帆船の購入契約をむすんだが、操船できる者がなく、アメリカ船に乗って帰国した「永寿丸」漂流民に目をつけた。清五郎らを呼び出して帆船についての知識をただすと、かれらは船乗りだけにアメリカの帆船操船術に興味をいだき、その手伝いをしたこともあきらかになった。

藩では十一名のうち自由に読み書きのできる清五郎、常吉、栄助、彦五郎、権次郎の五名をえらんで召抱えた。

帆船は浦賀に碇泊《ていはく》していたので、清五郎らは藩士に伴われて浦賀へおもむいた。かれらは、帆船を細部まで調べて不良な船具等を良品に取り替えさせたりして、船を正式に受領し、藩では「神力丸」と命名した。

「神力丸」に水夫三十名が乗組み、清五郎ら五名が操船指揮をとって尾張に回航させた。その後、「神力丸」は大坂、江戸への航海をつづけたが、五カ月後、伊豆下田で台風に遭遇して破損した。修理できる舟大工はいず、やむなく廃船とした。

その後、藩ではイギリス製の蒸気船を入手して「知多丸」と命名し、清五郎らはその操船にも従事した。かれらは七石二人扶持《ぶち》、年内十四石以外に家族扶持、船員手当も支給された。かれらは、明治維新の折りに士族に列せられた。

清五郎ら四名の家系は絶えたが、石垣という姓をあたえられた権次郎のみは産を成して家族にも恵まれ、大正七年七月九日、八十九歳の長寿で朝鮮の巨済島《きょさいとう》で歿《ぼっ》した。

二十二

「永寿丸」の漂流民を送り出した彦蔵は、便船を待ってサンフランシスコにとどまっていた。

日本へはおろか清国へむかう船はなく、ようやくハワイ経由で清国へ行く船が入港してきたのを知り、友人たちに別れの挨拶《あいさつ》をしてその船に乗り、サンフランシスコをはなれた。

船はひどい老朽船で船脚はおそく、ようやくホノルルに入港した後も長い間、港にとどまり、出港して香港についたのは、九月五日であった。

その地で彦蔵は、南北戦争がまだつづき、マクレラン将軍指揮の北部軍がリッチモンドで南部軍と大規模な戦闘を展開し、二万人の兵を失って敗退したことを知った。清国を支配しているイギリスは、アメリカに悪感情をいだき、アメリカの軍関係者が香港に二十四時間以上とどまることを許さないという布告を出したりしていて、アメリカの海運業も貿易も壊滅状態にあった。

九月十一日、彦蔵はイギリス船「ロナ号」で香港をはなれ、船は厦門《アモイ》、福州をへて二十七日に上海についた。

かれは、その地で日本へ行く船便を探し、「ガバナー・ウォレス号」が神奈川にむかうのを知って乗船し、船は呉淞《ウースン》をへて十月十三日（文久二年閏《うるう》八月二十日）に神奈川についた。

上陸して横浜村に入ると、生麦《なまむぎ》村で起った外国人殺傷事件で騒然としていた。横浜村に住むイギリス人商人三名と婦人一名が東海道を馬に乗って川崎方面にむかう途中、生麦村で薩摩藩主の父島津久光の行列に接触、商人の一名が殺害され、二名が重傷を負わされた。イギリス代理公使ニールは、幕府と薩摩藩に強硬な抗議を繰返しているという。

彦蔵は、日本では相変らず開国にともなう外国人に対する血なまぐさい事件が起っているのを知った。

翌々日、かれは、神奈川の本覚寺におかれたアメリカ領事館に行った。むろんシーワド国務長官の通訳官任命書を手にしていた。

領事館に人事異動があって、ドール領事は転出して半年前にフィッシャーが領事に就任し、書記生のバン・リードは辞任していた。また、公使もハリスが日本から去り、プリュインが赴任していた。

彦蔵の通訳官任命書は、すでにプリュイン公使のもとにとどいていて、フィッシャー領事も承知していた。彦蔵は、フィッシャーに着任挨拶をし、正式の領事館付通訳官となった。

かれは、本覚寺の一室をあたえられ、そこで起居するようになった。

彦蔵は、不穏な空気が重苦しく自分の周囲にひろがっているのを感じた。生麦事件によって外国人たちは一層神経過敏になり、神奈川奉行所の動きもあわただしかった。

さらに事件はつづき、十二月十二日夜には品川御殿山《ごてんやま》に建築中のイギリス公使館が焼打ちされ、彦蔵は夜空が赤々と染まっているのを眼にした。むろんそれは、攘夷《じょうい》派による放火で、幕府は、外国公館が同じような災厄に見舞われるのを恐れて警備の兵を増員し、彦蔵の勤務するアメリカ領事館の本覚寺にも兵が常駐して昼夜をわかたず警戒した。

年があらたまり、文久三年に入ると天誅《てんちゅう》と称する暗殺が急増した。対象になったのは開国派の儒者や公卿《くぎょう》の家臣、外国貿易で利潤をあげている商人たちであった。

生麦事件の余波は依然として尾を引き、五月九日に幕府がイギリスに賠償金を支払ったものの、薩摩藩は要求をはねつけてイギリス側との対立は深刻なものになっていた。

五月十六日午後、プリュイン公使から領事館に急報がもたらされた。

その日、横浜に入港してきたイギリスの郵便船で、上海に駐在するアメリカ領事からプリュイン宛《あて》の至急便の報告があった。横浜を出港したアメリカ蒸気船「ペムブローク号」が、赤間関海峡の入口で碇泊中、長州藩の軍艦に砲撃を浴びせかけられ、海峡通過をあきらめて豊後《ぶんご》水道にのがれた。軍艦は激しく追尾してきたが、「ペムブローク号」

は、それをかわして航行をつづけ、上海に入港したという。

船長の報告を受けた上海の領事は、プリュイン公使にその不法行為を報告してきたのである。

神奈川奉行に厳重抗議することになり、プリュイン公使が領事館に来て、使いを出して奉行を招いた。横浜村沖に碇泊中のアメリカ軍艦「ワイオミング号」の艦長マクドゥガル中佐も同席した。通訳は、むろん彦蔵があたった。

プリュインが、奉行にその事件を知っているかとたずねると、奉行は耳にしていると答え、砲撃したのは長州藩の軍艦だと推定される、と言った。

「将軍ノ政府（幕府）ガ、砲撃サセタノデアロウ」

プリュインの語気は荒かった。

その言葉を彦蔵が通訳すると、

「長州藩独自の砲撃であって、幕府はなんら関係ない。幕府は、友好国であるアメリカの船にこのような砲撃を加えた下手人を、逮捕処罰するよう尽力する。ただし、その報告は江戸についたばかりであり、どのような手段をとるか、しばらく御猶予《ゆうよ》を……」

と、奉行は答えた。

プリュインは、

「長州人ガ自ラノ考エデ我ガアメリカ船ヲ砲撃シ、将軍ノ政府ハ関係ナイト言ワレルノカ。ソレナラバ、私ハ軍艦ヲ長州ニサシムケ、報復スル。ソレニツイテ、ムロン将軍ノ政府ハ異存ハナイデショウナ」

と、奉行を見つめた。

彦蔵が通訳すると、奉行は顔をこわばらせ、

「それはなりませぬ。江戸ではすみやかに事件を調査し、不法行為であることがあきらかになった折には、日本の国法にもとづいて相応の処罰をいたします。そのような次第です故《ゆえ》、軍艦などさしむけず、江戸よりの御沙汰《さた》があるまでお待ちいただきたい」

と、強い口調で言った。

それで会談は終り、奉行は領事館を出て行った。

彦蔵は、公使が領事、マクドゥガル艦長と話し合うのをきいていた。公使は、艦長が賛成してくれれば、と前置きして、軍艦「ワイオミング号」を赤間関海峡にさしむけて「ペムブローク号」を砲撃した長州藩の軍艦を拿捕《だほ》し、横浜に連行したい、と言った。

艦長に異存はなく、明後日の五月二十八日朝に「ワイオミング号」の出航が決定した。公使自身も同行するという。

公使は、彦蔵に、

「君モ私ニツイテ来テクレ」

と言って、公使館にもどっていった。

翌日の夜、彦蔵はフィッシャー領事から「明朝四時、ワイオミング号ニ乗艦セヨ」という命令書を渡された。

次の日の夜明け前に起きた彦蔵は、波止場からボートで「ワイオミング号」におもむいた。

出航時刻になったが、プリュイン公使は姿を見せず、艦長はしきりに望遠鏡を波止場の方にむけて公使がくるのを待った。彦蔵は、公使が長州藩側と砲火を交えるにちがいない「ワイオミング号」に乗るのを恐れているのではないか、と思った。その推測はあたっているらしく、いつまでたっても波止場に公使の姿は現われなかった。

艦長は断念し、五時五分錨《いかり》を上げさせ、艦は、江戸湾口にむかった。艦は、雇い入れた二人の日本人水主《かこ》を水先案内人として太平洋上を西進し、二日後の夜明けには土佐藩領の室戸岬沖を過ぎた。

朝食後、艦長喫煙室でマクドゥガル艦長は彦蔵に、

「長州人ハ、アメリカ軍艦ニモ発砲スルト思イマスカ」

と、たずねた。

「商船、軍艦ノ別ナク砲撃スルデショウ。十分ニ警戒スルノガ賢明デス」

彦蔵の言葉に、マクドゥガルはうなずいていた。

「ワイオミング号」はさらに西へ進み、午後三時に豊後水道に入り、周防灘《すおうなだ》の姫島の傍

らで停止して投錨した。艦長は、士官たちを集め、戦闘準備を命じた。砲をはじめ小銃、ピストルに至るまで弾丸が装塡《そうてん》された。

翌日は快晴で、空に一片の雲も見られなかった。午前五時すぎ、艦は錨をあげ、商船「ペムブローク号」を砲撃した長州藩の軍艦を求めて周防灘を巡航した。全くの無風状態で、海はべた凪《な》ぎであった。

艦船の姿はなく、赤間関海峡方面にいると推測した艦長は、舳《へ》先《さき》を海峡にむけさせた。同時に、大砲に防水帆布をかぶせるよう命じた。艦を商船に見せかけようとしたのである。

午前十時頃、海峡の入口に近づいた時、前部甲板で望遠鏡を前方にむけていた中尉《ちゅうい》が、

「武装シタ帆船二隻、蒸気船一隻、町《セキ》ノ前面ニ碇泊シテイマス」

と、報告した。

「ヨシ。ソノ三隻ノ中ニ突ッ込ミ、蒸気船ヲ拿捕スル」

艦長は、指令した。

彦蔵は、水兵たちの顔から一様に血の色がひいているのに気づいた。放心したようにあてもなく歩きまわったり、唇をふるわせている者もいる。実戦経験のない彼らは恐怖で動転しているのだ。

艦が海峡の入口に近づくと、突然、砲声がとどろいた。右手の樹木の生い繁《しげ》った岸か

ら白煙が立ちのぼっていた。

彦蔵が艦橋にいる艦長のもとに走っていって、

「今ノ砲声ハ、開戦ノ合図ラシイ」

と告げた。

その直後、海峡入口に設けられた砲台から砲声がとどろき、それが連続した。海面の所々に水柱が高々とあがり、砲声が、いんいんとこだました。

艦長は、マストにアメリカ国旗をかかげさせると、

「合戦準備」

と、命じた。

あわただしく砲をおおっていた防水帆布がとりのぞかれ、まず六十四ポンド砲が火ぶたを切った。

艦は、長州藩の三隻の船にむかって突き進んでゆく。長州藩の船からも砲台からも猛烈な砲撃がつづけられ、砲弾が艦上で炸裂《さくれつ》したが、ほとんどがとどかず海面に水柱をあげた。

蒸気船には藩の重役が乗っているのか、藩公の家紋が染められた紫色の幕が張りめぐらされている。「ワイオミング号」は、その船に砲撃を浴びせかけながら蒸気船の前方を横切った。蒸気船はもやい綱をとき、港の奥の方へのがれるように進みはじめた。

蒸気船は、港の奥に退避してゆく。それを見た艦長は、十一インチ口径のダールゲン砲の砲手に発射を命じた。

顔面蒼白《そうはく》で身をふるわせている砲手は、その命令も耳に入らぬらしく立ちつくしていたが、士官に鋭い声をかけられ、ようやく砲にとりつくと発射した。砲声がとどろいて硝煙が濃く流れ、彦蔵は、蒸気船の中央部から大量の黒煙とともに白い蒸気が噴き上るのを見た。砲弾が蒸気機関に命中したのだ。

それまでへたりこんだりしていた水兵たちの間から、フレー、フレーという歓声が一斉におこった。砲弾の命中で、恐怖が一瞬に吹きはらわれたのだ。

長州藩の蒸気船がゆっくりと身をねじるように回転し、徐々に傾いて海中に没していった。その光景に水兵たちは別人のように活気づき、他の二隻の帆船にも砲口をむけて発射した。

帆船は激しく応戦したが、被弾が甚しくなって乗組員が豆がこぼれ落ちるように海に飛び込み、岸にむかって泳いでゆくのが見えた。小型帆船は炎につつまれて沈没し、大型帆船も甚大《じんだい》な損傷を受けて停止していた。陸岸の砲台はすべて沈黙していた。

艦長は、

「砲撃ヤメ」

を下令し、艦を反転させた。

艦の被害が集計された。被弾二十二発で、水兵四人が死亡、六人が負傷していることがあきらかになった。砲戦は一時間足らずであった。

艦は海峡をぬけて東進し、姫島の傍らにもどって投錨した。ボートがおろされ、士官が船体を点検した。損傷個所はあったが、航行に支障はないと判断された。

午後五時三十分頃、にわかに天候が悪化して激しい雨になった。彦蔵は、艦長室に招かれ、士官たちとともに祝杯をあげた。日本人でありながら長州藩に大打撃をあたえたことになんの違和感もなく、かれらと勝利を喜び合った。

翌朝五時、雨はやんでいて、艦は錨をあげて姫島沖をはなれた。豊後水道を南下し、九時三十分頃、水道の入口附近で停止した。

前日の夜に二人の重傷者が死亡していて、六人の遺体が帆布につつまれて甲板に運び出され、浮上しないように空砲の砲弾がとりつけられた。彦蔵は、艦長ら全乗組員とともに整列し、士官は挙手し、水兵たちは捧《ささ》げ銃《つつ》の礼をとった。弔銃が空にむかって発射され、遺体がつぎつぎに海面に落された。

艦は、太平洋上を東進し、江戸湾に入り、横浜村沖に投錨した。

彦蔵は、翌朝、艦長と食事を共にして下艦した。

領事館にもどった彦蔵は、フィッシャー領事に、

「プリュイン公使ハ、ワイオミング号ニ乗ルト言ッテイタノニ、ナゼ来ナカッタノデス

カ。マクドゥガル艦長ハ二時間モ待ッテイマシタ」

と、言った。

領事は、笑いを眼にうかべると、

「公使ハ、ヒドイ消化不良ヲ起コシテ……」

と、答えた。

嘘《うそ》をつけ、と思った。公使は、砲戦を恐れて艦に乗ることを避けたにちがいなかった。公使は前任のハリスとちがって打算的で、多額の利益をもたらす貿易にも手をつけて私利私欲をはかっている節がある。それは、フィッシャー領事にも共通していて、彦蔵はかれらに不快の念をいだくようになっていた。

領事館には、赤間関でフランス軍艦「キャンシャン号」についでオランダ軍艦「メジュサ号」が長州藩側から砲撃を浴びせかけられ、かなりの被害を受けたことが伝えられた。激怒したフランス領事は、軍艦「セラミス号」「タンクレード号」の二艦を報復のため赤間関に派遣した。

その二艦が横浜沖にもどってきたのを耳にした彦蔵は、横浜村に行ってみた。フランス艦の士官たちは、長州藩側に大打撃をあたえ、陸戦隊も上陸して戦利品を持ち帰ったと得意気に言っていたが、艦の煙突はへし折られ、マストも飛ばされていて、数人の死傷者も出たようであった。

生麦事件は、幕府が十一万ポンドの賠償金をイギリス側に支払うことで一段落していたが、薩摩藩は一切の妥協をこばみ、度重る談判も決裂していた。そのため、直接鹿児島へ行って決着をつけようとしたイギリス代理公使ニールは、キューパー提督のひきいるイギリス艦隊七隻とともに横浜をはなれ、鹿児島へむかった。

横浜村の外国人たちは、艦隊の威容に恐れおののいた薩摩藩が、ただちに屈して要求を全面的にうけいれるだろう、と話し合っていた。領事のフィッシャーも、

「サツマノ大名モ、七隻ノ軍艦ヲ眼ニシテ体ヲ震ワセ、哀願スルダロウ」

と、小気味よさそうに言っていた。

彦蔵は、アメリカに長い間滞在していただけに、欧米諸国と日本との武力の差が天と地ほどのへだたりがあり、大藩である薩摩藩も戦争となればたちまち圧伏されるだろう、と思った。

イギリス艦隊が鹿児島にむけて発航してから四日後、領事館に奉行所の役人二人が彦蔵を訪れてきた。かれらの顔には険しい表情が浮んでいた。

上席らしい中年の役人が、二日前に東海道筋の茶店の厠《かわや》の中に血に染った男の首が投げ込まれていたことを口にした。壁に貼《は》り紙があって、そこには、この首は横浜から赤間関にむかったアメリカ軍艦に水先案内人として雇われた者の首である、と書かれていた。さらに、他に不埒《ふらち》な者が二人乗艦していたが、その者たちも追って同様の仕置きを

受けるであろう、と書き添えられていたという。

「その二人とは、あなたともう一人の水先案内人と考えられます」

役人は彦蔵を見つめ、さらに長州藩士が神奈川宿に多く入り込んでいることも告げた。

彦蔵は、艦に水先案内人として雇われた二人の水主の顔を思い浮べた。かれらは赤間関海峡を何度も通過したことのある回船の者たちで、その水先案内で艦は姫島附近で碇《てい》泊《はく》し、海峡に近づき進入していったのだ。首は、その一人のものにちがいなかった。

「絶対に神奈川宿方面には出向かないようにしていただきたい。絶対にです」

役人はきびしい口調で言うと、かたい表情をして領事館を出ていった。

彦蔵は、自分の顔から血の色がひいているのを意識した。斬殺《ざんさつ》するという二人とは、役人の言ったように自分ともう一人の水先案内を務めた水主であることはあきらかだった。自分がアメリカ軍艦に乗っていったことを長州藩士たちが知っているのは、自分の周囲に情報網がはりめぐらされていることをしめしている。もしかすると、砲戦が終った後、勝利を祝って艦長たちと杯をあげたこともつかんでいるのかも知れない。

かれが「ワイオミング号」に乗ったのは、公使のプリュインがついてきてくれ、と言ったからだが、乗艦するはずのプリュインは仮病を使って乗ることはしなかった。彦蔵は、あらためて公使の卑劣さに憤《いきどお》りを感じた。

身の危険を感じたかれは、短銃に弾丸を装塡して身につけ、領事館から一歩も外へ出ず、自室にとじこもるようになった。

役人が来訪してから三日後には、横浜の日本人町に、幕府の役人をことごとく殺害し屋敷も焼き払うという立札が立てられているという情報が入った。そのため横浜一帯に警備の者が配置され、所々に検問がもうけられているという。

翌朝には、長州藩士たちが大挙して外人居留地を攻撃するため横浜にむかい、すでに大量の兵器と弾薬がひそかに日本人町へ運び込まれているという情報が奉行所から伝えられた。領事館も襲われることが懸念《けねん》され、警備の者が増強された。

さらに二日後には領事館に不吉な報告が寄せられた。京都の豪商数名がなに者かに襲われて、それらの者の首が夜の間に主要な橋の袂《たもと》にさらされ、首のかたわらには、左のような書面が貼られていたという。

「この不逞《ふてい》な輩《やから》は、私利を得ようとして夷狄《いてき》（外国人）と商いを致し、ために諸式（物価）高騰《こうとう》して民の大半は塗炭《とたん》の苦しみを味わっている。まさに売国奴と言うべきで、よってここに天誅《てんちゅう》を加えるものである」

この出来事は、たちまち横浜の日本人街に伝えられ、大きな波紋となってひろがった。横浜に商店をかまえているのは外国人と商取引をする商人たちで、攘夷《じょうい》派の者からは不逞な輩とみられ、天誅の対象となる。商人たちは恐れおののき、その日に早くも店を閉める者もいた。

そうした商人たちの動揺を知った彦蔵は、追いつめられたような気持になった。日本人でありながらアメリカの領事に通訳官として仕えていることは広く知られていて、このまま領事館にとどまっていれば、いつかは必ず殺され、首をさらされる。さらに長州藩側に大打撃をあたえたアメリカ軍艦に自分が乗っていったことも長州藩士たちは知っていて、かれらは自分の命をつけねらっているはずであった。

領事館からはなれよう、と思った。通訳官という職を辞すれば、攘夷派の者たちから命をねらわれることもないだろう。それに、彦蔵は、人間関係に嫌気がさしていた。前任のハリス公使にもドール領事にもアメリカの国益を守ろうという純粋な使命感が感じられたが、現公使と領事にはそれが欠落していて金銭についての執着が強い。

公使も領事も高給だが、彦蔵のそれは不当に安く、これについて昇給を求めたが、全く耳をかさない。アメリカと日本との外交関係に潤滑油の役目をしようと思って領事館員になったが、その望みは失われている。

かれは、熟慮した末、辞表を書き、フィッシャー領事に渡した。

それを読んだ領事は、

「コノ辞表ヲ受理シテ欲シイトイウ私ノ手紙ヲ添エテ、本国ニ送ル」

と、淡々とした口調で言った。

形式的にも慰留すべきであるのに、その気配もみせぬフィッシャーを冷たい人間だと思った。

彦蔵は、領事館にそのままとどまっていた。ワシントンの国務省から辞表を受理したという公式文書が到来しなければ、職をはなれることはできない。かれは通訳官の仕事をつづけていたが、フィッシャー領事との関係はぎくしゃくしたものになり、顔を合わせることも避けていた。

その後、彦蔵は、横浜のイギリス系新聞社が増新聞（号外）を出し、それが鹿児島にむかった七隻のイギリス艦隊の動きを報ずるものであるのを知った。

イギリスの郵便船「コルモレンド号」が上海から横浜へむかう途中、日向国《ひゅうが》の沖で碇泊しているイギリス艦五隻を眼にして停止した。旗艦「ユーリアラス号」からボートがおろされ、新聞記者が「コルモレンド号」にやってきた。記者の話によると、鹿児島でイギリス艦隊と薩摩藩との間で激しい戦闘がおこなわれ、二隻の艦が損傷を受けて続航してこないので、艦隊はそれがくるのを待っている、という。

記者は、戦闘の取材記事を船長に渡し、横浜の新聞社にとどけて欲しい、と依頼した。その日早朝、「コルモレンド号」が横浜につき、ただちに記事が新聞社に渡され、それが増新聞となったのだ。

新聞には記者の観戦記がつづられていたが、それを読んだ彦蔵は呆気《あっけ》にとられた。薩摩藩側との砲戦で「ユーリアラス号」艦長ジョスリング大佐、副長ウィルモット中佐が戦死するなど六十名の死傷者を出し、各艦も損傷を受けたという。

彦蔵は、世界屈指の海軍力を誇るイギリス艦隊が、戦争になれば薩摩藩に潰滅《かいめつ》的な打撃をあたえると信じこんでいたが、記事は艦隊の敗北をつたえる印象が濃かった。

増新聞を読んだフィッシャー領事は、

「信ジラレナイ、コノ記事ハマチガッテイル」

と、繰返しつぶやいていた。

二日後にまたも一層詳しい鹿児島での戦争記事が新聞に掲載された。その日、旗艦「ユーリアラス号」が横浜に入港、乗っていた新聞記者が上陸して新聞社に観戦記を提出したのだ。

その記事には、藩側にかなりの被害をあたえたことが具体的につづられていたが、艦隊側のこうむった損害が甚大であったことも記されていた。

領事館には、横浜在住の外国人たちが顔色を失って激しく動揺していることが伝えられた。それとは対照的に奉行所役人をはじめ日本の商人たちが、喜びに眼を輝やかせているという。彦蔵は、喜ぶ気にはなれず、自分が半ばアメリカ人になっているのを感じた。

その後も、彦蔵を不安がらせる情報がしきりに領事館に寄せられていた。外国と貿易をする商人が暗殺される事件が多発し、京都の豪商八幡屋卯兵衛が惨殺《ざんさつ》されたという報告もあった。

卯兵衛の斬《き》られた生々しい首が、京都の三条大橋の袂の棒杭《ぼうぐい》の先に突きさされ、その棒に書きつけた紙が貼りつけられていた。そこには、貿易が民を貧窮におとしいれているのに、私利私欲に目のくらんだ商人が外国人と商取引をして巨利を得ているのは断じて許しがたく、ここに死に至らしめた、と記されていた。さらに、不在であったので誅殺できなかった丁子屋吟三郎、布屋彦太郎、同人父市次郎、大和屋庄兵衛も「追って天誅を加える」と記されていた。

この出来事は、貿易に関与している横浜の日本人商人に大きな恐怖感をあたえ、店を閉じて横浜からはなれる者が多かった。彦蔵も落着かず、一刻もはやく領事館の職を辞したい、と思った。

奉行所からは時折り役人がやってきて、長州藩士らしき者がうろついているので、決して東海道筋などには行かぬように、と厳重に警告した。赤間関で長州藩に損害をあたえたアメリカ軍艦に乗っていた彦蔵の命を、長州藩士がねらっているという。

彦蔵は、訪れてくる役人に、領事館付通訳官の辞表をすでに提出し、ワシントンからの受理書類の到着を待っているだけなのだ、と繰返し告げた。そのことが役人の口から広く伝われば、長州藩士も自分をつけねらうことはしないだろう、と考えたのだ。

かれは、京都の商人の首が三条大橋の棒杭の先端に突きさされていたという情景を想像し、慄然《りつぜん》とした。刀は鋭利で、自分の首も一刀のもとに打ち落されるだろう。

領事館の一室にとじこもり、夜、就寝する時も傍らに弾丸をこめた短銃を置いた。わずかな物音にもはね起き、気配をうかがう。夜明けまで眠れぬ夜がつづいた。

八月十八日は曇天で、入港したアメリカ船から、辞表を受理したという国務省の書類が領事館にとどけられた。フィッシャー領事からそれをきいた彦蔵は、すぐに奉行所に領事館と無縁になったことを報告した。

彦蔵は、その日のうちに領事館をはなれると、横浜村の日本人街に行き、親しくしている商人の離室に住みついた。一応、気持は落着いたが、恐怖感は残っていて、部屋にとじこもって外出を極力避けた。

貿易にたずさわる日本人商人が店を並べている横浜村は、異様な空気につつまれていた。商人の暗殺事件がつづいているため、奉行所から警備の者が詰め、外国人街にはそれぞれの国の武装兵も巡回していた。

九月七日夜には、なに者かによって神奈川奉行所の塀に不穏な貼り紙がされていたという話が伝わり、日本人街はさらに激しく動揺した。そこには横浜村の貿易にたずさわる日本人の商店名十九が列記され、不埒きわまる輩として必ず天誅を加える、と書かれていた。

その恐れがあると予想していたらしく、すでに六店は店を閉じて去っていたが、その日にも鰯屋《いわし》、越後屋、伊豆倉があわただしく閉店した。

横浜村には、死のような静寂がひろがっていた。村の所々に、店を売りますという紙が貼られているのを眼にするようにもなった。

十月に入ると、横浜村の外国新聞に薩摩藩士とイギリス代理公使ニールとの間で講和談判が推し進められているという記事がみられるようになった。双方、率直な意見を述べ合い、それによって次第に歩み寄りの空気がうまれて、薩摩藩は二万五千ポンドの賠償金を支払うことを約束したという。

十一月一日、彦蔵は、賠償金が大八車にのせられてイギリス公使館に運び込まれたことを耳にし、生麦事件が決着をみたのを知った。

文久四年の正月を迎え、二月二十日には元号が改められて元治となった。

横浜村は、一応平静を保っていたが、四月二十三日に巨大な三層甲板の軍艦が湾内に入ってきて騒然となった。甲板には武装した多くの兵の姿がみられ、日本側との間で戦端が開かれるのではないか、と恐れたのである。

艦はイギリスの「コンクェラー号」で将校二十二名、下士卒五百三十名の海兵隊員が乗っていた。かれらの目的は、横浜、神奈川在住の外国人保護のための進駐で、幕府も諒承《りようしよう》していた。海兵隊員は山手の天幕宿舎に入り、その進駐を外国居留民たちは大いに喜び、彦蔵も、身の危険が薄らいだのを感じた。

彦蔵は、横浜村できわめて特異な存在であった。

貿易に従事する外国人と日本人の最大の障害は、言葉が通じぬことであった。外国人は日本語を、日本人は英語を少しは口にできたが、ほとんど手ぶり身ぶりで意思を伝えようとしていた。当然、誤解が生じ、それによって商取引が混乱することが多かった。

英語の通訳者が必要であったが、英会話の可能な者は奉行所に配属されている通詞だけで、かれらは幕府と各国外交公館との交渉での通訳にあたっている。むろんかれらは、商人たちの通訳などするゆとりはなく、第一、それはかたく禁じられていた。

商人たちの眼は、自然に彦蔵に向けられていた。アメリカ領事館付通訳官を辞したかれは、すでに民間人で、なんの拘束も受けていない。アメリカに長く在住し学校教育も受けた彦蔵は、奉行所の英語通詞などとは比較にならぬほど流暢《りゅうちょう》な英語を口にし、読み書きも自在であった。それに、サンフランシスコで商社のマコンダリー会社に勤務していたこともあって、商行為にも通じていて、外国商人と日本商人との通訳として得がたい人物であった。

そのため、彦蔵はしばしば商取引の場に立ち会わされ、会話はもとより契約書の翻訳、作成もし、複雑な取引も少しの支障なく成立させたりし、謝礼を得た。そのような仕事でかれは多忙をきわめていたが、その間に自らも貿易業に手を染めるようになっていた。

棉花《めんか》の世界相場に、大きな変動が起っていた。アメリカは棉花の主要生産国であったが、南北戦争で棉花畠《ばたけ》のひろがる地が戦場になったり輸送路が寸断されたりして、生産量は激減し、輸出が杜絶《とだ》えて、世界各国の棉花の価格が高騰していた。それに眼をつけた日本人商人たちは、日本の各地で栽培されている棉花を買い集め、外国の貿易商に売って多くの利潤を得ていた。彦蔵も、その風潮に乗じて棉花の取引に手をつけていたのである。

一漁村にすぎなかった横浜村は、洋館をふくむ家々が建ち並び、港町らしいにぎわいをみせていた。

イギリスの郵便船が定期的に入港し、そこには新聞ものせられていて、居留地の外国人たちはそれを手にするのを楽しみにし、彦蔵も読むのを習いにしていた。

二十三

外国の新聞は、彦蔵の商売に大いに役立った。そこには、世界各地の棉花をふくむ商品相場の変動が記載されていて、彦蔵はそれを参考にして商取引をおこなっていた。

むろん横浜居留地の外国人商人たちも、相場の変動をにらみながら輸出、輸入をおこなっていたが、彦蔵が外国人と全く同じ動きをして商売しているのが、日本人の商人たちの注目を浴びた。かれらは、その理由をさぐり、彦蔵が外国の新聞から得た知識を活用しているのを知った。

自分たちも利益を得ようと考え、まず彦蔵と親しい商人たちが近づき、さらに面識のない商人も訪れてきて、外国新聞にどのような経済記事がのっているか教えて欲しい、と懇願するようになった。

彦蔵は快くそれに応じ、外国新聞をひろげて貿易についての記事を和訳してきかせた。かれの口にする各国の輸入品、輸出品の相場を商人たちは真剣な眼をして書きとめ、相応の謝礼を置いて帰っていった。

郵便船が入港するたびに、かれらは彦蔵の家に集るのが習いになり、家は一種の社交場に近いものになった。

商人の中には、経済記事以外に新聞にはどのような記事がのっているのかをたずねる者もいた。新聞には南北戦争、清国での内乱や各国の政治、社会の動静が記され、広告文ものっていて、彦蔵はそれらについて説明した。商人たちは眼を光らせ、耳を傾けていた。

彦蔵が外国新聞を和訳して読んできかせているという話が、思わぬ波紋となってひろがった。横浜村に出向いてきていた地方の藩の藩士たちが、それをきこうとして訪れてくるようになったのである。

初めの頃、彦蔵は、大小刀を腰におびたかれらが自分の命をねらう攘夷派の武士ではないかと疑い、恐れを感じていた。しかし、かれらは、日本の進むべき道は欧米諸国と友好関係を保ち、それによって西欧の政治、法律、科学に関する知識を導入しなければならぬという開国論の信奉者たちであった。世界事情を知ることに情熱をいだくかれらは、彦蔵が横浜に入る郵便船のもたらす英字新聞を読んでいることを耳にして、そこにどのようなことが記されているのかを教えてもらおうとしてやってきたのである。

彦蔵は、ようやく警戒心をとき、かれらの来意も理解して、新聞のイギリス文字を眼で追いながら和訳した。藩士たちは、彦蔵の語学力に驚嘆しながら、熱心に矢立《やたて》の筆を走らせていた。

彦蔵は、漂流してアメリカ船に救出されサンフランシスコに上陸した時、初めて新聞というものを眼にした。その後、アメリカに在住中、ワシントン、ニューヨークのような大都市のみではなく地方の町にも新聞社があって、記者が取材にあたり、記事が印刷されて発行されているのも知った。

新聞はあらゆる階層の人々の間にひろく浸透していて、新聞によって国内の動きはもとより世界情勢も知ることができ、アメリカ人の生活になくてはならないものになっていた。港町のサンフランシスコで発行されている新聞には、港に出入りする船の名、時刻、主要な船客名をはじめ、陸揚げされた物品の市場での動きや価格も記されていた。

横浜の外人居留地には、アメリカ、イギリスの新聞社から派遣された記者たちが常駐し、本社から送られてくる新聞の記事を紹介するとともに日本国内の動きも取材して、それを記事にしている。外国人たちは、それらの新聞を生活の指針にしていた。

アメリカとは異なって、日本に新聞に類するものは皆無で、彦蔵はあらためて不自然に思った。

日本人が知る情報は、口から口に伝わるものに限られ、当然のことながら誤報も多い。そのため幕府はもとより各藩は探索の者を四方八方に放ち、豪商も人を派して正確な情報を得ることにつとめている。世界の動きについては、少し以前はオランダ、清国の船が入港する長崎に情報収集者たちが常駐し、船にのせられた印刷物や船員の話によってうかがい知ることができた。しかし、それらの情報は、一般に知れわたることは少なかった。もしも新聞があって正確な記事をのせれば、世界、国内の情勢を人々に伝えることができる。

彦蔵は、外国新聞の記事を和訳する自分の言葉に熱心に耳を傾け、紙に書きとめる商人や各藩の藩士たちの顔を思い浮べた。その和訳文を文字に託し、それを新聞の記事として発行すれば、かれらはもとより多くの者を益するはずであった。

彦蔵は、アメリカに在住して英語の会話、読み書きを身につけたが、それはあくまでもかれ個人のことにすぎない。その語学力を活用して日本人を啓蒙《けいもう》することができれば、国家的な意義は大きい。

新聞をつくってみようか、と思った。その新聞には、定期的に横浜に入港する郵便船がもたらす外国新聞の記事から世界情勢を紹介する。さらに横浜で外国人相手に発行されているイギリス、アメリカ系の新聞には、記者が取材した日本国内の記事ものせられているので、それも抜粋して掲載する。これによって、世界情勢と国内の動きを記事にすることができる。

ここまで考えた彦蔵は、大きな難問があるのに気づき、深く息をついた。

それらの記事は、むろん日本文でつづり、しかも名文であらねばならないが、自分には到底不可能であるのを感じた。

かれの日本文字に対する知識は、十三歳まで寺子屋に通って得た範囲にとどまっていて、平仮名の読み書きはできるが、漢字は見当をつけて辛うじて読むことはできても、書くことはほとんどできない。かれは、文字というものに対して、きわめてかたよった人間であるのをあらためて感じた。

英文は自在に読め、文章をつづることもできるし、書いた文字は美しいとさえ言われている。それなのに母国語である日本語に対する知識は、寺子屋に通っていた頃の域にとどまっている。かれは、二十八歳になった自分が日本人というよりアメリカ人に近い宙に浮いた存在であるのを感じた。

サンフランシスコから清《しん》国へ送られる途中、ハワイで死んだ船頭の万蔵の墓標に、水《か》主《こ》の喜代蔵が筆をとってなめらかな筆づかいで漢字を書き記した。それは南無阿弥陀仏《なむあみだぶつ》日本万蔵という文字で、清国でも清太郎たちは、清国人たちと漢字でしきりに筆談を交し、水主たちも半ばは漢字の読み書きを心得ていた。

彦蔵は、物悲しさをおぼえた。平仮名しか知らぬ自分は、無学の部類に入る。

しかし、とかれは思った。

自分をはじめ水主たちに英語を教えてくれたトマスは、「ヒコ、英語ノ理解力ハオ前が最モスグレテイル」と、口癖のように言っていた。それは、既成概念にとらわれぬ柔軟な頭脳を持った少年であったためかも知れないが、その後、同じ歳月をアメリカで過した治作と亀蔵の英会話は片言の域を出ず、英文の読み書きなど全く出来なかった。学校教育を短期間ながら受ける幸運に恵まれたこともあるが、たしかにトマスの言ったように、自分は生れつき言語を理解する才能に恵まれていると言っていいのだろう。

幕府に雇われている英語通詞たちは、一応会話はできても、英文を正しくつづることができる者は稀《まれ》だときく。かれらに比べて自分は、英語を自在にこなし、外国人との間の商取引の契約書も少しの誤りなく書き記すことができる。英語に対する知識では、日本人の中で自分より秀《すぐ》れている者は皆無に近く、それは特殊な長所と言ってよく、漢字を知らぬことをことさら悲しむにはあたらない。

たしかに新聞は、漢字をよく知っている者が記事を書かねばならないが、それを自分がしようと考えたことがあやまりなのだ、と思った。自分が和訳する新聞記事を日本の文章で巧みにつづれる者を探し、その者の協力を得れば新聞はつくれる。

彦蔵は、眼の前が急にひらけたような明るい気分になった。

どのような方法で協力者を探せばよいのか。

外国の新聞記事は平易な文章でつづられていて、状況説明も情景描写も素直に読者に通じる。日本で作る新聞もそれと同じようなものでなければならないが、容易であるようで、そうではない。美辞麗句を多用する文章は、文字そのものに自ら酔っていて、人の心の琴線にふれることはない。新聞の記事は事実を正しく伝えることを第一とし、そこに事実による感動がうまれる。声をあげて読み、聴く者に十分に理解できる文章でなければならない。

そうした要求をみたせるのは、秀れた文章家にかぎられるが、果して、そのような人物が横浜村にいるか。

横浜村には、外国人経営の洗濯業者がいた。彦蔵は、アメリカに在住中、ワイシャツその他を洗濯屋に出し、その費用は生活費の重要な一部になっていた。横浜村でも外国人は洗濯屋に衣類の洗濯を依頼し、彦蔵も例外ではなく、大八車を曳《ひ》いて定期的にやってくる洗濯屋の若い雇い人に衣類を渡す。

男は、横浜村をまわって歩いていて、当然、顔も広い。外国人居留地には、英語を学ぼうとする日本の文人が多く入り込んできていて、男はかれらと接触もしているはずであった。

彦蔵は、数日後にやってきた男に、文章に巧みな日本人がいたら教えて欲しい、と頼んだ。

男は、いぶかしそうな表情をしながらも承諾し、衣類を大八車の籠《かご》に入れて去っていった。

彦蔵は、横浜の外国人居留地三十九番館に住むアメリカ人ヘボンの家に寄寓《きぐう》している岸田吟香《ぎんこう》のことを思いついた。

ヘボンは、日本布教を目的にアメリカから夫人とともにやってきた宣教師兼医師で、五年前の安政六年九月二十三日に横浜に上陸した。彦蔵が帰国してアメリカ領事館の通訳生に雇われて間もない頃であった。

ヘボンは、本覚寺におかれたアメリカ領事館に領事のドールを訪れ、住居の斡旋《あっせん》を依頼した。彦蔵は、ドールの指示で本覚寺に近い成仏寺《じょうぶつじ》の僧と交渉し、ヘボン夫妻の住居として本堂を借りてやった。そのようなことから彦蔵は、ヘボン夫妻と親しくなり、日本での生活の相談相手にもなった。

彦蔵は、アメリカに再渡航して帰国する直前に起った生麦事件で、重傷を負った二人のイギリス商人の治療にヘボンがあたったこともきいていた。ヘボンは、眼科が専門の医師であったが、外科一般と内科診療もおこない、名医としてその名が広く知られ、施療所には多くの外国人、日本人の患者が治療を受けに訪れていた。診療費は無料で、患者たちは鶏卵等を贈って感謝の意を表するのを習いとしていた。

岸田吟香は、眼病をわずらい、ヘボンが名医であるのをきいてヘボンのもとに訪れて診療を請《こ》うた。ヘボンは診察して眼薬を点滴し、それがいちじるしい効果をあげて七日ほどで平癒した。

吟香は、美作《みまさか》国（岡山県）久米郡垪和《はが》村の生れで、幼い頃には神童と言われ、津山藩儒昌谷《さかや》精渓《せいけい》にまなび、江戸に出て林図書頭《ずしょのかみ》の塾に入った。学才がいかんなく発揮され、林の代講にまでなった。その後、三河挙母《ころも》藩に召抱えられて儒官となったが、脱藩して江戸にもどり、落ちぶれて湯屋の三助、左官の手伝いなどをした後、妓楼《ぎろう》の主人となった。しかし、翌年、吉原が全焼して妓楼も灰になって流浪《るろう》の身となり、眼病治療がきっかけでヘボンに接触したのである。

その頃、ヘボンは、日本語研究につとめ、和英辞書の編集に取り組んでいた。治療を受けながら、吟香は、ヘボンに自分の経歴を問われるままに口にし、日本語の仮名づかいや文字のことを語った。ヘボンは、吟香の学才が並々ならぬものであるのを知り、和英辞書の編集に協力してくれるよう頼んだ。

吟香は、ヘボンがそのようなことを手がけていることに興味をいだき、ヘボンの家に住み込んでヘボンの和訳した単語を正しい日本語にし、それを美しい文字で浄書するようになった。辞書には、日本のあらゆる階層の言葉が盛りこまれるが、さまざまな職業を転々としてきた吟香は、その作成に得がたい人物であった。

新聞作成を企てる彦蔵にとって、吟香は最も望ましい人物に思えた。

辞書に収められる日本語の単語は、だれにでもわかる明快なものでなければならず、それは新聞の文章にも通じている。林図書頭の代講までつとめた漢学の素養と、さらに和学にも通じている吟香は、正確な文章をつづることができる。さらに和英辞書の編集に従事している吟香は、ヘボンとの作業で西欧の事物の知識も多く得ているはずで、外国新聞の記事にみられる事柄も的確な日本文にするにちがいなかった。

彦蔵は、ヘボンの家に行き、吟香に会った。

アメリカで新聞が普及している実情を具体的に述べた彦蔵は、日本でもそれを発行したいと言って、その方法について説明した。

英語を身につけるためヘボンの和英辞書の編集に協力していた吟香は、外国新聞の和訳文をつづることに興味をいだき、力を貸して欲しいという彦蔵の申入れを即座に承諾した。

喜んだ彦蔵は、新聞発行の準備にとりかかったが、家に一人の男が突然のように訪れてきた。本間潜蔵であった。

本間は掛川藩の御典医《ごてんい》の子として生れ、駿府《すんぷ》（静岡市）に出て漢学をまなび、横浜で英語の勉学につとめていた。かれは、洗濯屋の男から彦蔵が外国新聞の記事を日本文でつづる筆記方を探しているという話をきき、英語習得の好機会と考え、雇って欲しい、と申込んできたのである。

彦蔵は、吟香についで潜蔵という協力者を得たことを心強く思った。

イギリスの郵便船が入港して、ロンドンの新聞社で発行している新聞が陸揚げされた。彦蔵は、早速それを入手し、貿易品の相場表と興味深い記事に印をつけ、さらに横浜で発行されている英字新聞から国内記事を選び出した。

吟香と潜蔵を呼び、二人は定刻に彦蔵の家にやってきた。彦蔵は、記事を和訳して読みあげ、二人はそれを筆で書きとめた。明快な文章でという彦蔵の求めに応じて、二人は互いの文章を照らし合わせ、訂正することを繰返した。

それらの文章は清書され、こよりで閉じられた。

「これを新聞誌としましょう」

吟香の言葉に、News Paper にふさわしい名称だ、と彦蔵は思った。

新聞誌の発行は、人の口から口に伝わり、彦蔵の家に譲ってもらおうとして訪れてくる者が多くなった。商品相場が掲載されているのを知った商人たちは強い関心を寄せたが、世界情勢の記事ものっているので、役人たちや英語を学ぶため横浜に来ている各藩の藩士などもやってきた。

その度に彦蔵は、吟香と潜蔵が手書きした新聞誌を渡したが、その授受に奇妙な習慣が生じた。

彦蔵は、アメリカで発行されていた新聞が定められた金額で人々に渡り、購読されているのを知っていた。が、新聞誌を求めてやってくる者は、時にはわずかな品物等を持ってくる場合もあったが、ただ礼を述べるだけで帰ってゆく。かれらには、新聞誌が金銭の対象になるという意識はなく、彦蔵の好意としか考えていないようだった。彦蔵は落着かなかったが、数枚の筆写した新聞誌の代償を求めるのもためらわれ、請われるままに無償で渡してやっていた。

新聞誌は、月に二回平均で発行され、その度に人々は、礼を言って持ち帰っていった。

彦蔵は、吟香、潜蔵と相談して新聞誌を筆写ではなく木版刷りにすることをきめた。記事は海外情勢を主としたものであったので、新聞誌を海外新聞と改題し、その第一号を翌年五月に発行した。半紙数枚を二つ折りにしてとじたもので、表紙には外国の蒸気船、帆船のうかぶ神奈川の海を前景に遠く富士山を望む絵が刷られていた。

海外新聞も月に二回の割りで発行され、それも無料で希望者に渡されていたが、肥後《ひご》藩士のショウムラ（荘村省三）と柳川藩士のナカムラ（中村祐興）の二人だけが、定期購読料を払ってくれていた。元号が、四月七日に慶応に改められていた。

国内に政治的な大変動が起り、騒然としていた。

前年の七月には京都で長州藩による禁門の変が起り、幕府は長州藩征討令を諸藩に発した。また、赤間関（下関）海峡を通過する外国船を砲撃した長州藩に対する報復のため、イギリス、フランス、アメリカ、オランダの四カ国連合艦隊十七隻が下関を攻撃、長州藩は惨敗《ざんぱい》した。

長州藩征討は長州藩の幕府への恭順謝罪によって一応平静化し、また赤間関海峡問題については賠償金支払いで結着をみた。

彦蔵は、貿易の仕事をするかたわら海外新聞を発行していたが、七月に入って間もなく、領事のフィッシャーからアメリカで衝撃的な事件が発生したことを耳にした。大統領のリンカーンが暗殺されたという。

激戦を繰返していた南北戦争は、その年（一八六五）の四月九日、南部軍のリー将軍の降伏によって終結した。

その日から五日後、ワシントンのフォード劇場で観劇中のリンカーンが、南部出身の俳優ジョン・ウィルクス・ブースに狙撃《そげき》され、翌朝、死去した。また、ほとんど同じ時刻に、国務長官シーワドの邸《やしき》も襲われ、家人が刺され、シーワドも傷を負わされたという。

彦蔵は、茫然《ぼうぜん》とした。握手してくれたリンカーンの大きな掌《てのひら》の感触がよみがえった。長身のリンカーンは政治家というより農民のような感じで、藁《わら》のような体臭がしていた。

柔和な眼をしたシーワド長官の身が気づかわれた。シーワドは、親切にも彦蔵を神奈川領事館付通訳官に任命し、さらにリンカーン大統領にも引き合わせてくれた、アメリカでの忘れがたい恩人であった。

彦蔵は、シーワドに見舞いの手紙を書いた。その中でリンカーンの遺族に対する弔慰も書き添え、手紙をアメリカ行きの郵便船に託した。

この手紙に対する九月二十五日付のシーワドの返書が、神奈川領事館気付ジョセフ・ヒコ殿として送られてきた。そこには、遠くへだたった国にいながら自分を忘れず懇切な手紙を寄越してくれたことに心から感謝していると述べ、思わぬ不幸に見舞われたが、国民はそれに屈することなく前進するだろう、と記されていた。

彦蔵は、その手紙を繰返し読み、戦争ですさんだアメリカ人も、おおらかで情のあつい国民性をとりもどすにちがいない、と思った。

慶応二年(一八六六)が明け、幕府と長州藩との関係が再び険悪化し、それを中心に国内情勢は複雑化していた。

彦蔵の貿易の仕事は先細りになっていたが、海外新聞の発行はつづけられていた。

幕府は、第二次長州藩征討令を発し、六月七日、幕府軍艦による周防国大島郡の砲撃によって戦端がひらかれた。戦闘は、長州藩に有利に展開し、さらに大坂に出陣していた将軍家茂《いえもち》の死去によって幕府は休戦交渉をおこない、九月には幕府軍と諸藩の兵は撤兵した。

ヘボンが岸田吟香の協力のもとに推し進めていた和英辞書（和英語林集成）の原稿が完成し、それを上海で印刷することになった。ヘボンは、吟香をともなって上海にむかい、筆記者を失った彦蔵は海外新聞の発行を中止した。それは、日本での最初の新聞であった。

二十四

岸田吟香が上海に去って間もない十月二十日五ツ半（午前九時）すぎ、横浜の港崎町の沼近くから火の手があがった。折からの西の強風にあおられて火がのび、大火となった。彦蔵は、手廻りの物を鞄《かばん》と行李《こうり》におさめ、人々とともに神奈川方向に逃げた。乱れ散る火の粉が、青空を背景に陽光にきらびやかに光っていた。

家々は燃えつづけ、夕方になってようやく風がおさまり、夜四ツ半（午後十一時）すぎに鎮火した。日本人町の半ばと外人居留地の四分の一が焼失した。

彦蔵の住んでいた商人の家は幸いにも類焼をまぬがれたので、夜明けになってかれは家にもどった。横浜は惨状を呈し、彦蔵は暗い眼をして焼跡を歩きまわった。

それから八日後の二十八日夜明けに横浜の太田町からまたも出火し、大火には至らなかったが、混乱に乗じて夜盗の群れが商人の家に押し込むなどして人々を恐れおののかせた。相つぐ火災によって横浜村の商業活動は停止状態になり、彦蔵はなすこともなくぼんやりと日を過していた。

その頃、長崎で商社を経営しているフレイザーから、アメリカに帰ることになったので、商社を引受けてくれないか、という手紙が来た。フレイザーは、ウォルシュ兄弟と横浜で貿易の仕事をしていたことがあり、彦蔵はその三人と旧知の間柄であった。

三人は、横浜を去って開港された長崎に行き、それぞれ商社を設けた。ウォルシュ兄弟の兄ジョンは、貿易商を営むかたわら長崎のアメリカ名誉領事の役職も兼ねていた。

焼跡のひろがる横浜の地に失望していた彦蔵は、フレイザーの依頼を受け入れようか、と思った。名誉領事のジョンはなにかと便宜をはかってくれるにちがいなく、それにアメリカ公使ハリスにともなわれて「ミシシッピー号」で夢にまで描いた日本に帰る途中、最初に眼にした祖国である美しい長崎の町にも行ってみたかった。

かれは、フレイザーに手紙を出し、申出をいれて長崎に行くことをつたえた。

旅仕度をととのえている間に、幕府の雇い入れたイギリスの蒸気船が長崎にむかって出航するという話を耳にした。かれは、神奈川奉行所に行って乗船させて欲しいと願い出ると、奉行所では、元アメリカ領事館付通訳官の彦蔵に好意をいだいていて、長崎まで無料で乗せるという特別なはからいをしてくれた。

十一月十九日、かれは船に乗った。空は晴れていた。

蒸気船は錨《いかり》をあげ、江戸湾口にむかった。彦蔵は、焼跡のひろがる横浜の町に眼をむけて甲板に立っていた。

船は、西進して兵庫に寄港、瀬戸内海から赤間関の海峡をぬけて十一月二十八日に長崎に入港した。

友人のフレイザーが小艇で船に迎えに来て、上陸した彦蔵は外国人居留地の大浦のかれの家に行き、夕食を共にした。

フレイザーは、長崎が同じ開港場の横浜、箱館といちじるしく異なった性格をもっていることを説明した。それは、輸入の筆頭が艦船、武器であるという点であった。

それらの購入者は幕府と諸藩で、政治情勢が緊迫化するにつれて急増している。ことに幕府との対立が激しくなった薩摩《さつま》、長州両藩は、諸外国から艦船をしきりに買い入れ、また大量の銃砲の入手にもつとめている。長崎がそのようなものを輸入する開港場になっているのは、江戸から遠く、幕府の監視が及ばないことにある。幕府も鷹揚《おうよう》なところがあって、外国の圧力に対抗する意味から諸藩に艦船、武器の購入をさかんにすすめ、ただし、それは長崎に設けてある運上所への届け出を条件としているという。

これらの購入のため諸藩の藩士たちが、多数町に入り込んでいて、外国人貿易商とさかんに接触しているが、貿易商人の中心人物はイギリス人トーマス・グラバーで、グラバーは特に薩摩藩とかたくむすびつき、他の商人は割り込むすきがないという。

「ト言ッテモ、貿易ハ武器ダケデハナイ。南北戦争中ハ、棉花《メンカ》ヲ輸出シテ大イニ儲《モウ》ケタガ、戦争ガ終ッテソレハ駄目ニナッタ。シカシ、茶ヤ石炭ヲ輸出シタリ、織物ヲ輸入シタリ、ソレガ私ノ仕事ダ」

フレイザーは、静かな口調で言った。

彦蔵は、フレイザーの言葉でグラバーというイギリス商人が長崎での貿易を牛耳っているのを感じた。

生麦事件で薩摩藩士が横浜の外国人居留地にいたイギリス商人を殺傷し、そのためイギリス軍艦七隻《せき》が鹿児島湾に進航して激烈な薩英戦争が起り、その講和会議で薩摩藩は賠償金を支払った。その後、敵視し合っていた薩摩藩とイギリスが、一転して親密な友好関係を保つようになったことを彦蔵も耳にしていた。

薩摩藩がイギリス人のグラバーとかたくむすびついているのもそのあらわれにちがいなく、グラバーを介して艦船、銃砲を積極的に輸入していることに、薩摩藩が測り知れないほどの力をたくわえているのを感じ、空恐しくも思えた。

江戸に近い横浜には幕府の眼が光っているが、長崎は幕府の力が及ばぬ自由貿易港の性格を持っているらしい。彦蔵は、今後の日本を動かすのは長崎という地かも知れない、と思った。

フレイザーは、経営する商社の内情についてこまかい数字を口にしながら説明した。時折り肩をすくめるように話すかれの表情に、業績が決して芳《かんば》しくないのを感じた。かれが商社を彦蔵に託して帰国するのは、仕事の成果が思わしくないからにちがいなかった。

商社を押しつけられる形になるが、彦蔵はことさら不快な感じはしなかった。かれには、どのような地に行きどのような仕事についても、なんとかなるという気持がある。それは、十三歳の折に漂流の憂目《うきめ》にあって以来、苦難を乗り越えて生きつづけてきた自負によるものであった。

アメリカ船に救出されてサンフランシスコに上陸し、清国に送られた後、仲間と別れて治作、亀蔵とともにアメリカにもどり、幸運にも日本に帰ることができたが、再びアメリカに行き、横浜に引返してきた。その間、帆柱のない坊主《ぼうず》船であてもなく大海を漂い流れているような生活であったが、その折り折りに幸運にめぐまれて、餓《う》えることもなく生きてきた。そうした経験を積み重ねてきたかれは、フレイザーに経営内容の悪い商社を押しつけられてもなんとかなる、という思いがあったのだ。

かれは、フレイザーの申出を承諾し、かれの家の一室に住むようになった。

二日後、かれはフレイザーに連れられて大浦三番地に住むアメリカ名誉領事のウォルシュを訪れた。アメリカ国籍の者はその地の領事に届け出る定めになっていて、アメリカに帰化している彦蔵は、ジョセフ・ヒコとして登録され、居留地に居住することを正式に許された。

彦蔵は、フレイザーの貿易の仕事に手をつけ、外国の商人たちを多く知るようになった。かれらは、フレイザーが彦蔵を紹介すると、一様に好意的な眼をむけてきてかたく手をにぎった。彦蔵が漂流してアメリカに行き、アメリカに帰化して神奈川の領事館の通訳官の職にあったことも知っていた。かれらは、彦蔵を食事に招いて漂流時の話やリンカーンをはじめ三人の大統領に会った折の話をきき、感嘆の声をあげていた。

彦蔵の存在は、長崎に藩命で武器等の購入のため出張していた藩士たちの間にも知れわたったらしく、十二月十七日に佐賀藩の本野周蔵という藩士が従者をともなって訪れてきた。本野の用件は、前藩主鍋島直正《なべしまなおまさ》の命を受けたもので、直正が外国事情をききたいので彦蔵を佐賀に連れてくるよう命じたという。

直正は外国の知識を導入することにきわめて熱心で、兵器廠《へいきしよう》とでもいうべき兵器工場を創設して大砲その他の兵器の製造につとめさせている。そのような直正に会ってアメリカ事情を話すのも意義があると考え、彦蔵は快諾した。

しかし、直正は急に京へおもむくことになり、それは実現しなかった。これがきっかけで、佐賀藩士との交流が密になった。

慶応三年（一八六七）の正月を迎え、町々にチャルメラや銅鑼《どら》、太鼓の音がにぎやかに聞こえていた。

フレイザーは帰国の準備を進め、かれは彦蔵が商社を順調に運営できるよう外国の親しい商人たちに引合わせることにつとめていた。長崎にはイギリス人六十六名、アメリカ人三十六名、オランダ人三十八名をはじめ二百二十四名の外国人が居留していて、その大半は商人であった。

紹介された外国人商人の中で特に際立《きわだ》っていたのは、イギリス人のトーマス・グラバーであった。かれの経営する商社の貿易取扱い量は長崎一で、主として艦船と銃砲の輸入を手がけていた。

グラバーは、最も緊密な関係にある薩摩藩の武器輸入を一手に引受けていたが、長州藩へもひそかにそれらを斡旋《あっせん》しているという声がしきりであった。二度にわたる長州征討で、幕府は長州藩を激しく敵視し、長崎の運上所に長州藩だけには一切の武器の輸入を認めてはならぬ、と通達していた。しかし、薩摩藩は、あたかも自藩で購入するようによそおって、グラバーに長州藩へ武器の斡旋をするよう指示し、グラバーも積極的に応じていた。この武器の輸入で、薩摩、長州両藩はかたくむすびつき、薩長同盟の密約もできて反幕の姿勢を一層強めていた。

南北戦争が終結してアメリカから不要になった大量の銃砲が輸出され、グラバーは上海経由でこれらを入手し、薩長両藩に売って多額の利潤をあげているようだった。

グラバーは、英語に通じている上に商業知識もある彦蔵に注目し、諸藩との武器の商取引に彦蔵の立ち会いを請《こ》うことが多くなった。

三月八日、フレイザーは商社をすべて彦蔵に託して、「フィーロング号」に乗って長崎をはなれていった。

彦蔵は、フレイザーの商館に番頭の庄次郎とそのまま住みついていた。

フレイザーが帰国して間もなく、グラバー商会の大坂支店長であるマッケンジーが訪れてきて、思いがけぬ申出をした。長崎の港外にある高島炭坑は、佐賀藩の家老の知行所で、その炭坑で産出される石炭はきわめて良質で、しかも価格は世界相場よりかなり安い。上海方面では蒸気艦船の出入りがひんぱんになっていて石炭の需要が急増し、グラバー商会は、佐賀藩からそれを買い入れて上海方面に輸出していた。

「ヨーロッパ最新ノ動力トポンプヲ六千ドルカケテ導入スレバ、高島炭坑の採炭量ハ三倍ニナル」

マッケンジーは、グラバーが高島炭坑を佐賀藩と共同経営をしたいと望んでいるので、仲介に立って欲しい、と言った。

「ドナタカ佐賀藩ニ友人ハイマセンカ」

マッケンジーは、彦蔵の顔を見つめた。

彦蔵は、本野周蔵の顔をすぐ思い浮べた。その後、本野の紹介で佐賀藩士たちと親しくなり、その中には藩の輸出入のことで長崎に常駐している松林源蔵もいた。

「友人ハ何人カオリマス。松林トイウ産物支配人トモ親シクシテイマス」

彦蔵の言葉に、マッケンジーは、

「ソレハ好都合ダ」

と言って、鞄から書類を出し、彦蔵にしめした。

彦蔵は、英文でつづられたその書面に眼を通した。
一、高島炭坑ノ経営ニツイテ佐賀藩トグラバー商会ハ、ソレゾレ二分ノ一ズツ出資シ、従ッテ利潤ハ折半スル。但《タダ》シ、佐賀藩ノ出資金ハグラバー商会ガスベテ負担シ、石炭ノ利益ガアガッタ時ニグラバー商会ニ返金スレバヨイ。
二、グラバー商会ハ、採炭一トンニツキ炭坑使用料トシテ一ドルヲ佐賀藩ニ支払ウ。
三、採掘シタ石炭ノ輸出ハグラバー商会ガ一手ニ引受ケ、ソノ手数料ヲ五パーセントトスル。
四、契約期間ハ、七年半トスル。
彦蔵は、この契約案がきわめて穏当であるのを感じた。イギリスの商人はあくどい商取引をすると言われているが、この契約案は佐賀藩側の立場も十分に考慮に入れていて、佐賀藩もグラバー商会との共同経営で多くの利潤を得ることは確実だった。

「佐賀藩ノ友人ニ、コノ契約案ヲ見セマショウ。私モ契約ガ成立スルヨウ努力シマス」

彦蔵は、マッケンジーの背後にひかえるグラバーの顔を思い浮べながら言った。

「アリガトウ。ヨロシクオ願イシマス」

マッケンジーは、彦蔵に握手をするとドアの外に出ていった。

彦蔵は、番頭の庄次郎に長崎の佐賀藩屋敷にいる松林源蔵を呼んでくるよう命じた。庄次郎は着替えをすると、すぐに家を出ていった。

松林が姿を現わしたのは、その日の夕刻であった。

彦蔵はマッケンジーが、グラバーが佐賀藩と高島炭坑の共同経営を切望していると伝えに来たことを口にした。グラバー商会は最新式の採炭法を導入し、それによって出炭量も三倍にふえる。

「これが契約案です。私のみるところ、佐賀藩に不利にならぬよう十分に配慮した案で、お引受けなさるべきと存じます。和訳して日本文にすればよいのですが、まことに恥しながら私は漢字を十分に書くことができず、音読いたしますから、お書きとめ下さい」

彦蔵は、顔を少し赤らめた。

彦蔵は、契約案の書類を手にゆっくりとした口調で和訳した。松林は、庄次郎が用意した硯《すずり》と紙を前に筆を動かした。達筆であった。

彦蔵は和訳を終え、松林に書きとめた文章を読んで欲しいと頼み、耳を傾けた。

「その通りで、少しもまちがいはありません」

彦蔵は、言った。

松林は、あらためて契約案の文字を眼で追い、顔をあげると、

「突然のことでお答えのしようがありません。しかし、とりあえず佐賀にもどり、御老公（前藩主直正）にこの案をお眼通し願いましょう。御老公はこのようなことには御理解のあるお方ですから……」

と、言った。

「なにとぞよろしくお願いいたします」

彦蔵は、英文の契約案を松林に渡した。

「明日にでも佐賀にもどります」

松林は頭をさげ、部屋を出ていった。

彦蔵は、その夜、マッケンジーのもとに行き、松林と会って依頼したことを報告した。

この件について佐賀藩では慎重に検討した末、彦蔵立会いのもとに調印に漕《こ》ぎつけた。共同経営をするにあたって佐賀藩から松林ら数名の者が役員となり、実質上の経営はグラバー商会があたることに決定した。

その後、イギリスから炭鉱技師を招いて雇い入れ、蒸気機関を動力とする新式の運搬機械も据えつけ、排水、換気設備をととのえて採炭をはじめた。彦蔵は、その経営に関与し、給与を受ける身になった。

高島炭坑共同経営のきっかけをつくったことから、かれはグラバー商会と緊密な関係になった。

フレイザーから商社を託されはしたが、彦蔵は、長崎での貿易がグラバー商会を中心に動いていて、自分単独で貿易業を営んでもほとんど成果があげられないことに気づいていた。長崎の外国商社の中にはグラバー商会の傘下《さんか》に入っているものもあって、彦蔵は自分の商社もグラバー商会に吸収される形になった方が望ましい、と考えた。

彦蔵は、グラバーのもとに行ってその旨《むね》を申し入れた。グラバーは、快諾した。かれが最も必要としていたのは日本語と英語に精通した通訳で、それによって商談も成立する。商業知識もある彦蔵は願ってもない存在で、彦蔵は、一応自分の商社をもちながらもグラバー商会に所属する身になった。

グラバー商会に属した彦蔵は、七月にグラバーが奉行所から借りている居留地東山手十六番の洋館に移り住んだ。

その月の下旬、木戸準一郎、伊藤俊輔（博文）と名乗る薩摩藩士が訪れてきて、外国新聞を読んでいる彦蔵に世界情勢についてあれこれ質問した。

彦蔵は丁寧に答えたが、二人が去ってから番頭の庄次郎が、かれらの言葉には薩摩訛《なま》りがなく、年長の木戸準一郎と名乗った武士は長州藩士の桂小五郎のようだ、と言った。顔を見たことがあるという。

数日後、再びやってきたかれらにそれをただすと、二人は驚いたように彦蔵の顔を見つめ、

「たしかに長州藩の者です」

と、答えた。

幕府から敵視されている長州藩は、艦船、銃砲をグラバー商会その他の外国の貿易商から購入しようとしたが、運上所では許可してくれず、そのため薩摩藩に頼み込んでその名義を借りて、ひそかに入手するようになった。あきらかに違法行為で、それを幕府側に察知されないよう薩摩藩士をよそおっているのだという。そのような秘密を口にしたのは、彦蔵がグラバー商会に所属していて信頼できると思ったからにちがいなかった。

さらにかれらは、幕府が政権をにぎっているのは不当で、長州藩は朝廷に政権が復するよう力をつくしている、と力説し、その立場を外国人の間にも広く理解してもらえるよう周知して欲しい、と言った。

その後、かれらは、彦蔵のもとに気軽に訪れてくるようになり、長州藩の貿易についての特別代理人に就任して欲しいと懇請した。

彦蔵が承諾すると、

「本日、アメリカ市民J・ヒコ氏を任用し、長崎港における藩公の特別代理人として勤務させることを約するものである」

という趣旨の書面を書いて渡し、そこには木戸準一郎、林宇一（伊藤の変名）と署名されていた。

かれらと親交をむすんだことから長州藩士井上聞多《もんた》（馨《かおる》）、薩摩藩士五代才助（後の友厚）らを識《し》り、またイギリス公使館の通訳アーネスト・サトウの来訪も受けた。

佐賀藩の本野周蔵の話によると、薩摩、長州両藩はなにか秘密の盟約をむすんでいるようだが、それは幕府を倒すのを目的としていることは確実だという。それを裏づけるように薩、長両藩の藩士たちは、しきりに長崎に来て主として小銃の買いつけに走り廻っていた。

長崎の町には、あわただしい空気がひろがり、彦蔵も落着きなく日をすごしていた。

十一月六日、長崎奉行のもとに京よりの使者が到来し、去る十月十四日、将軍徳川慶喜が大政奉還を朝廷に願い出て容認されたことを伝えた。ついで、翌月下旬には朝廷が王政復古を内外に宣言、彦蔵は、中央で大規模な政変が起っているのを知った。

あわただしくその年は暮れ、慶応四年の正月を迎えた。

七日に町の者たちは七草粥《ななくさがゆ》を例年のように口にしたが、その頃、徳川慶喜が将軍職を辞して大坂に引き揚げたという話がつたわった。さらに伏見で薩長両藩の軍勢と幕府軍との間で戦争が起り、幕府軍は敗走したという説が流れ、それを追うように入港してきた外国船が、幕府軍が敗北を喫したことを伝えた。

一月九日夜、古川町から出火、折からの強風で榎津、萬屋、東浜の各町々が延焼し、この火災は幕府側の密偵の放火によるものという噂《うわさ》が流れ、人心が激しく揺れ動いた。

幕府軍の敗報がつづき、慶喜は大坂から軍艦で江戸にのがれ、朝廷軍が慶喜追討の軍を起したともいう。長崎では倒幕側の者と幕府側の奉行所直属の兵が対立し、戦闘が起ることが危惧《きぐ》された。が、奉行河津伊豆守祐邦は、それを回避するため十四日夜四ツ半(十一時)、従者一人をともなってイギリス船でひそかに長崎を脱出した。

河津は、後事を福岡藩主と島原藩主に託し、長崎奉行所は廃されて長崎会議所と改められた。また、長崎裁判所も設置され、ようやく世情は鎮静化した。

イギリスに一時帰国後長崎にもどってきていたグラバーは、幕府が倒壊したことに、

「日本人ハ革命ニ成功シタ。新ラシイ道ヲ進ミハジメタ」

と、興奮した声で言った。

入港してくる外国船から情報がつぎつぎに伝えられ、江戸にむかった朝廷軍の大軍が江戸を無血占領し、さらに東北諸藩の鎮圧に兵を進める態勢をかためているという。

グラバーは、それらの情報を耳にする度に、商人として激変する情勢にどのように対

処すべきか苛立《いらだ》っていた。中央から遠くはなれた長崎にいては十分な動きができない、とかれは言い、あわただしく支店のある大坂に出向いていった。戦争はつづいていて、かれは朝廷軍の求めに応じ武器の供給を企てていたのだ。

閏《うるう》四月に入って間もなく、入港してきた郵便船に、グラバーから彦蔵あての手紙が託されていた。すぐに大坂にくるように、という。

その要請にもとづいて、閏四月八日、彦蔵は蒸気船「コスタリカ号」に乗って長崎をはなれた。

遠ざかる長崎の町並をながめながら、不意に十六年前に香港《ホンコン》で会った漂流民力松の顔を思い浮べた。

力松は彦蔵に、回船で難破漂流し辛うじて死をまぬがれた二組の漂流民七名が、清国に身を寄せ合うように生きている、と言った。かれらは日本へ帰りたい一心でアメリカ帆船「モリソン号」で日本へむかったが、幕府の異国船打払い令によって砲撃され、清国へ舞いもどった。その後、一人が病死、一人が阿片《あへん》に溺《おぼ》れて衰弱死し、他の一人は不倫を働いた清国人の妻の密通相手に殺害されたという。

生き残った力松をふくむ四人は、鎖国政策をとる幕府から重罪人とみなされているのを知り、帰国を断念して清国で妻をめとり生活している。その話をきいた彦蔵は、かれらを哀れに思うと同時に自分の行末をみる思いで肌の粟立《あわだ》つのを感じた。

その後、時勢は大きく変化し、幕府は鎖国政策を廃して開国し、幕府も消滅している。漂流民は自由に帰国が許され、第一、自分はこのように汽船の甲板上に立っている。力松たちは、むろん日本の国情の変化を耳にしているのだろうが、砲撃されて追い払われた折りの恐怖と悲嘆が胸に焼きつき、帰国する気になれぬのかも知れない。

力松と別れてからすでに十六年。彦蔵は、恐らくかれらは一人も生きてはいないのだろう、と思った。清国の地に腰を据えて生きているようにみえたが、異国の風土と食物になじまず、死を迎えているのではないだろうか。

かれは、湾口からひろがる外洋に眼をむけた。その彼方《かなた》にある清国に、かれらの小さな墓標を見るような思いであった。

汽船は、赤間関をぬけて瀬戸内海を進み、二日後に兵庫の神戸港に入った。

兵庫は、彦蔵が十三歳で初めて「住吉丸」に乗り、出帆した地であったが、前年に開港場となった兵庫は、全く別の地のように変貌《へんぼう》していた。港には大小さまざまな汽船や帆船が碇泊《ていはく》し、外国人居留地には多くの洋館が建ち並び、外国の男女が道を行き交っている。長崎よりも活気にみちていた。

日本人商人の動きもあわただしく、船積みされる荷が大八車でさかんに波止場に運ばれている。それらを満載した艀《はしけ》が、碇泊している船に接舷《せつげん》し、波止場に引返すことをつづけていた。それらは軍需物資にちがいなく、彦蔵は、戦争が大量の物資をのみ込んでいるのを感じた。

かれはホテルで一泊後、大坂へおもむいた。

グラバー商会の大坂支店は、繁忙をきわめていた。グラバーは、江戸に出張していた。新政府との間で武器に関する折衝が多く、彦蔵はそれに立会い、休むひまもなかった。

大坂に来て数日後、大坂在勤の薩摩藩士五代才助が支店にやってきた。五代は薩摩藩の船舶、武器の購入でグラバーときわめて親密な間柄にあった。

五代は、彦蔵に大坂に来ていた上海支店長フランシス・グルームとともにすぐに横浜に行ってくれ、と言った。

幕府は、アメリカとの間に甲鉄艦「ストン・ウォール号」(一、三五八トン、後の「甲鉄」)の輸入契約をむすび、すでに艦は品川沖に到着している。新政府軍の海軍力は幕府軍のそれよりはるかに劣っていて、「ストン・ウォール号」のような強力艦が幕府軍に渡れば、海軍力の差はさらに大きく開き、陸戦では新政府軍が優勢だが制海権は幕府軍に占められる。新政府軍としては「ストン・ウォール号」が幕府側に渡ることをあくまで阻止し、新政府軍が入手する必要がある。その交渉のため、すぐに横浜へ行って欲しい、というのだ。

上海で艦船輸入のことになれていたグルームは承諾し、彦蔵はかれとともにグラバー商会の持船「キューシュウ号」に乗って横浜にむかった。

六月八日に横浜についた彦蔵は、グルームと手わけして「ストン・ウォール号」がどのような状況下におかれているかを探ることから手をつけた。グルームはイギリス公使に会いに行き、彦蔵は、アメリカ側と接触している外国事務局判事の寺島宗則のもとにおもむいた。

彦蔵は寺島に、「ストン・ウォール号」を新政府軍が入手できるようアメリカ公使ファン・ファルケンブルッフに交渉したい、と言った。

「それは不可能だ」

寺島は、即座に答えた。

アメリカ公使は、幕府軍にも新政府軍にも「ストン・ウォール号」は断じて渡さない、と公言している。もしもその甲鉄艦を、一方に渡せば、局外中立を守るアメリカの姿勢が問われることになり、そのため艦は公使館保有のものとしているという。

「公使に会っても、なんの意味もない」

寺島は、断言した。

その強い口調の言葉に、彦蔵は、それ以上要請することができず寺島のもとを辞した。

やがてイギリス公使館からグルームがもどり、公使からも同じことを告げられた、と言った。五代からの依頼は不成功に終り、彦蔵はグルームと大坂にもどり、五代に報告した。

二十五

戦場は奥羽地方に移り、新政府軍と幕府側の戦闘は至る所で繰りひろげられていた。それにともなって武器の商取引がさかんになり、彦蔵はグラバー商会大坂支店で通訳の役目を一手に引受けていた。その間、佐賀藩士本野周蔵の依頼で、リュウマチで病臥《びょうが》していた前藩主直正の治療のためアメリカ軍艦の軍医ボイアーを京に連れていったりした。幸いにも治療は効果があって直正は佐賀へ帰れるまでに恢復《かいふく》し、謝礼としてボイアーは絹の帯地三点と銀五十両、彦蔵は七十両をそれぞれ贈られた。

支店には、役人、商人がひんぱんに出入りしていたが、六月十六日の夕方、前月の二十三日に兵庫県知事に就任した伊藤博文が姿を見せた。

彦蔵は、伊藤がすっかり変貌していることに思わずその顔を見つめた。長崎では、伊藤は林宇一という変名でしばしばグラバー商会に姿を見せ、主として銃砲の買付けに走りまわっていた。文久二年（一八六二）十二月には高杉晋作らと品川御殿山に建設中のイギリス公使館焼打ちに加わったとも言われ、伊藤の顔には殺気に似た表情がうかび、鋭い眼をしていた。

伊藤は、焼打ち事件の翌年、イギリスに密航して四カ月ほどロンドンに滞在し、初歩的な英語の知識を修め、長崎では彦蔵にすすんで接触してきた。英語で話しかけてきたり、時には簡単な英文の手紙を寄越したりした。伊藤は常に命をねらわれているという強い警戒心をいだき、絶えず身辺に鋭い視線を走らせていた。

しかし、彦蔵の前に立つ伊藤の表情は別人のようにおだやかで、眼にはやわらいだ光がうかんでいた。倒幕に奔走し、望み通りにそれが成就《じょうじゅ》して樹立された新政権の要職についていることに、くつろぎを感じているにちがいなかった。

「川遊びをしませんか。舟を用意してあります」

用件があって訪れてきたと思ったが、伊藤は、屋形船で淀川をのぼろうという。

彦蔵は、思わず頬をゆるめ、承諾した。従者一人を連れてはいるが、川遊びをするというのは伊藤が身の危険を感じることはなく、気分の上でゆとりを得ている証拠であった。

彦蔵は、伊藤と従者とともに支店を出ると、夕闇《ゆうやみ》のひろがりはじめた家並の間をぬけ、淀川べりに行った。岸に屋形船がもやっていて、彦蔵は伊藤の後から石段をおり、船の中に身を入れた。

行燈《あんどん》の灯に、若い芸妓《げいぎ》が二人いるのが見え、彼女たちは手をつき、頭をさげた。

舳先《へさき》に立つ男が竿《さお》をつくと、船が岸をはなれ、船尾にいる男が櫓《ろ》をこぎはじめた。

彦蔵は伊藤と杯を手にし、芸妓が酒をついだ。屋形船は、岸ぞいにゆっくりと淀川をのぼってゆく。空には星が光りはじめていた。

伊藤は、鳥羽、伏見の戦いで薩摩、長州藩軍が十倍近い大兵力の幕府側の軍勢に圧勝したのは、ひとえに輸入した新式銃砲を保有していたことにつきる、と言った。

「積極的に輸入を斡旋《あっせん》してくれたグラバー商会のおかげだ」

伊藤は、幕府側の軍勢の武器が旧態依然とした刀、槍《やり》と火縄銃で、

「奥州での戦いも、近い将来に必ず終る」

と、おだやかな口調で言った。

かれは、手枕《てまくら》をして横になり、煙管《きせる》をくわえた。

彦蔵も、久しぶりにくつろいだ気分になって杯を口にはこび、伊藤とのんびりした口調で雑談を交した。川面《かわも》を渡ってくる風が涼しい。

彦蔵は、ふと故郷の本庄村浜田のことを思った。漂流中にしばしば村の前面にひろがる播磨灘の海を眼にしたいと切望し、帰国してからも村のたたずまいを思い浮べていた。

しかし、アメリカに帰化した彦蔵は、故郷におもむくことが不可能であるのを知っていた。日本と諸外国との間で結ばれた条約には、外国人の歩行範囲は開港場の役所から七里四方と規定されている。開港場の兵庫から本庄村までの距離は許容範囲をはるかに越えていて、村に行くことはできない。それに、相変らず外国人を敵視する攘夷《じょうい》論者が

多く、居留地外に出ることは危険であった。

兵庫県知事の伊藤は大きな権限をもっていて、自分が故郷へ行くことに力を貸してくれるかも知れぬ、と思った。

「お願いしたいことがあるのですが……」

彦蔵は、杯を食台の上に置いた。

伊藤が体を起し、

「なにかね」

と、彦蔵の顔に眼をむけた。

「私は、一八五〇年（嘉永三年）、十三歳の折に故郷の本庄村をはなれて初めて船に乗り、それが破船漂流して救出され、それから十八年、故郷を見たことはないのです」

彦蔵の言葉に、伊藤は、神妙な表情をしてうなずいた。

「アメリカに帰化した私は、歩行区域外の故郷へ行くことは禁じられていますが、なんとか安全に行ける方法はないものでしょうか」

彦蔵は、伊藤の顔を見つめた。

「それはたやすいことだ。政府用に『オーファン号』という小型の蒸気船を購入したが、それに乗って故郷の村へ行けばいい。外国人が陸路を行くのには制限があるが、海上を移動するのは自由だ。明日、私は、『オーファン号』で兵庫へもどる予定なので、兵庫まで同行し、それからその船で故郷へ行けばよい。そのくらいの便宜ははかる」

伊藤の手にした杯に、芸妓が酒をついだ。

彦蔵は、不意に胸に熱いものが突き上げるのを感じた。異国の地にあって絶えず帰国を夢みていたが、それは故郷にもどりたい願望でもあった。が、アメリカに帰化した自分は、外国人としての拘束を受け、帰郷もままならぬ身であった。しかし、船で行けば、たしかに伊藤の言う通り故郷の土をふむことができる。蒸気船からボートをおろしてもらい、村の浜に上陸すればよいのだ。

帰国して間もなく、偶然、義兄の宇之松に会い、義父の吉左衛門の死をしらされた。実の母はすでに亡《な》いが、村人たちは生きて帰ってきた自分を喜んで迎え入れてくれるだろう。美しい播磨灘の海も見たかった。

「さあ、そろそろ戻ろうか」

伊藤が、従者に声をかけた。

それを耳にした船頭が、ゆっくりと舳先をめぐらした。船は流れに乗ってくだってゆく。

彦蔵は、酔いが体に快くまわるのを感じた。伊藤に会い川遊びをしたことが幸運に思えた。村の家並、棉畠《わたばたけ》、海がなつかしく思い起され、母と義父の墓を詣《もう》でたかった。かれの眼には、涙がにじみ出ていた。

翌朝、支店に行った彦蔵は、支店長のマッケンジーに故郷行きを伊藤に頼み、快諾されたことを口にし、休暇をとらせて欲しい、と言った。

「イイトモ。故郷ノ村ハ美シイノカネ」

マッケンジーは、おだやかな口調でたずねた。

「モチロン。素晴シイ村デス」

彦蔵は、強い口調で答えた。

伊藤から使いの者が来て、午後三時に淀川の船着場に来て欲しい、と告げた。大坂府権判事に任命されている五代才助が夫人とともに神戸に行くので、同行するという。

彦蔵は諒承《りようしよう》し、外出用の服に着替え、定刻に船着場に行った。屋形船がもやっていて、中にはすでに五代夫妻が乗っていた。彦蔵は船に身を入れて挨拶《あいさつ》すると、まもなく伊藤が従者とともにやってきて乗った。

船が、下流にむかって動いてゆく。

淀川の河口を出た屋形船の前方に、小型の蒸気船が浮んでいるのが見えた。「オーファン号」で、船尾に日の丸の旗がかかげられ、煙突から黒煙がかすかに立ち昇っていた。

屋形船が接舷し、彦蔵は、伊藤、五代夫妻につづいて「オーファン号」に乗り移った。

船はすぐに錨《いかり》をあげ、煙突から黒煙をなびかせて進みはじめた。前方から帆に風を受けた回船が何艘《そう》も姿を見せ、かたわらを過ぎてゆく。大坂の安治川に入るのか、それとも紀淡海峡をへて江戸へむかうのか。十八年前に「永力丸」に乗ってその航路を進んだことが、なつかしくよみがえった。

伊藤と五代は、艦船と銃砲の輸入について熱っぽい口調で言葉を交している。五代は、薩摩藩の武器輸入に尽力した代表的な藩士であった。

神戸が近くなった時、不意に機関の音がやみ、船が停止した。不審に思っていると、船長がやってきて機関が故障したという。すでに夕闇は濃く、やむなく船中で夜を過すことになった。

夜がふけると、満ちた月が昇った。彦蔵は、甲板に出て月を見上げた。夢にえがいていた故郷にむかっていることを思うと、胸に喜びがみちた。

かれは興奮して、なかなか寝つかれなかった。

翌朝、迎えに来た小艇に乗りかえ、神戸の波止場に上陸した。五代夫妻と別れ、彦蔵は、伊藤について兵庫県庁に行った。「オーファン号」の機関が故障したので、本庄村には陸路をたどらねばならなくなった。

伊藤は苦笑しながらも、吏員に指示して手続きを進めてくれた。まず、外国人である彦蔵が許された地域外を旅するには通行免状が必要で、伊藤はその作成を指示した。また、外国人の命をつけねらう者がいることも十分に予想されるので、武装した役人を警備のため同行させるよう命じた。

「明日出立《しゅったつ》することにし、それまでに県庁ではすべての手続きをととのえておく」

と、伊藤が言った。

彦蔵は、伊藤の好意に感謝し、居留地にあるホテルに部屋をとった。

その日、彦蔵が故郷の本庄村に行くという話が伝わったらしく、外国商人たちの間に思いがけぬ動きがあった。原則として居留地外に出るのを禁じられている外国商人たちは、彦蔵が旅行を許可されたのを耳にして同行を望み、伊藤のもとに行って通行免状の交付を強く嘆願した。伊藤は、日頃から武器輸入等で親しく接しているかれらの願いを拒むことができず、四人の商人に通行免状を交付することを約束したという。

外国商人が同行するのを知った彦蔵は、むしろ好ましいことだと思った。自分一人警護の役人たちにかこまれて故郷へむかうのは、なにか罪人が押送《おうそう》されていくようで息苦しいが、かれらとにぎやかに旅をするのは楽しい気がする。かれらに、海に面した美しい村も見せたかった。

翌日、朝食をとった彦蔵は、ホテルを出ると県庁に行った。

伊藤知事の部屋におもむくと、すでにそれぞれ旅行鞄《りょこうかばん》を手にした商人たちが集っていて、嬉《うれ》しそうに彦蔵と握手をした。いずれも顔見知りの者たちで、アメリカ商社の神戸支店長もまじっていた。

伊藤は、彦蔵をはじめかれらに通行免状を渡し、英語で、途中の宿場で彦蔵たち一行にあらゆる手配と優遇をすること、一行が必要とするものを購入する場合には適正な価格以上の金銭を要求してはならぬ、というお触れを出してある、と説明した。

また、彦蔵には、故郷の村役人に彦蔵の帰郷を伝え、歓迎するように指示してある、とも言った。

「ソレデハ快適ナ旅ヲ……」

伊藤は英語で言い、彦蔵たちの握手を受けた。

県庁の外に出ると、駕籠《かご》が並び、ライフル銃を手にした役人たちが待っていた。駕籠の中にひときわ大型のものがあったが、それは巨軀《きよく》であるアメリカ商社の支店長のために用意されたものであった。

一同、身を入れると駕籠がかつぎ上げられ、前後左右に役人がついて動きはじめた。

彦蔵は、面映《おもは》ゆい気持であった。警護の役人に守られ、外国商人たちと駕籠をつらねて故郷へむかう。故郷に錦《にしき》をかざるという言葉があるが、まさにその通りだ、と思った。

兵庫をはなれ、山陽道を西へ進んだ。左手に海の輝やきがみえる。沿道の住民たちが、駕籠の列に驚いたように視線をむけ、旅人も足をとめる。駕籠に外国人が乗っているのを眼にしたことのないかれらは、呆気《あつけ》にとられて駕籠の列を見つめていた。

空に雲はなく、熱い陽光が降りそそいでいる。額に汗が湧《わ》いていた。

塩谷村に入って休憩をとり、駕籠かきたちは腰をおろして手拭《てぬぐい》で汗をぬぐっていた。

再び駕籠がかつぎあげられ、乾いた道を進んだ。前方に、明石の家並がみえてきた。兵庫から六里（二四キロ）の地で、多くの家々が軒を並べている。

一行は旅籠《はたご》に入って昼食をとり、駕籠を乗りかえ、さらに西へ進んだ。

土山村に入り、そこで街道をはずれて左への道を進んだ。故郷の本庄村浜田に通じる道で、彦蔵は胸をときめかせた。両側には雑草におおわれた原がひろがっている。

浜田に近づくと、前方の道の片側に多くの人が立っているのが見えた。迎えに出ている村人たちにちがいなく、駕籠の列はその前でとまった。

警護の役人が、村役人らしい羽織を身につけた初老の男に近寄り、なにか言葉を交し、もどってくると彦蔵に、

「出迎えの村の者です」

と、言った。

彦蔵は、かれらに視線をむけた。

かれらの表情はいずれもかたく、身を寄せ合っておびえたような眼を向け、ひそかに言葉を交している者もいる。外国人を眼にしたことのないかれらが、恐れを感じているのも無理はなく、駕籠に乗っている洋服を着た五人のうち、彦蔵がどれであるのかわからぬらしく戸惑いの色も眼にうかんでいた。

駕籠の列が動き出すと、村人たちはあわてたように一人残らず頭をさげた。

駕籠が村の入口に近づくと、正装した数人の男が立っているのが見えた。役人が近づき、すぐにもどってくると、出迎えの庄屋たちだ、と言った。駕籠の列は、かれらの案内で村の中に入り、門がまえの庄屋の家の前でとまった。彦蔵たちは、駕籠の外に出た。小太りの庄屋が、警護の役人に連れられて彦蔵の前に立った。

彦蔵は、

「沖船頭をしていた吉左衛門の養子で、幼名彦太郎。今では彦蔵と名を改めています」

と、言った。

庄屋は無言で頭をさげ、ぎこちない足取りで後ろへさがった。

彦蔵は、周囲を見廻した。駕籠が村に入ってから、かれの胸に驚きの感情が湧いていた。十三歳の折りまで眼にした村とは異なって、大きく立派に見えた家々がいずれも低くみすぼらしい。広いと思っていた道もひどくせまく、それは体の小さい少年の眼に映じていた村の姿が胸に焼きついていたからなのだろう。

かれはあたりを見廻した。村のたたずまいは侘《わび》しく、家がかたむき、あきらかに廃屋になっている家もある。物かげから男や女が彦蔵の姿をうかがい、路上に姿を見せているのは幼い子供たちだけで、それらの子供たちの衣類はいずれも粗末で手足が細く薄ぎたない。

夢に描いていた故郷とは大きなへだたりがあり、かれは肌寒さを感じた。

彦蔵は、庄屋の家に入った。座敷に通された四人の外国商人たちは、落着かない眼をして膝《ひざ》をかかえたり足を投げ出したりして坐《すわ》っていた。

彦蔵は、警護のため同行してきた県庁の役人たちが、庄屋や村の重だった者たちから村の現情についてたずねているのをきいていた。村では棉花畠《めんか》が多く、姫路藩の木綿専売制のもとに棉花が農家の主要な収入源になっていたが、棉花の価格暴落で農家の収入は激減した。さらに終始幕府に忠誠の姿勢をとっていた姫路藩は、幕府による長州征討、鳥羽、伏見の戦費を村人に課し、その上、連続する不作で村は貧困の極に達した。そのため田畠《でんぱた》を捨てて流亡する者が後を絶たず、六十二戸あった人家が三十戸にまで減っている。

その話を無言できいていた彦蔵は、村に廃屋が目立ち、人々も痩《や》せこけている理由を知った。

かれは、外国人商人たちに気恥しさを感じていた。道中、かれらは故郷がどのような村であるかを問い、その度に彦蔵は、眼を輝やかせていかに素晴しい村であるかを説明した。が、現実に眼にする村は荒廃していて、人々の眼にも生気が失われている。

商人たちは、一様に浮かぬ表情をして口をつぐんでいた。

彦蔵は、庄屋に声をかけた。日本にもどる途中、上海《シャンハイ》で漂流民の乙吉から「永力丸」の水主《かこ》たちが唐船で長崎に送還されたことをきいたが、かれらの中には、彦蔵と同郷の清太郎、浅右衛門、甚八、喜代蔵の四人の水主もいて、それぞれ故郷に帰っているはずであった。彦蔵はかれらがなつかしく、庄屋にかれらを呼んできてくれるように、と言った。

庄屋が、低い声で答えた。甚八は帰郷後病死し、他の三人は、西洋の船に乗っていた経験を買われて姫路藩に召抱えられ、姫路に住みついていて、村にはいないという。

彦蔵は、庄屋をはじめ村の重だった者たちの顔をあらためてながめた。子供の折りに眼にしたことはあるのだろうが、いずれも見知らぬ者ばかりであった。義兄の宇之松がいたら、駈《か》けつけてきただろうが、姿を見せないのは回船の船頭として海に出ているからにちがいない。義父の吉左衛門の縁者もいるはずだが、それらしき者が姿をみせないのは、自分に会いたい気持がないのか、それとも貧窮におちいって田畠をすてて流亡したのか。

吉左衛門は死んだ、と宇之松は言っていたが、いつ死んだのか。それは菩提寺《ぼだいじ》の蓮花寺に行けばわかる。

「蓮花寺に行きたい」

かれは、庄屋に声をかけた。

庄屋はうなずき、村の重だった者たちと低い声で言葉を交し、二人の男が腰をあげた。

彦蔵は立ち上り、男の後について家の外に出た。そこには多くの男女がむらがっていて、彦蔵の姿をみると散った。畠の中に走り込む者もいた。

彦蔵は、男たちと道を進んだ。後ろから人の群れが恐るおそるついてくる。村人だけではなく隣村の者たちもまじっているようだった。県知事の伊藤が彦蔵一行を丁重に扱うようにというお触れを出したので、彦蔵の帰郷はひろく近在の村々にも知れわたっているにちがいなかった。

せまい道をたどると、蓮花寺の山門が見えてきた。境内の樹木から蟬《せみ》の鳴きしきる声がきこえている。

門を入り、庫裡《くり》の前に立った。

案内してきた男が内部に入ると、やがて五十年輩の僧が姿を現わした。

彦蔵は頭をさげ、

「本庄村の吉左衛門の養子で彦蔵と申します。この度帰郷いたしましたが、義父の歿年《ぼつねん》を知りたく参りました」

と、言った。

僧はうなずくと、内部に入るよううながした。彦蔵は、土間に入ると靴を脱ぎ、板の間にあがった。

僧について本堂に行くと正坐《せいざ》し、仏像にむかって頭を下げた。

僧が過去帳を手にして近寄り、坐って紙を繰ると、

「これでございますな」

と言って、過去帳を彦蔵の前に置き、ある個所を指さした。

彦蔵は、視線を据えた。弘覚自性信士という戒名の下に義父の名が書かれ、安政三年という歿年が記されていた。安政三年というと十二年前で、自分が破船漂流してから六年後に死亡したことになる。体が逞《たくま》しく健康そうであったが、妻である彦蔵の母が死亡して、急に気力も体力も衰えたのだろうか。

彦蔵は、義父の戒名を見つめていた。

かれの視線が横に流れ、不意にその眼がとまった。かれは、その文字をあわただしく眼で追った。

「法幢浄辨信士　濱　吉左衛門　子　灘大石栄力丸流船中に而《て》死」

彦蔵が破船漂流した「永力丸」は、時として「栄力丸」と書かれることもある。その回船は、灘の大石村松屋八三郎の持船で、「灘大石栄力丸」とは「永力丸」であることはあきらかだった。

「流船中に而死」と書かれた死という文字が、眼の中に食い込んできた。

「いかがなされました」

彦蔵の異様な様子に気がついたらしく、僧がいぶかしそうにたずねた。

彦蔵は顔をあげ、

「これは……」

と、過去帳の、流船中に而死という部分に指先をあてた。

「ああ、それは吉左衛門さんの養子の……」

そこまで言うと、僧は不意に口をつぐんで彦蔵を見つめ、そのまま動かなくなった。

「私のようです。いえ、ようではなく吉左衛門　子とあるのは私です。戒名までついている」

彦蔵は、低い声で言った。

僧の顔がかすかに青ざめ、無言で戒名を見つめている。

長い沈黙が流れ、しばらくすると僧は立って仏前に行って坐り、手を合わせてしきりになにかを祈っていたが、彦蔵の前にもどって坐ると合掌し、

「生きておられたのですか。み仏の御慈悲によるものです」

と言い、頭を深くさげた。

彦蔵は、あらためて過去帳に視線を据えた。

「御戒名は、たしかに私がおつけしました」

僧が、静かに語りはじめた。

嘉永七年（一八五四）夏、姫路藩から役人が村に来て、航海中消息を絶った「永力丸」水主清太郎、浅右衛門、甚八、喜代蔵の四人が唐船で無事長崎についたという報《しら》せが長

崎奉行所からもたらされたことを伝えた。死んだと諦《あきら》めていた清太郎たちの家族は狂喜し、祝宴も用意したが、同じ船に乗っていた彦蔵、治作、亀蔵の家族のことを思い、中止した。役人の持ってきた長崎奉行所からの書面の写しには、彦蔵たち三人が商船でアメリカに引返し「行衛《ユクエ》不《シレ》知《ズ》」と記され、さらに死亡をほのめかすことが書き添えられていたという。

吉左衛門の嘆きは甚しく、寺に何度も来て仏像に手を合わせていた。そのうちに僧に彦蔵の戒名をつけて回《え》向《こう》して欲しい、と頼んだ。吉左衛門は、彦蔵がいずれかの地で生きているのではないか、とかすかな望みをいだいていたが、すでに四年がたち、行方知れずとあるからには、死亡したことはまちがいない。

「死んだ霊がさ迷っているのは哀れなので回向して欲しい、と言われました。子の親として当然のことで、御戒名をつけ御回向いたしました。吉左衛門さんは激しく泣いておられました」

僧は、沈んだ声で言った。

自分の戒名がつけられている理由を知り、彦蔵は義父吉左衛門の慈愛の深さに眼頭が熱くなるのをおぼえた。

かれは、僧に礼を述べ、義父への回向料を渡して腰をあげた。

庫裡を出ると、多くの人々の好奇の眼が自分にそそがれているのを感じた。かれは、待っていた村の男二人と道をたどり、庄屋の家にもどった。

夕闇《ゆうやみ》がひろがり、座敷に行燈《あんどん》がともされた。蚊音がしきりで、蚊遣《かや》りがたかれた。

夕食の膳《ぜん》がはこばれ、彦蔵と四人の外国商人の前に置かれた。県庁の役人の指示らしく、椀《わん》に米飯が盛られていて、商人たちはぎこちなく箸《はし》を手にしたが、すぐに置いた。洋食を食べなれている彦蔵も、郷里の食事がこのように粗末なものであったか、と肌寒い思いであった。

商人の一人が、外人特有の訛《なま》りの日本語で言った。

「厠《かわや》は、どこですか」

村人が、こちらですと言って商人をうながし、家の裏口の方に案内してゆく。

彦蔵は、顔をしかめた。厠は、家の裏手にあって、夜は手さぐりで内部に入り用を足さなければならない。外国の便器は腰掛け式になっているが、日本の厠はしゃがんでする。商人の戸惑いが想像され、かれは恥しかった。

三つの部屋にふとんが敷かれ、蚊帳《かや》が吊《つ》られた。

洋服を脱ぎ、シャツ一枚になった彦蔵は、黴臭《かびくさ》いふとんに身を横たえた。

かれは、体が地中に深く沈んでゆくような失望感にとらわれていた。現実の故郷は、思い描いていた郷里ではなかった。かれの郷里は、構えのしっかりした家々が建ち並び、広い道は整備されていた。畠は、開花期になると棉の白い花におおわれ、春の気配がきざすと梅の花が咲き、夏には時に驟雨《しゅうう》が訪れた。人々の生活は豊かで、正月には正装した男女が神社や寺に初詣《はつもう》でをし、男たちは陽気に酒を飲む。しかし、その日眼にした村は、すべてが貧しく、畠は荒れ、棉の栽培されている気配もない。

このような村で人が生活しているのが不思議で、自分には到底この村での生活は堪えられない。今日一日身を置いただけでも苦痛で、明日はそうそうに村をはなれよう、と思った。

蓮花寺で見た過去帳の「流船中に而死」という文字がしきりによみがえる。喜びに胸をはずませてもどった村では、自分は十二年前に死んだ身になっていて戒名までつけられている。村をふる里としていた十三歳までの自分はすでに死に、現実に生きている自分はアメリカに帰化し、日本人ではなくなっているのか。

同行してきた外国の商人たちが夕食の食物の大半を残したように、彦蔵もそれらを口にするのが苦痛で、ナフキンを膝に置いてスープをすすり、牛肉を食べたかった。物見遊山《ゆさん》のように集ってきている者たちも不快だった。寺の往《ゆ》き来《き》にぞろぞろとついてきたが、かれらには洋服を着、靴をはいている自分が珍奇な動物のようにでも思えるのだろう。

同じ部屋のふとんに身を横たえた商人は、ベッドではないので眠れぬだろうと思っていたが、すでに寝息を立てはじめている。彦蔵は眼を閉じ、やがて眠りに落ちていった。

翌朝、遠く近くきこえる鶏の啼《な》き声で眼をさました。

かれは身を起し、洋服を身につけた。商人は背を丸めて眠っている。土間で靴をはき、外に出た。夜が明けはじめ、家や耕地が靄《もや》でかすんでみえる。

かれは、道ばたで放尿した。不意に、涙が流れた。爽《さわ》やかな空気には潮の香がかすかにしていて、たしかにふる里の匂《にお》いがしている。細面の色白な母の顔が眼の前に浮び上った。

しかし、かれの気持はすぐに冷えた。村にはなじめず、むしろいまわしい地にすら思える。法幢浄辨信士という戒名の文字に、自分がすでにこの世にはない身であるのを知り、突然のように姿を現わした自分は、村人には亡霊同様に思えるのだろう。村はふる里ではなく、むしろアメリカこそふる里ではないのか。

どうにでもなれ、と胸の中でつぶやいた。このような人間になってしまったのは運命で、アメリカ人にみられるならそれでよく、アメリカ人として自由に生きてゆこう、と拗《す》ねた気持になっていた。

やがて出される朝食のことが思われた。椀に盛られた米飯と、それに味噌汁《みそしる》と漬物。自分は食べられるが、外国の商人たちは飯と漬物は辛うじて口にできても、味噌汁は飲むことはできるはずがない。

鶏の啼き声に、かれは、朝食に外国人が常食にしている鶏卵を出させようと思った。

それがあれば、かれらも少しは食事をとる気になるはずだった。

庄屋の家にもどると、入口のすぐの部屋に県庁の役人たちが坐っていて、煙管《きせる》を手にしている者もいた。

彦蔵は、かれらに鶏卵を一人三個ずつ朝食に出すよう村人に命じて欲しい、と頼んだ。

「生《なま》のままでよろしいのですね」

役人の一人が、たずねた。

「いや、ボイル (boil) してもらわねば困る」

「ぼいる？」

役人が、首をかしげた。

彦蔵は、役人の顔を見つめた。ボイルという英語を日本語ではなんと言うのか。彦蔵は、少し口をつぐんでいたが、沸騰《ふっとう》した湯に卵を入れ、内部をかたくするのだ、と途切れがちの声で説明した。

「茹《ゆ》でるのですな」

若い役人が、言った。

急に記憶がよみがえり、彦蔵は、

「そうだ、茹でるのだ。ボイルだ」

と、うなずいた。

やがて朝食の膳が座敷に運ばれ、頼んだ通り茹でた卵が三個ずつそれぞれの膳に置かれていた。

彦蔵は、殻をむきながら萎縮《いしゆく》した気持になっていた。日常使っていた茹でるという言葉をすっかり忘れていたことに気恥しさと悲しみをおぼえた。自分の身についた言語は英語で、日本語は二の次になっているのか。英文は自在に書けるのに、日本文は平仮名しか書けず、自分はすでにアメリカ人に近い人間になってしまっているらしい。村人たちが異国人を見るような眼を自分にむけてくるのも無理はない、と思った。

食事を終えた彦蔵は、県庁の役人に兵庫へ帰ることを早口で告げた。居留地にもどり、外国人の間に身を入れたかった。

「よろしいのですか」

重だった役人が、いぶかしそうな表情をした。帰郷を喜んでいた彦蔵が、少くとも数日間は滞在すると思い込んでいたようだった。

「これからすぐに出立《しゆつたつ》する」

彦蔵は、強い口調で言った。

反対する商人はいなかった。かれらも村での生活に辟易《へきえき》しているようだった。

あわただしく準備が進められ、彦蔵たちは駕籠《かご》に身を入れ、庄屋の家の前をはなれた。

駕籠の列の後ろから多くの村人がついてくる。彦蔵は、かれらの存在がわずらわしく怒声を浴びせて追いはらいたかった。

かれは顔をしかめて、駕籠に揺られていた。

二十六

兵庫から大坂にもどった彦蔵は、「コスタリカ号」で神戸をはなれ、六月二十七日、長崎に引返した。

翌月十七日、江戸が東京と改称され、つづいて九月八日に元号が明治と改められたことが長崎に伝えられた。会津藩は新政府軍に頑強に抵抗していたが、その月の二十二日に降伏し、維新の戦乱はやんだ。

かれは、本庄村にもどったことを思い出すたびに、うつろな気分になった。

思い描いていたふる里はなく、喜んで迎え入れてくれると思っていた村人たちも、自分に珍奇な生き物でも見るような眼をむけていた。さらに自分が死者として戒名までつけられていたことに強い衝撃をおぼえた。人間としての自分の根は故郷の本庄村にあると思っていたが、それは幻想にすぎず、根のない浮草のようにはかなく漂い流れている身であるのを感じた。

かれは、鬱々《うつうつ》として惰性のようにグラバー商会の仕事をつづけていた。

翌年、グラバーは、政府の依頼で香港から造幣機を輸入し、大坂彦蔵はその扱いを担当した。造幣局が創設された。造幣機は九月十日に大坂に送られ、大坂造幣局が創設された。

十二月三日、イギリスからJ・M・ジェームズの操船で新造の蒸気艦が長崎に入港してきた。その艦は熊本藩主の細川韶邦《よしくに》がイギリスに発注していた艦で、「竜驤《りゅうじょう》」と命名された。彦蔵は、藩の家老溝口《みぞぐち》孤雲《うん》からの要請を受けてジェームズとの折衝にあたり、九日に点検と受領をすませ、藩から謝礼を受けた。

年が明けて、彦蔵は相変らずグラバー商会の仕事をしていたが、七月二十六日、商会が突然破産法の適用を受け、倒産した。武器の輸入で莫大《ばくだい》な利益をあげていたが、箱館戦争の終結で注文が皆無になったためであった。

職を失った彦蔵は、貿易業者の依頼で商取引に立ち会ったりして日を過していた。

かれの胸には、しばしば故郷にもどった折のことがよみがえった。いまわしい記憶しかなかったが、母の墓を詣でなかったことが深い悔いとして残されていた。村から一刻も早くはなれたい一心で墓参の余裕がなかったのだが、内心では母の墓を眼にするのが恐しく足をむける気になれなかったからでもあった。

母の棺桶《かんおけ》が埋められた土の上にはその印しとして石がのせられているだけで、もしかするとその所在も不明になっているのではないだろうか。もしも義父の吉左衛門が墓碑を建ててくれていたとしても、それは粗末なものにちがいない。

彦蔵は、日増しに自分の手で立派な母の墓を建ててやりたい気持がつのった。それが子として母に対する義務に思えた。

母の墓碑を建立《こんりゅう》したいという気持は抑えがたいものになり、十月一日、彦蔵は、アメリカ汽船「ニューヨーク号」に乗って長崎をはなれた。兵庫から故郷の本庄村に行こうと思ったのである。

船は赤間関海峡を抜け、瀬戸内海を進んで二日後に兵庫についた。村に行くには外国人通行免状を携帯する必要があったが、兵庫の外人居留地に入った彦蔵は、親しい県知事の伊藤博文が中央の要職に転任して東京に去り、知事の職務は大参事が代行しているのを知り、失望した。外国人に対する規制は依然としてきびしく、通行免状の交付を拒否されることが予想されたが、帰郷の念やみがたく彦蔵は県庁に願書を提出した。

翌日、県庁におもむいて免状のことをただすと、思いがけなく免状はすでに作成されていて交付してくれた。前回、伊藤知事が許可したのに大参事が不許可にすることはできないと判断したらしく、彦蔵は喜ぶとともに、あらためて伊藤が新政府部内で大きな存在になっているのを感じた。

外人居留地のホテルにもどった彦蔵は、本庄村浜田の庄屋宛《あて》に再訪するという手紙を書き、飛脚問屋に託した。

三日後、かれは駕籠を雇って神戸をはなれた。むろん、護衛の者などつかず、かれは腰におびた短銃に銃弾を装塡《そうてん》し、簾《すだれ》の中から外に警戒の眼をむけていた。

駕籠は山陽道を西へ進み、彦蔵は駕籠つぎをして本庄村に入った。村道に人の姿はなく、駕籠は庄屋の門前でおろされた。

入口に立って案内を請《こ》うと、すぐに庄屋が姿を現わし、座敷に通された。

庄屋と挨拶《あいさつ》の言葉を交していると、廊下から一人の初老の女が入ってきて手をつき、額を畳にすりつけて頭をさげた。

女が顔をあげ、彦蔵は思わず短い声をあげた。母方の叔母で、彦蔵がくるのを庄屋宅で待っていたらしく正装していた。彦蔵は、母が病死した折り幼い自分を励まして葬儀、埋葬を取り仕切ってくれた叔母がなつかしかったが、叔母は、すっかり変った彦蔵に戸惑いを感じているらしく、肩をすくめて部屋の隅に坐《すわ》っていた。

かれは、腰をあげて叔母の前に坐ると、皮膚の荒れた叔母の手をつかんだ。ようやく縁者に会えたことに、帰郷した実感が胸にせまった。

叔母は、顔を伏したまままききとれぬような低い声で、前年に彦蔵が村を訪れた時、実家に不幸があって村をはなれていた、と言った。

彦蔵は、涙ぐみながら無言でうなずいていた。

かれは、叔母に亡母の墓を建立するために村に来たことを告げ、母の墓がどのようになっているかをたずねた。

叔母は、埋葬した個所にただ石が置かれているだけだ、と言い、彦蔵は想像していた通りだ、と思った。母と子だけの生活を改めて思い返し、母のために墓を建てようとあらためて思った。

彦蔵は、庄屋と話し合い、叔母と連れ立って菩提寺《ぼだいじ》の蓮花寺に行った。住職は在宅していて、座敷に通してくれた。前回に村へ来た時には、伊藤知事から彦蔵を村で歓迎するようにというお触れが出され、さらに多くの県庁の役人が随行してきた。そのことからも彦蔵が重要視されている人物であるのを感じていた住職の応対は、丁重であった。

彦蔵が母の墓を建立したいので相談に乗って欲しい、と言うと、住職は、

「御奇特なことで……。いかようにも御相談に乗ります」

と、神妙な表情で答えた。

「私は、母にとってただ一人の子で、今でも母の夢をよく見ます。孝行をしたい時には親はなし、と申しますが、せめて母の墓は恥しくないものを建てたい。それが私の母に対する孝行です」

と言って、墓建立のために用意している金額を口にした。

住職は、彦蔵の顔を見つめた。その表情にはその額が思いがけぬ多額であることに驚

きの色がうかんでいた。

少しの間思案するように口をつぐんでいた住職は、腰をあげると彦蔵と叔母をうながし、庫裡《くり》の外に出た。山門の方に歩いていった住職は、山門の内側で足をとめると、

「ここに建てられたらよろしい」

と、言った。

そこは、あきらかに境内で最高の場所で、彦蔵は住職の好意に礼を述べた。

座敷にもどった住職と彦蔵は、具体的な打合わせをした。墓について住職は、近在で最も腕のよい石寅という石工が二見村（現明石市）にいて、その石工に依頼する方がいいとすすめ、彦蔵は一任する、と答えた。さらに彦蔵は、義父の戒名も同じ墓に刻みたい、と言い、住職は大いに結構だと答え、先祖の戒名も刻むことをすすめた。

住職は、早速石寅に連絡をとると約束し、彦蔵は寺を辞して、その夜は叔母の家に泊った。

翌朝、石寅が弟子をともなって訪れてきた。五十年輩の体格の逞《たくま》しい男で、澄んだ眼をしていた。

彦蔵は、石寅と墓についての打合わせをした。

彦蔵の希望をうなずいてきいていた石寅は、それにふさわしい墓石は三段御影石《みかげいし》で、その費用の概算を口にした。彦蔵は、即座に諒承《りようしよう》し、碑の表面に母と義父、それに祖先

の戒名を刻むよう指示した。

「裏面だが……」

彦蔵は、鞄《かばん》から紙とペンを取り出し、英語で「両親ト家族ノタメニコレヲ建テル」と書き、by Joseph Heco と記した。名前を Hico と書くとハイコと呼ばれるので、Heco と書くのを常としていた。

それまで平静な表情をしていた石寅は、驚いたように英語の文字を見つめた。そのような文字を刻んだことはもとより、眼にしたこともない。かれは、茫然《ぼうぜん》としてその文字を見つめ、字の形を指で何度もなぞり、ようやく納得したようだった。

彦蔵は、石寅に内金を渡し、石寅は墓建立の期限を口にした。石寅は、英文の記された紙を丁寧に折りたたんで、去っていった。

石寅と蓮花寺との連絡はすべて叔母に一任し、彦蔵は、庄屋に挨拶して駕籠を呼んでもらい、村をはなれた。彦蔵は、晴れ晴れした気分であった。

兵庫にもどった彦蔵は、便船を得て長崎に引返した。グラバー商会が倒産後、仕事は失っていたが、長崎での輸出入業は相変らずさかんで、その商取引に関与するなど雑用は多かったのだ。

長崎では、本木昌造が活版所を創立して活字鋳造をはじめ、上京して十二月に活版による横浜新聞という日刊紙を創刊したことを耳にした。彦蔵はすでに新聞発刊についての熱意を失っていたが、新聞が日本人にとって必要不可欠のものであるのをあらためて感じた。

翌明治四年になると、六月に長崎で対外通信が開始され、長崎から上海、ウラジオストック、香港、シンガポールなどとの通信が可能になった。長崎と横浜間で書簡が交される場合、早飛脚で七日から九日の日数を要したが、電信線が架設されて通信がはじめられ、利用者が急増した。彦蔵は、日本もアメリカにならって科学の恩恵をうけるようになったのを感じた。

七月十四日、廃藩置県の詔書《しょうしょ》が発布された。

秋の気配が濃くなった九月十二日、思いがけず姫路藩の元藩主である県知事の酒井忠邦からの書簡を受け取った。

故郷本庄村を旧藩領とする元藩主からの手紙に、いぶかしみながらも極度に緊張した。恐るおそる書面をひらいてみると、文章は当然のことながら漢字まじりで、彦蔵は戸惑いながらも文字を眼で追い、辛うじて大意をつかむことができた。

忠邦は、アメリカ帰りの彦蔵の名が高いのに注目していたが、思いがけず彦蔵が旧姫路藩領の出身者であるのを知って驚き、どうしても会って話をききたいと考え、書簡を送ってきたのである。神戸の元藩邸で待っているから、なるべく早く汽船に乗って来て欲しい、とも記されていた。筆致には、忠邦の好意がにじみ出ていて、彦蔵は感激した。

これと言って定まった仕事もなく雑事のみを手がけていた彦蔵は、二日後にイギリス汽船「コスタリカ号」が長崎を出港して神戸にむかうのを知り、早速、乗船券を手配した。


かれは旅装をととのえ、その船に乗って長崎をはなれた。

九月十六日朝、「コスタリカ号」は神戸に入港した。上陸した彦蔵は、波止場で客待ちをしていた駕籠に乗り、元姫路藩屋敷におもむいた。

玄関に出てきた元藩士に名を告げると、奥に入った藩士がすぐにもどってきて、奥座敷に案内した。

廊下に足音がして、忠邦が家臣を伴って姿を現わし、

「待ちかねていた」

と言って、厚い座ぶとんに坐った。

元藩主と言うからには或《あ》る程度の年齢を予想していたが、忠邦が余りにも若いのに驚いた。十八歳であった。

忠邦は、西欧文明に強い関心をいだいていると言い、彦蔵にアメリカ在住時のことを矢つぎばやに質問し、その答えに耳をかたむけていた。質問は鋭く、彦蔵は忠邦がすぐれた頭脳の持主であるのを感じた。

一応の話を終えると、忠邦は遠路はるばる神戸まで来て、その上貴重な話をきかせてくれたことに感謝している、と言い、家臣に命じて藩主の定紋入りの羽織と金二十五両を持ってこさせると、渡してくれた。定紋入りの羽織は功績いちじるしい者にあたえる名誉の勲章に似たもので、彦蔵はつつしんで拝受した。

忠邦は、東京へむかう予定があって、彦蔵に会えたのですぐに出立《しゅったつ》することになった。彦蔵が乗ってきた「コスタリカ号」が横浜にむかうのを知った忠邦は、家臣にその船への乗船の手配をさせた。

忠邦は表情をあらためると、

「姫路に行ってくれぬか」

と、彦蔵の顔を見つめた。

姫路の元藩士である県の役人たちは海外事情にうとく、外国の話をきかせて新しい時代認識を深めさせてやって欲しい、という。

忠邦らしい要請に、彦蔵は承諾した。

忠邦は、その日の午後三時、「コスタリカ号」に乗って神戸をはなれていった。

彦蔵は、そのまま元姫路藩邸にとどまって日を過した。

姫路行きの手配が家臣たちによって推し進められ、九月二十日朝、彦蔵は、家臣たちと駕籠《かご》をつらねて神戸をはなれた。駕籠の列は、山陽道を西に進んだ。左手には海の輝やきがひろがり、右手の山々には紅葉の色がみえはじめていた。

かれは、駕籠にゆられながら、姫路までの中間に位置する故郷の本庄村に立寄ってみよう、と思った。墓の建立はすでに成っているはずで、それを確認したかった。もしも墓が完成していたら、姫路から神戸へ帰る途中に村に行き、村人を招いて墓碑建立の宴をはる。その折りに忠邦から下賜《かし》された定紋入りの羽織も披露する。村人たちに自分がそのような栄誉を受けるに価《あた》いする身であるのをしめしたかった。

彦蔵は、宿場で休憩した折りに、重だった家臣に本庄村に寄り道をしたい、と言った。家臣に異存はなく、駕籠の列は土山宿から左に折れた。

武士たちの乗る駕籠の中に洋服を着た彦蔵の乗る駕籠がまじっているのが珍しいらしく、耕地にいる百姓たちは好奇の眼をむけていた。

駕籠の列が本庄村に入り、叔母の家の前でとまった。

叔母が、家から出てきた。

「墓はどうなりました」

彦蔵の問いに、叔母は、一昨日、墓が完成し、彦蔵の母と義父の遺骨も墓石の下に移葬された、と答えた。

「お手数をおかけしました」

彦蔵は礼を述べ、姫路へ行くいきさつを簡単に説明した。さらに神戸への帰途立ち寄って、村人を招いて墓碑建立の宴を開きたいので、その準備をととのえておいて欲しい、と依頼した。

「庄屋様とよく御相談いたしまして……」

叔母は、頭をさげた。

「それでは、道を急ぎますので……」

彦蔵は一礼し、駕籠に身を入れた。

駕籠がつらなって動き出し、土山宿の方に引返した。いつの間にか村人たちが集ってきていて、途中までついてきた。

土山宿から山陽道を西へ進み、加古川宿をへて川渡りをし、山脇村をすぎて市川を舟で渡った。姫路についたのは、夕刻であった。

故郷の本庄村を支配する姫路藩の城下町に入ったことに、彦蔵は興奮した。町は活気にみちていて、大きな構えの旅籠《はたご》が灯をともしてつらなっている。彦蔵は、魚町の旅籠に案内された。

宿の主人に通された部屋は、最上級らしい座敷であった。鞄を置き、足を投げ出して坐った。

夕食をすませて間もなく、知事代理の元家老本田壱岐《いき》の使者が姿を見せ、入用のものはなんなりとお申しつけ下さいと歓迎の言葉を述べ、ついで近藤、五十嵐、春山という姓の三人の役人が、彦蔵の世話役に任ぜられたと挨拶に来た。彦蔵は、自分が重要な賓客として扱われているのを感じた。

近藤らと言葉を交している間に、彦蔵は、姫路藩に西洋式帆船の操船役として召抱えられているという清太郎ら三人のことをたずねた。同じ漂流の苦難を味わったかれらに会いたかった。しかし、清太郎らは、藩船を操って航海に出ていて姫路にはいないという。彦蔵は失望しながらも、かれらが舟乗りとしての技倆《ぎりょう》を生かして生きていることを心強く思った。

翌日から彦蔵は、歓待につぐ歓待を受けた。多くの役人たちが並んで坐る大広間に案内され、アメリカ滞在中見聞したことや、船舶、電信機、汽車の構造について語った。役人たちは熱心に耳をかたむけて矢立《やたて》を走らせ、つぎつぎに質問をし、彦蔵は丁寧に答えた。役人たちの眼は輝やき、彦蔵は自分が日本人として西洋事情にひろい知識をもっている特異な人間であるのをあらためて意識し、満足だった。

姫路についてから、城の壮麗さに眼をみはっていた。白鷺《しらさぎ》城とも呼ばれているというが、たしかに白鷺が羽をひろげているように優美で、しかも城の構造に堅固さが感じられる見事な城であった。

城の内部にも案内された。大手門を入っていくつかの小門をぬけ、城の入口から階段を登り、最上層の座敷に入った。数十畳の広さで、壁にうがたれた窓から見る眺めは素晴しかった。東の方には市川の川筋とゆるやかに起伏する丘陵が眼にでき、南には小さな島々のうかぶ海が見える。かれは、陶然としてしばらくの間その場に立ちつくしていた。

県庁の招待で城の外苑《がいえん》でくりひろげられた観兵式を見、ついで元家老の河合屛山の邸《やしき》におもむき、神戸でも見られぬ人力車が座敷に飾られているのを眼にした。河合は、新奇なものを好む贅沢《ぜいたく》な趣味を持っているようだった。

九月二十三日には、本田壱岐の招きで盛大な宴がもよおされた。枢要《すうよう》な位置にある役人すべてが列座し、本田は彦蔵に姫路に来てくれた礼を述べ、最上席につくよううながした。彦蔵はうろたえた。舟乗りの子にすぎない自分が、高位の元藩士たちの前で上座につくことなどできない。

しかし、本田たちは県知事の大切な客人なのだからと強引に彦蔵を床の間の前に坐らせた。彦蔵は、面映《おもは》ゆさを感じると同時に、かれらの手厚いもてなしに胸の熱くなるのを感じた。

快適な姫路逗留《とうりゆう》は終り、九月二十九日、彦蔵は姫路をはなれた。県庁では、特に数名の役人を随行させてくれた。

山陽道を帰途につき、予定通り郷里に立寄ることにしていて、駕籠をつらねて本庄村に入った。

彦蔵は、待っていた叔母の案内で蓮花寺に行った。

墓と向き合った。高さ三尺五寸（一・〇六メートル）ほどの三段積みの立派な墓石で、住職が指定した通り山門を入ってすぐ右側に建てられていた。碑面には、母の修善即到信女、義父吉左衛門の弘覚自性信士と先祖のそれぞれの戒名が刻まれていた。

彦蔵は、墓石の裏にまわってみた。そこには指定した通りの英文が、一字の誤りもなく刻まれていて、評判通り石寅が秀《すぐ》れた石工であるのを知った。

住職が法衣を身につけて出てくると、墓前で読経《どきよう》をした。彦蔵は、これで母と義父への義務を果したのを感じ、住職に永代供養《くよう》料を渡した。

その夜、庄屋の広い座敷を借りて、彦蔵は宴をはった。村の重だった者が並び、随行してきた役人たちも加わった。

彦蔵は、立って墓碑建立《こんりゆう》の挨拶《あいさつ》をし、持参してきた元藩主から下賜された羽織を取り出して披露した。庄屋たちは、恐るおそる藩主の紋の入った羽織に近づいて頭を深くさげ、手を合わせて拝む者も多かった。

酒肴《しゆこう》が運ばれ、彦蔵は杯を手にし、横に並ぶ役人たちと酒を酌《く》み合った。席を立った村の重だった者が、つぎつぎに近づいてきて膝《ひざ》をついて酒をついだが、退ると再び近寄ってくることはなかった。

村人たちの表情は一様にかたく、杯を口に運びながら時折うかがうような眼をむけてくるが、すぐにそらす。低い声でなにかささやき合っている者もいた。

かれらの顔を見ているうちに、彦蔵は次第に白けた気分になった。宴を開いたのは、村人たちとうちとけたいと思ったからだが、村人たちは彦蔵との間に厚い壁をもうけたように入りこんでくる気配はない。むしろ身を遠ざけようとしている節さえみえる。自分の故郷は、この村だが、村人たちはそれを許容してはくれていないらしい。かれらにとって洋服を身につけ靴をはいている自分は、村とは一切縁のない人間と思っているのだろう。自分は過去帳に戒名も記されている死人で、かれらには同郷の者という意識は皆無なのだ。

彦蔵は、胸の中に冷たい風が吹きぬけてゆくようなむなしさをおぼえ、自分には故郷はないのだ、とつぶやいた。

かれは翌朝、うつろな眼をして村をはなれた。

二十七

明治五年を迎え、八月に彦蔵は東京に出て、大蔵大輔《たいふ》の井上馨（聞多）のすすめで大蔵省に入り、会計局に所属した。その年の十一月九日、改暦が布告されて、十二月三日が明治六年一月一日と定められた。

その頃かれは、自分が陰でアメリカ彦蔵と呼ばれているのを知り、やがてそれが半ば公然としたものになったのを感じた。苗字《みようじ》をつけるのが習いとなり、アメリカに帰化した自分が苗字をアメリカとしてアメリカ彦蔵と呼ばれるのも無理はない、と思った。自分の価値は、アメリカで学校教育を受け英文の読み書きに長じていることにあり、アメリカという呼称を苗字代りにするのも悪くはない、と自らに言いきかせた。

しかし、かれは、年を追うごとに自分の存在価値が日本の社会の中で次第に薄れてゆくのを感じていた。明治維新以来、英語教育は急速に充実し、英米人と見まがうほど流《りゆう》暢《ちよう》な英会話をこなし、読み書きにも長じた者が増していた。大蔵省にもそのような者が多く職についていて、外国人と自由に接触している。

彦蔵は少し以前から漢字の読み書きを独学でまなぶことにつとめ、ひそかに夜、筆を手にして習字をするようにもなっていた。が、漢語の多い公文書を読むことは辛うじてできても、書くのは苦手で、官吏として不適であるのを知った。そのため翌年夏から出省せず、自然退職という形になった。

気持が滅入《めい》ったかれは、東京をはなれ、親しい外国人の多くいる神戸に行った。英語を話せるのが嬉《うれ》しく外国人の貿易商たちと接しているうちに、豪商の北風荘右衛門と知り合ってそのすすめで茶の輸出業をはじめた。一応、事業は順調で、神戸に腰を据え、ようやく落着いた生活ができるようになった。

明治十年二月、西南戦争が起り、九月に西郷隆盛が自決して戦争は終結した。

彦蔵は四十歳になり、松本七十郎の娘鋹子《ちょうこ》十八歳と結婚した。帰化人である彦蔵に戸籍はなく、鋹子は、絶家となっていた彦蔵の親戚《しんせき》の浜田家を相続して浜田姓となり、彦蔵も浜田彦蔵と名乗るようになった。

茶の輸出業をつづけていたが、悪徳商人によって詐欺《さぎ》にかかり、それは訴訟にもなって神戸地裁で勝訴したが、商売に嫌気がさして店を閉じた。かれには恒産もできていたので、神戸でなすこともなく妻と静かに暮した。

かれは、これまでの自分の生き方を顧みることが多かった。帰国してからあわただしく生きてきたが、それは大海を漂流していた折の延長のように思えた。英語に通じていることで重宝がられたが、冷静に考えてみると多くの外国人と日本人に利用されて生きてきただけのことで、自分が今でも坊主《ぼうず》船に乗って漂い流れているような気がする。

かれはむなしい気持になって、長い間空を見つめていることが多かった。

その頃から彦蔵は、神経痛におかされるようになり、明治十二年に入ると医者通いをはじめた。

かれは英字新聞を読みつづけていたが、漢字もおぼえて日本の新聞にも眼を通すようになった。

六月十八日、新聞を開いたかれは、紙面の一個所に眼をむけ、驚きの声をあげた。

「四十年前の漂流者山本乙吉

其《そ》の子が帰朝して入籍願」

という見出しの記事であった。

乙吉とは、二十年前の安政六年（一八五九）に上海で会った「宝順丸」の漂流民乙吉ではないのだろうか。乙吉は帰国を断念して上海に定住し、彦蔵の仲間である「永力丸」の水主たちを唐船で長崎に送還してくれた温情のある男で、彦蔵は時折りおだやかな眼をしたかれの顔を思い起していた。

彦蔵は、あわただしく記事の活字を眼で追った。

「尾州《びしゆう》知多郡の産にして、四十年前に亜墨利加《あめりか》へ漂流したる山本乙吉の子ジョン、ダブリュー、オトソンは此のたび帰朝して、神奈川県へ入籍を願ひ出《いで》たり」

と前置きして、神奈川県令野村靖宛《あて》の入籍願が記されていた。

乙吉は、上海でオトソンと呼ばれていて、その子もオトソンという名をついでいるらしい。

「抑《そもそも》私父は日本人民にして山本乙吉と申（し）」として、乙吉が四十年ほど前、難破漂流して「遂《つい》に米国に漂泊し、是《これ》にて私父及其他二名の者、亜墨利加印度人（インディアン）の為《ため》に助けられ」とあり、その他二名とは岩吉と久吉で、乙吉からきいた話と完全に一致していた。「モリソン号」で日本へ行ったが、追い払われたことも記されていて、一八六三年（文久三年）上海を去り、シンガポールにおもむき、「其後同所にて鬼籍に入り（死亡）申候」と書かれていた。

彦蔵は、鬼籍という文字に背筋が冷えるのを感じた。乙吉は、モリソン号事件で帰国を断念したと言っていたが、むろん故国の土をふみたいと強く願っていたはずだ。開国後、日本へ帰ろうとしなかったのは、国法によって極刑に処せられることを恐れたというよりも、妻子をかかえる身として帰国できなかったのだろう。

シンガポールで死亡したという乙吉が、哀れであった。故国を思い描きながら異国の土となった乙吉の悲運が他人ごとには思えず、自分もそのような身になったかも知れなかった。入籍願を提出したジョン・ダブリュー・オトソンは、父乙吉の帰国への悲願をかなえようと来日したにちがいなかった。

その後、入籍願がどのような結果になったか、新聞を注意してみていたが、それに関する記事はなく、彦蔵は、神奈川県庁に手紙を出して問い合わせてみた。

彦蔵の名は広く知られていたので、県庁からすぐにその結果を手紙で報《しら》せてくれた。

県庁では、オトソンから詳細に事情を聴取した。オトソンは乙吉の長男二十二歳で、妹二人がいるが、いずれもイギリス人と結婚し、イギリス国籍となっている。かれの容《よう》貌《ぼう》は日本人と少しも変らぬので、申出に相違ないとして、神奈川県庁は入籍を許可し、それは神奈川県令野村靖から内務卿《ないむきょう》伊藤博文にも上申されたという。

彦蔵は、その報告に乙吉の霊が少しでも慰められたにちがいない、と思った。

しかし、それから三年後、山本乙吉と改名して神戸製鉄所に勤務していたジョン・ダブリュー・オトソンが、除籍願を神奈川県庁に提出したことを彦蔵は知った。

オトソンは、その願書で父乙吉がジョン・エム・オトソンという名のもとに英領シンガポールでイギリスに帰化していたことを最近知り、自分も父同様にイギリス国籍を得たい、と記していた。

この願書は、神奈川県令沖守固《もりかた》から外務卿井上馨、内務卿山田顕義のもとに送られ、審議の結果、日本人が外国籍になるのは結婚した場合にかぎられると法律で定められていて、まして本人がいったん日本籍になったのに除籍して欲しいというのは自分勝手にすぎる、として却下した。

その経過を知った彦蔵は、複雑な気持であった。オトソンは日本に来てイギリス人が敬意をはらわれているのを知り、父親同様にイギリス国籍になろうと思ったのではないのか。恐らくオトソンは幼い頃から英語に親しんで日本語は知らず、日本に来てから生活に不自由を感じて英語圏のシンガポールにもどりたいと考えたにちがいない。

彦蔵は、オトソンも父乙吉と同じように漂流民なのだ、と思った。日本国籍を得ようとして来日したが、日本の地になじめず除籍を願い出て却下された。かれは根のない浮草に似て、ただ漂い流れているにすぎない。それは、ふる里で死者扱いされて帰る地もない自分と同じなのだ、と思った。

かれは、死を日本で迎えるにちがいないオトソンが気の毒であった。

彦蔵は、髪に白いものがまじり、顔面神経痛におかされて片側の頬がけいれんして口もとがゆがむようになった。

明治二十一年二月一日、かれは妻とともに住みなれた神戸を汽船「山城丸」ではなれ、東京へむかった。気候の異なる東京に移住すれば、神経痛に効果があるだろうという医師のすすめに従ったのである。

横浜に着き、東京に行った彦蔵は、上野公園に近い根岸に家を借りて住んだ。文人や画人の多く住む閑静な地であった。

その年の暮れ、彦蔵は新聞にのせられた広告に顔をしかめた。それは、豊かな官吏、銀行家、商人が個人的に出した広告であった。趣旨は同じで、年末から一月四日までは温泉等に行くので在宅せず、来客を一切ことわるという内容であった。

彦蔵は、その広告に日本人の昔からの風習が崩れ去っているような悲しみをおぼえた。年末から人々は正月を迎える準備をし、神社、仏閣に初詣《はつもう》でをして家族そろって正月料理を口にする。年始におもむき、年始の客を迎える。そのような正月を祝う行事を自ら放棄して温泉などに行くというのは、外国文明に毒された利己的な行為で嘆かわしく、まして広く知らせるため広告を出すなど許しがたいことだ、と思った。

彦蔵は洋服を排して、毎日、着物を着て正坐《せいざ》して日を過すようになり、筆を手にして一心に習字にはげんだ。日本には、外国にはない美しい伝統があり、日本人として自分もそれに従わねばならぬ、と心から思った。アメリカに帰化した身ではあったが、かれは折りを見て日本国籍を得たいと念じていた。

明治二十二年五月、元姫路藩邸に近い原町に小さな家を新築し、転居した。彦蔵は五十二歳になり、なすこともなく過した。疲労が体にのしかかっていた。

新聞で世情の推移を見守った。結婚した女性は眉《まゆ》を剃り歯《そ》を黒く染めていたが、それは廃され、男も断髪にして洋服を着る者を多く眼にするようになっていた。電信機が全国に普及し、電話も官庁はもとより民間にも架設され、陸には鉄道が敷かれて汽車が走っている。

新聞社も相ついで創設され、彦蔵が創刊した海外新聞の記事を明快な文章でつづってくれた岸田吟香の名も、しばしば新聞にみられた。吟香は、東京日日新聞に招かれて記者としての才幹を発揮し、台湾征討に最初の従軍記者として従軍したりした。その後、記者をやめて銀座に楽善堂薬舗を設け、眼薬精錡水《せいきすい》を販売し、その広告が新聞にものせられていた。

吟香になつかしさをおぼえたが、それは遠い過去のことで会いたいとは思わなかった。かれは、さらに本所横網町に転居した。隅田川沿いのその地が病弱の身を養うのに適している、と思えたからである。

隅田川の岸辺に坐って、川をながめていることが多かった。櫓《ろ》扱いや白帆をあげて川舟が往《ゆ》き来《き》する。その舟の動きを眼で追っていると、炊《かしき》として乗った「永力丸」の船具の臭《にお》いが思い起された。葦《あし》の生い繁《しげ》っている対岸から白鷺《しらさぎ》が一斉に飛び立ち、それが乱れ舞う牡丹雪《ぼたんゆき》のようにみえた。

雑沓《ざっとう》をきわめていた香港の町並み、馬車の走っていたアメリカのサンフランシスコ、ニューヨーク、ワシントンなどの町の情景が紗《しゃ》を通してみるようによみがえる。それらの地で生きたことが不思議に思えた。

故郷の本庄村には計三度行ったが、その後は足を向けていない。その村ではすでに自分は死者であり、残されているのは英文の刻まれた母と義父、そして先祖の墓碑しかない。すでに叔母も病死し、縁者は一人もいなかった。

かれは、時折故郷の村のことを思った。侘《わび》しい村ではあったが、潮の香のまじった空気がなつかしく、不意に涙が頰を流れた。自分のふる里は本庄村以外にないのだ、と胸の中で繰返しつぶやいた。

村からの便りで、生還して姫路藩に召抱えられたという清太郎、喜代蔵、浅右衛門はつぎつぎに死亡したとあり、同郷の者で生きているのは自分だけであるのを知った。岩吉（ダン、伝吉）は殺されたし、他の「永力丸」の水主たちもどうしているのか。恐らくかれらも死に絶えているにちがいなかった。

清国で、またアメリカで多くの日本人漂流民と出会ったが、かれらの中には乙吉のように異国の地に骨を埋めた者も多く、幸いに帰国した者も漂流民さながらに漂い流れて生き、そして死んでいったのだろう。

かれは、ぼんやりと日を過し、ただ習字を日課としてつづけていた。

明治三十年に入ると、息切れが激しく、隅田川の岸辺に行くこともなくなった。六月から秋にかけて雨が多く、十一月に入って快晴の日がつづいた。

十二月十一日は西の烈風が吹き、午後にはやみ、翌日は晴天になった。

彦蔵は、その日の夕刻、突然激しい胸痛に襲われて倒れた。すぐに医者が呼ばれたが、意識はもどらず息絶えた。六十一歳であった。

新聞には、

「アメリカ彦蔵死す

　　日本で新聞の創設者」

という見出しのもとに、その死が報じられた。

翌年十二月、妻鋹子の手で青山の外人墓地に墓碑が建立《こんりゅう》された。碑面には、上部に英文で死亡した彦蔵の墓であることが記され、その下に浄世夫《ジョセフ》彦之墓と刻まれていた。

あとがき

この小説を書き終えてから点検を繰返し、今それを終えて執筆の日々をふり返っている。

彦蔵という人物にはかなり以前から関心をいだき、どうしても彦蔵を主人公に小説を書いてみたいと考えて筆をとったのだが、やはり書いてよかったと心から思っている。

考えてみると、幕末に生きた彦蔵は、日本人として類をみない珍しい体験をしている。思わぬ運命に翻弄《ほんろう》されて三度アメリカの土を踏み、サンフランシスコからニューヨーク、ワシントンにも何度かおもむき、驚いたことにピアース、ブキャナン、リンカーンの三代にわたる大統領に官邸で会い、握手も交している。さらに南北戦争の戦乱を実地に体験し、乗った船が南部軍の武装船に追われたり、南北両軍の砲声もきいたりして、スパイ容疑で捕われてもいる。その間、汽車にしばしば乗り、無線電信の存在に驚いてもいる。

彦蔵が帰国した日本は、幕末の大動乱期で、かれはその中で激しくもまれて死の危険にもさらされ、歴史そのものを身をもって生きたのである。

執筆中、私は日記に、「この小説は彦蔵を主人公としてはいるが、漂流民のことを書くものでもある」と書いた。彦蔵自身漂流民であったが、かれの周囲には多くの漂流民がむらがり、それらの人物の生死は、幕末の日本の激しい動きを反映した劇的なものであった。

私は、これらの漂流民の一人一人の調査に力を傾けたが、それが容易ではなく、今までこれほど手こずったことはない。幸いにも漂流民について地道な調査をつづけている市井《しせい》の研究者がいて、その方々の御助力もあって、そのすべてをあきらかにすることができた。彦蔵と同じ船で漂流した船乗りたちについては井上朋義氏、清国《しん》で漂流民として生きつづけた乙吉については、その生地である愛知県知多郡美浜町の方々。ペリーが浦賀に来航した折にアメリカ軍艦に乗っていたサム・パッチと呼ばれていた日本人漂流民については、長年研究をつづけてきた宮地慶信氏の御教示を得た。

それらの漂流民がいかなる素性、経歴の持主なのか、調査の手がかりが全くなく途方にくれることもしばしばで、一カ月近くも執筆を中断しなければならぬこともあった。

たとえば、彦蔵が日記に記している、サンフランシスコで突然彦蔵の前に現われた重太郎という日本人漂流民。あらゆる記録をさぐってもその人物を知るすべはなく、ようやく彦蔵が重太郎としたのは記憶ちがいの誤記で、実際は勇之助という人物であるのを確認した。さらに東京大学史料編纂所《へんさんしょ》所長の宮地正人氏の御示唆《しさ》によって、当時のサンフランシスコタイムズに勇之助に関する記事が掲載されているのを見出《みいだ》し、下田奉行所の記録と照らし合わせて全容をつかんだ。その生地に、勇之助研究をつづけていた小柳実氏と赴き、かれと、そして同じ船に乗っていた者たちがすでに死亡したものとして建《こん》立《りゅう》されていた墓を発見もした。

困難な調査であっただけに、それがあきらかにされた時の喜びは大きかった。興味深い調査の連続で、私には忘れがたい小説になった。

この小説は、中川努氏と山口修氏が共訳した彦蔵の日記を基礎にして書いた。中川氏には御自宅に訪れて日記に誤記が多いなどというお話をおききし、山口氏にもお眼にかかる予定であったが、執筆中に御逝去を知り、お会いできなかったのが残念でならない。

資料収集に多くの方々の御助力をいただき、ここにその方々のお名前を記し、執筆にあたって鵜飼哲夫氏に、出版に際して横田博行氏の御好意を得たこととともに感謝の意を表する。

西田時雄、大辻國夫、佐伯本一、末澤貞義、井上珠彦、齊藤宏一、斉藤繁雄、竹内康雄、日比福市、野田久吉、本馬貞夫、田村昭治、宇山博子、保坂美和子、立松宏、斎藤多喜夫、本間陽一、安田岩男、山田一廣、上田由美　（順不同・敬称略）

平成十一年初秋　吉村　昭

参考文献

『アメリカ彦蔵自伝（1・2）』中川努、山口修訳　東洋文庫
『怒濤を越えた男たち』播磨町教育委員会発行
『ジョセフ＝ヒコ』近盛晴嘉著　吉川弘文館刊
『ジョセフ・ヒコ研究』杉山環稿
『近世日本海難史』川合彦充著
『仙太郎の生涯　その晩年』宮地慶信稿
『クラーク「日本滞在記」』飯田宏訳　講談社刊
『人物淡路史』田村昭治著

解説

奥野修司

手垢《てあか》にまみれた一冊の本が、いま私の手許《てもと》にある。吉村昭氏の『戦艦武蔵ノート』である。『戦艦武蔵』を書くに至るまでの、著者の内面と取材の経緯をつぶさに綴《つづ》ったこの取材日記は、ある親しい編集者から送られてきたものだ。そのとき表紙に「元気がでてくる本です」と付箋《ふせん》がつけられていた。ノンフィクションを生業《なりわい》とする私に、迷ったときはこの本を読めという気配りなのだろう。何度も読み返したが、これほど感動した本はなかった。それ以来私は、『戦艦武蔵ノート』を座右に置くことにしてきた。特に印象に残ったのは、「私は小説を書くとき、その裏付けとして取材をするが、まず他人の書いたものを全面的には信用しない。自らの足で歩き自らの耳で聴くことに徹する」という一文だった。私はそこに繊細な職人の手作業を見たような気がした。事実に対して億劫《おっくう》がらず、自らの五感で確かめようとする謙虚さは、曖昧《あいまい》な表現を極力排除した骨太の文体にもあらわれているように思える。『アメリカ彦蔵』もこうした安定感のある視線を感じさせる作品である。

『冬の鷹《たか》』以降、歴史小説にとりかかった吉村氏は、その舞台を主に江戸時代末期においてきた。『アメリカ彦蔵』も江戸時代末期が舞台である。その理由は〈史実を記録したものが数多く残っているから〉（『史実を歩く』）だという。このあたりにも記録にこだわる吉村氏らしい姿勢がうかがえる。

吉村氏はこの長編小説以外にも幕末を描いた小説を多く手がけているが、これらに共通するのは、歴史上の立役者の目ではなく、周辺にいながら歴史に重要なかかわりを持つ人たちが見た物語であり、そこに作家としての視点をうかがわせる。歴史は正面を見据えるより、横から眺めたほうがリアルである。この小説も、「アメリカ彦蔵」と呼ばれた一漂流民の壮絶な生涯であると同時に、かれが見た幕末裏面史ともいえる。

幕末期に破船漂流した男（たち）が、アメリカに渡って産業革命後の異文明に触れたあと、日本に舞い戻って革命のまっただ中に身をゆだねるこの物語は、大動乱期という時代背景もあって実にスリリングである。吉村氏はかなり以前から彦蔵という人物に関心をいだいてきたそうである。それは、漂流という異様な体験だけではないだろう。波間に漂う木の葉のように彦蔵自身の人生が漂流そのものであったからではないだろうか。あとがきで「この小説は彦蔵を主人公としてはいるが、漂流民のことを書くものでもある」と記しているように、運命に翻弄《ほんろう》されながらも、幕末から明治への激動期を駆け抜けた多くの漂流民たちの物語が伏流となって、彦蔵をひときわ際立《きわだ》たせているといえる。

彦蔵の基礎資料は『アメリカ彦蔵自伝』に拠《よ》ったという。彦蔵には二冊の著書があり、一冊は文久三年（一八六三）に出版した『漂流記』で、もう一冊は波乱の人生を振り返りながら自ら綴った英文自伝“The Narrative of a Japanese”である。『アメリカ彦蔵自伝』はこれを現代語に訳したものだが、この資料も、吉村氏は全面的に信用していない。年代や人名の取り違えなど〈日記に誤記が多い〉からである。

しかし、取材にあたった吉村氏をして「困難な調査であった」と言わしめたのはそのことではなかった。

彦蔵がアメリカの土を踏んだころ、入れ替わるようにしてジョン万次郎がアメリカ船で帰国したが、この時代は多くの漂流民が救《たす》けられている。この小説にも彦蔵が出会った漂流者だけで数十人が登場する。吉村氏はこの一人一人について調査の手を広げているのである。彦蔵のように顕著な業績を残した人物の資料を探すのはそれほど難しくないだろうが、市井《しせい》の一人として消えていった人物の、それも幕末の資料となれば並大抵でなかったに違いない。さすがの吉村氏も〈今までこれほど手こずったことはない〉とこぼすほどだから、想像する以上に困難な作業だったのだろう。やがて市井の研究者を見つけ、彼らを訪ね歩くことで漂流民のすべてを明らかにしていく。淡々としていて、そこには記録することにこだわる吉村氏の執念がかいま見える。

それにしても「漂流」という言葉には、どこかしら蠱惑《こわく》的な響きがある。個人的な感覚かもしれないが、まるで少年に戻ったかのようにわくわくしてくる。日常生活から非日常空間へ、心の奥底で何かから逃れたいと誰しも願っているのかもしれない。私が「漂流」に惹《ひ》かれるのは、それを叶《かな》えてくれそうな魔力を感じるからである。日常はその繰り返しによって秩序を保っているが、ときにはこの秩序を壊してみたい衝動にかられることがある。人生に倦《う》んだとき、どこか知らない世界へ誘ってほしいと願いながら、しかし逃げることを許さない日常の壁。せめてひとときでも忘れることができたらと、ひとは旅に出る。旅はなるべく辺地の、できれば遠い国の非日常的な世界がいい。そして「漂流記」を読むのは、漂流者にわが身を置き換えて、どこまでも遠く、どこまでも非日常空間へと旅ができるからである。

いまから百五十年ほど前の、まだ日本の社会がおだやかだった嘉永三年、当時十三歳の彦蔵を乗せた船が破船漂流する。幸運にもアメリカ船に救出されたが、文明に落差があったこの時代、漂流はタイムマシーンで未来を旅するような体験を生み出した。〝未来の国〟で彦蔵は、電信という「恐るべき機械」を見、蠟燭《ろうそく》の灯よりも明るいガス灯に驚き、蒸気車にも乗る。想像もつかない非日常的世界だった、そのうえ将軍にも等しい大統領と会い、握手までする、いわば民主主義を肌で触れたといってもよかった。彦蔵にとってそれは、未来社会にタイムスリップしたような体験だったにちがいない。

本書には随所に〝善良な〟アメリカ人が登場する。かれらが彦蔵たちと対等に接したのは、未知の国・日本に対する好奇心もあるだろうが、彦蔵たちのもつ教育水準の高さ、文化度の高さへの畏敬《いけい》がそうさせたといえなくはない。一水主《かこ》が、それも十一人のうち五人も読み書きができるというのは、当時のアメリカといえども驚きであったはずだ。異国での彦蔵は、待ち受ける運命に抗《あらが》わず、漂流するがごとくその流れに身をゆだねた。淡々とした描写に、祖国から遠く離れた漂流者の悲しみが伝わってくるが、同時に十三歳という柔軟性にあふれた若さで、新しい世界を遊弋《ゆうよく》する彦蔵の幸運を羨《うらや》ましくさえ思う。

帰国のチャンスが訪れた彦蔵に、父親代わりのサンダースが言う言葉が印象的である。「ヒコ。世界ノ人ハ、ドコノ国ノ人モ同ジダ。国籍ハ重要ナ問題デハナイ。アメリカニ帰化シテモ、ヒコガ日本人デアルコトニハ変リハナイ」

国籍と民族は違うのだといわれて、果たして彦蔵に理解できただろうか。多民族の中で育ったことのない日本人には、あるいは理解を超えた価値観かもしれない。

漂流から九年目にして彦蔵はようやく帰国する。が、祖国は大きく様変わりし、攘夷《じょうい》派による暗殺が横行する異常な世界であった。幕末の世相は外国人にとってどれほど恐ろしいものであったか。とくにヒュースケンが腸を露出させて斬殺《ざんさつ》されたときなど、ドール領事らは日本刀の鋭さに「恐シイ、恐シイ」とふるえあがる。このあたりの緻密《ちみつ》な描写は実に迫力がある。「野蛮な国」に放り込まれた外交官たちの恐怖が、彦蔵の目を通して生々しく伝わってくるのである。強大な国力を背景に傲慢《ごうまん》な態度をとり続けるかれらが、その陰で戦々兢々《せんせんきょうきょう》として怯《おび》えていたとは実に意外だった。

すっかり変わった祖国に、しかし彦蔵はなじめない。生まれた故郷にも知った顔はない。アメリカにいたときは、「日本語を耳にして箸《はし》で米飯を食べ味噌汁《みそしる》」に憧《あこが》れた彦蔵も、祖国に戻ってみれば、長州藩との交戦に勝利したアメリカの軍人たちに味方して祝杯をあげている。日本人彦蔵と、アメリカ人ジョセフ・ヒコ。漂流をきっかけに二つの文化を背負うことになった彦蔵の心は、祖国に戻っても漂流を続けていたのである。

彦蔵の生地である播磨町《はりまちょう》の郷土資料館に彦蔵の写真がある。壮年期と書かれているだけで年齢は不詳だが、前頭部は禿《は》げあがり、右手を蝙蝠傘《こうもりがさ》の柄に置いて宙を見据えるそれは、元水主というより侍の風貌《ふうぼう》である。が、どこかもの悲しい。明治維新という革命が一段落したとき、自分の来し方を顧みてしみじみとつぶやいた声が聞こえてきそうだ。

「英語に通じていることで重宝がられたが、冷静に考えてみると多くの外国人と日本人に利用されて生きてきただけのことで、自分が今でも坊主《ぼうず》船に乗って漂い流れているような気がする」

漂流という過酷で苛烈《かれつ》な体験をした男の、あまりにも苦すぎる言葉である。とはいえ多くの漂流民が、ただ漂流民としてその生を終えたわけではなかった。ペリーの黒船ショックから数年後、各藩は競って洋式軍艦を買い入れるが、これを操舵《そうだ》したのも漂流民であった。ある者は藩校の小吏となって「異国事情」をひろめ、なかには西洋式帆船の建造に参画した者もいる。それぞれがそれぞれの方法で西洋の文明を日本にもたらしたのである。

明治三十年、彦蔵が死去したとき、「日本で新聞の創設者」としてその死が報じられた。日本ではじめての邦字新聞である「海外新聞」を発行して西洋の事情を日本に紹介したのは、確かに彦蔵が最初であった。そうには違いないが、彦蔵が未来の国・アメリカから持ち帰ったものは数えきれない。それらを知っているわれわれは、彦蔵の苦悩をのぞいたとき、こう思うのである。かれらは決して歴史の中枢《ちゅうすう》にいたわけではなかったが、かれら漂流民がいたからこそ、錆《さ》びた蝶番《ちょうつがい》に油をさすがごとく、日本は西洋に向かって明治という扉を開けることができたのではないか、と。

われわれはこの小説から、歴史は一様でなく、複眼で見るほうがはるかにおもしろいことを知るはずである。

（二〇〇一年六月、ノンフィクション作家）

この作品は平成十一年十月読売新聞社より刊行された。

吉村昭著

戦艦武蔵

帝国海軍の夢と野望を賭けた不沈の巨艦「武蔵」――その極秘の建造から壮絶な終焉まで、壮大なドラマの全貌を描いた記録文学の力作。

吉村昭著

星への旅

太宰治賞受賞

少年達の無動機の集団自殺を冷徹かつ即物的に描き詩的美にまで昇華させた表題作。ロマンチシズムと現実との出会いに結実した6編。

吉村昭著

高熱隧道

トンネル貫通の情熱に憑かれた男たちの執念と、予測もつかぬ大自然の猛威との対決――綿密な取材と調査による黒三ダム建設秘史。

吉村昭著

冷い夏、熱い夏

毎日芸術賞受賞

肺癌に侵され激痛との格闘のすえに逝った弟。強い信念のもとに癌であることを隠し通し、ゆるぎない眼で死をみつめた感動の長編小説。

吉村昭著

冬の鷹

「解体新書」をめぐって、世間の名声を博す杉田玄白とは対照的に、終始地道な訳業に専心、孤高の晩年を貫いた前野良沢の姿を描く。

吉村昭著

零式戦闘機

空の作戦に革命をもたらした〝ゼロ戦〟――その秘密裡の完成、輝かしい武勲、敗亡の運命を、空の男たちの奮闘と哀歓のうちに描く。

吉村昭著
陸奥爆沈

昭和十八年六月、戦艦「陸奥」は突然の大音響と共に、海底に沈んだ。堅牢な軍艦の内部にうごめく人間たちのドラマを掘り起す長編。

吉村昭著
漂流

水もわかず、生活の手段とてない絶海の火山島に漂着後十二年、ついに生還した海の男がいた。その壮絶な生きざまを描いた長編小説。

吉村昭著
空白の戦記

闇に葬られた軍艦事故の真相、沖縄決戦の秘話……。正史にのらない戦争記録を発掘し、戦争の陰に生きた人々のドラマを追求する。

吉村昭著
海の史劇

《日本海海戦》の劇的な全貌。七カ月に及ぶ大回航の苦心と、迎え撃つ日本側の態度、海戦の詳細などを克明に描いた空前の記録文学。

吉村昭著
大本営が震えた日

開戦を指令した極秘命令書の敵中紛失、南下輸送船団の隠密作戦。太平洋戦争開戦前夜に大本営を震撼させた恐るべき事件の全容——。

吉村昭著
背中の勲章

太平洋上に張られた哨戒線で捕虜となり、アメリカ本土で転々と抑留生活を送った海の兵士の知られざる生。小説太平洋戦争裏面史。

吉村昭著　**わたしの流儀**

作家冥利に尽きる貴重な体験、日常の小さな発見、ユーモアに富んだ日々の暮し、そしてあの小説の執筆秘話を綴る芳醇な随筆集。

吉村昭著　**ニコライ遭難**

〝ロシア皇太子、襲わる〟――近代国家への道を歩む明治日本を震撼させた未曾有の国難・大津事件に揺れる世相を活写する歴史長編。

吉村昭著　**天狗争乱**　大佛次郎賞受賞

幕末日本を震撼させた「天狗党の乱」。水戸尊攘派の挙兵から中山道中の行軍、そして越前での非情な末路までを克明に描いた雄編。

吉村昭著　**プリズンの満月**

東京裁判がもたらした異様な空間……巣鴨プリズン。そこに生きた戦犯と刑務官たちの懊悩。綿密な取材が光る吉村文学の新境地。

吉村昭著　**生麦事件**（上・下）

薩摩の大名行列に乱入した英国人が斬殺された――攘夷の潮流を変えた生麦事件を軸に激動の五年を圧倒的なダイナミズムで活写する。

吉村昭著　**島抜け**

種子島に流された大坂の講釈師瑞龍は、流人仲間と脱島を決行。漂流の末、流れついた先は何と中国だった……。表題作ほか二編収録。

阿川弘之著
春の城
読売文学賞受賞

第二次大戦下、一人の青年を主人公に、学徒出陣、マリアナ沖大海戦、広島の原爆の惨状などを伝えながら激動期の青春を浮彫りにする。

阿川弘之著
雲の墓標

一特攻学徒兵吉野次郎の日記の形をとり、大空に散った彼ら若人たちの、生への執着と死の恐怖に身もだえる真実の姿を描く問題作。

阿川弘之著
山本五十六
新潮社文学賞受賞（上・下）

戦争に反対しつつも、自ら対米戦争の火蓋を切らねばならなかった連合艦隊司令長官、山本五十六。日本海軍史上最大の提督の人間像。

阿川弘之著
米内光政

歴史はこの人を必要とした。兵学校の席次中以下、無口で鈍重と言われた人物は、日本の存亡にあたり、かくも見事な見識を示した！

阿川弘之著
井上成美
日本文学大賞受賞

帝国海軍きっての知性といわれた井上成美の戦中戦後の悲劇——。「山本五十六」「米内光政」に続く、海軍提督三部作完結編！

安部公房著
他人の顔

ケロイド瘢痕を隠し、妻の愛を取り戻すために他人の顔をプラスチックの仮面に仕立てた男。——人間存在の不安を追究した異色長編。

山本周五郎著

大炊介《おおいのすけ》始末

自分の出生の秘密を知った大炊介が、狂態を装って父に憎まれようとする姿を描く「大炊介始末」のほか、「よじょう」等、全10編を収録。

山本周五郎著

泣き言はいわない

ひたすら〝人間の真実〟を追い求めた孤高の作家、周五郎ならではの、重みと暗示をたたえた言葉455。生きる勇気を与えてくれる名言集。

山本周五郎著

町奉行日記

一度も奉行所に出仕せずに、奇抜な方法で難事件を解決してゆく町奉行の活躍を描く表題作ほか、「寒橋」など傑作短編10編を収録する。

山本周五郎著

楽天旅日記

お家騒動の渦中に投げ込まれた世間知らずの若殿の眼を通し、現実政治に振りまわされる人間たちの愚かさとはかなさを諷刺した長編。

山本周五郎著

夜明けの辻

藩の内紛にまきこまれた二人の青年武士の、友情の破綻と和解までを描いた表題作や、〝こっけい物〟の佳品「嫁取り二代記」など11編。

山本周五郎著

おさん

純真な心を持ちながら男から男へわたらずにはいられないおさん――可愛いおんなであるがゆえの宿命の哀しさを描く表題作など10編。

新潮文庫最新刊

赤川次郎著
いもうと
本当に、一人ぼっちになっちゃった——。27歳になった実加に訪れる新たな試練と大人の恋。姉妹文学の名作『ふたり』待望の続編！

桜木紫乃著
緋の河
どうしてあたしは男の体で生まれたんだろう。自分らしく生きるため逆境で闘い続けた先駆者が放つ、人生の煌めき。心奮う傑作長編。

中山七里著
死にゆく者の祈り
何故、お前が死刑囚に——。無実の友を救えるか。人気沸騰中〝どんでん返しの帝王〟による、究極のタイムリミット・サスペンス。

篠田節子著
肖像彫刻家
超リアルな肖像が巻きおこすのは、おかしな現象と、欲と金の人間模様。人生の裏表をからりとしたユーモアで笑い飛ばす長編。

髙樹のぶ子著
格闘
この恋は闘い——。作家の私は、柔道家を取材しノンフィクションを書こうとする。二人の心の攻防を描く焦れったさ満点の恋愛小説。

楡周平著
鉄の楽園
日本の鉄道インフラを新興国に売り込め！商社マンと女性官僚が挑む前代未聞のプロジェクトとは。希望溢れる企業エンタメ。

アメリカ彦《ひこ》蔵《ぞう》

新潮文庫　よ-5-41

平成十三年八月一日発行
令和四年四月三十日九刷

著者　吉《よし》村《むら》昭《あきら》

発行者　佐藤隆信

発行所　株式会社　新潮社
郵便番号　一六二—八七一一
東京都新宿区矢来町七一
電話　編集部(〇三)三二六六—五四四〇
読者係(〇三)三二六六—五一一一
http://www.shinchosha.co.jp

価格はカバーに表示してあります。

乱丁・落丁本は、ご面倒ですが小社読者係宛ご送付ください。送料小社負担にてお取替えいたします。

印刷・錦明印刷株式会社　製本・株式会社植木製本所

ISBN978-4-10-111741-6 C0193